M000240073

ISBN : 978 75 495 30816

1989—1994

文 學 回 憶 錄

下 冊

木　心講述
陳丹青筆錄

目 录

上 册

开课引言   001

第一讲   希腊罗马神话（一）   005
第二讲   希腊罗马神话（二）   021
第三讲   希腊史诗   037
第四讲   希腊悲剧及其他   053
第五讲   新旧约的故事和涵义   067
第六讲   新旧约再谈   079
第七讲   福音   091
第八讲   新旧约续谈   099
第九讲   东方的圣经   107
第十讲   印度的史诗、中国的诗经 119
第十一讲 诗经续谈   137

第十二讲	楚辞与屈原	149
第十三讲	中国古代的历史学家	157
第十四讲	先秦诸子：老子	167
第十五讲	先秦诸子：孔子、墨子	187
第十六讲	先秦诸子：孟子、庄子、荀子及其他	201
第十七讲	魏晋文学	211
第十八讲	谈音乐（未记）	219
第十九讲	陶渊明及其他	221
第二十讲	中世纪欧洲文学	241
第二十一讲	唐诗（一）	251
第二十二讲	唐诗（二）	267
第二十三讲	唐诗（三）	275
第二十四讲	宋词（一）	283
第二十五讲	宋词（二）	299
第二十六讲	中世纪波斯文学	311
第二十七讲	阿拉伯文学	323
第二十八讲	中国古代戏曲（一）	339
第二十九讲	中国古代小说（一）	357
第三十讲	中世纪日本文学	367
第三十一讲	文艺复兴与莎士比亚	381
第三十二讲	十七世纪英国文学、法国文学	397

第三十三讲　　　中国古代戏曲（二）　　　　　　　　　411

第三十四讲　　　中国古代小说（二）　　　　　　　　　425

第三十五讲　　　十八世纪英国文学　　　　　　　　　　443

第三十六讲　　　十八世纪法国文学、德国文学　　　　　459

第三十七讲　　　歌德、席勒及十八世纪欧洲文学　　　　473

第三十八讲　　　十八世纪中国文学与曹雪芹　　　　　　487

下　册

第三十九讲　　　十九世纪英国文学（一）　　　　　　　507

第四十讲　　　　十九世纪英国文学（二）　　　　　　　521

第四十一讲　　　十九世纪英国文学（三）　　　　　　　537

第四十二讲　　　十九世纪英国文学（四）　　　　　　　551

第四十三讲　　　十九世纪法国文学（一）　　　　　　　559

第四十四讲　　　十九世纪法国文学（二）　　　　　　　569

第四十五讲　　　十九世纪法国文学（三）　　　　　　　579

第四十六讲　　　十九世纪法国文学（四）　　　　　　　589

第四十七讲　　　十九世纪法国文学（五）　　　　　　　597

第四十八讲　　　十九世纪德国文学　　　　　　　　　　611

第四十九讲　　　十九世纪德国文学、俄国文学　　　　　621

第五十讲　　　　十九世纪俄国文学再谈　　　　　635

第五十一讲　　　十九世纪俄国文学续谈　　　　　653

第五十二讲　　　十九世纪波兰文学、丹麦文学　　665

第五十三讲　　　十九世纪挪威文学、瑞典文学　　677

第五十四讲　　　十九世纪爱尔兰文学　　　　　　689

第五十五讲　　　十九世纪美国文学　　　　　　　703

第五十六讲　　　十九世纪中国文学　　　　　　　719

第五十七讲　　　十九世纪日本文学　　　　　　　731

第五十八讲　　　二十世纪初期世界文学　　　　　741

第五十九讲　　　二十世纪现代派文学　　　　　　755

第六十讲　　　　影响二十世纪文学的哲学家（一）769

第六十一讲　　　影响二十世纪文学的哲学家（二）783

第六十二讲　　　象征主义　　　　　　　　　　　795

第六十三讲　　　意识流　　　　　　　　　　　　807

第六十四讲　　　未来主义　　　　　　　　　　　819

第六十五讲　　　未来主义、表现主义及其他　　　833

第六十六讲　　　卡夫卡及其他　　　　　　　　　847

第六十七讲　　　表现主义、达达主义、超现实主义（缺课）861

第六十八讲　　　意象主义（一）　　　　　　　　863

第六十九讲　　　意象主义（二）　　　　　　　　875

第七十讲　　　　存在主义（一）　　　　　　　　887

第七十一讲　　存在主义（二）　　　　　　　　901

第七十二讲　　萨特再谈　　　　　　　　　　913

第七十三讲　　萨特续谈　　　　　　　　　　925

第七十四讲　　加缪及其他　　　　　　　　　937

第七十五讲　　新小说（一）　　　　　　　　949

第七十六讲　　新小说（二）　　　　　　　　965

第七十七讲　　新小说（三）　　　　　　　　977

第七十八讲　　原样派、荒诞剧、垮掉的一代　989

第七十九讲　　垮掉的一代再谈　　　　　　　1003

第八十讲　　　垮掉的一代续谈　　　　　　　1017

第八十一讲　　黑色幽默　　　　　　　　　　1029

第八十二讲　　魔幻现实主义（一）　　　　　1043

第八十三讲　　魔幻现实主义（二）　　　　　1051

最后一课　　　　　　　　　　　　　　　　　1063

后　记／陈丹青　　　　　　　　　　　　　　1083

民国版《拜伦评传》和拜伦著作《曼弗雷德》。木心推崇的丹麦大评论家勃兰兑斯、翻译家韩侍桁的名字，出现在封面上。

十九世纪英国文学（一）

一九九一年三月十日

拜伦自称不读书，死后发现其藏书里满是注解，真是天纵英才。

1948 年我乘海船经台湾海峡，某日傍晚，暴雨过后，海上出现壮丽景色：三层云，一层在天边，不动，一层是晚霞，一层是下过雨的云，在桅顶飞掠——我说，这就是拜伦。

他的哈罗德、康拉德、曼弗雷德、该隐、唐璜，都是语言横蛮的小伙子，不读书不看报，漫游，抢劫，乱伦，骂上帝。这位怀疑主义的子弟尚未成熟，他的诗中的人物，都是捣蛋的美少年，胆大，气醇，赋厚。

老年人的仁慈是看清了种种天真。拜伦的诗和尼采的哲学，在我看来是如何的乳气，生的龙、活的虎，事事认真，处处不买账。

别以为从来就有个人主义，不，个人主义是从人的自证，人的觉醒，人与人的存在关系，然后才在世界范围内发展成个人主义。个人主义不介入利己利他的论题，是个自尊自强的修炼——但不必说出来。

上次未讲《儒林外史》等，下次讲到中国时，再讲。

十九世纪，想起来真是音乐、文学的嘉年华（二十世纪是绘画的嘉年华）。十九世纪文学之好，二十世纪达不到，看来人们也不愿意回顾。十九世纪被忘掉了，十八世纪更是"老掉牙"了——无知的人总是薄情的。无知的本质，就是薄情。

英国人说，十九世纪，上帝给我们太多文学的天才，音乐、绘画的天才就不肯给我们了——当十九世纪曙光初露时，英国诞生了几位天才诗人：华兹华斯、柯勒律治、骚塞。三人并称为"湖畔诗人"（Lake Poets），因三人在湖边做朋友，写诗得名——三人诗风是不一样的。接着又有拜伦、雪莱、济慈，更有名望。这样六个人，造成英国诗台的灿烂局面。

到维多利亚时代，出诗人更多，丁尼生、罗塞蒂兄妹、勃朗宁夫妇、哈代，等等，几乎可以和唐代媲美。不过先要打招呼，如果你们读原作，会觉得如此天真直白简单，看唐诗不会有这感觉。可在当时的英国，以为大好。

华兹华斯与柯勒律治的《抒情诗集》（*The Lyrical Ballads*，1798）出版，是英国浪漫主义的开始。序言中宣布的所谓英国文学新精神，现在读来有点言过其实，当时就是这样的（法国浪漫主义上台时，几乎吵架似的吵上来）。

威廉·华兹华斯（William Wordsworth，1770—1850）。律师

的儿子。剑桥受教育。1790年游欧，正值法国大革命。他同情革命者，与吉伦特派成员（Girondists）交朋友，回国后职志做诗人。当时诗人是没有收入的，他以律师、记者职业营生。时值他好友死，遗九百镑，遗嘱要他专以这笔钱做诗人——这样的事多美！华氏靠这九百镑成为诗人。

他在山顶租宅，在湖畔与柯勒律治和骚塞作诗。不久父死，又得遗产，更兼高职，以后得"桂冠诗人"（Poet Laureate）称号，高寿八十。诗人中运气最好的大概是他。

他歌咏自然与人生，以农家风物、儿童天趣入诗。

上次讲过柯柏，亦喜咏自然，但咏的是自然的外观。华氏以自己的情绪、情感观照自然，东方人读或感觉亲近，与王维略近，但王诗更恬淡隽永。华兹华斯与陶渊明比，更大不如，但在英国人看来，不得了。

我早年看这些英诗：写得真老实。他们写散步，就老老实实写。法国人卢梭晚年写过几次散步，写得好，真是成熟了，与写《忏悔录》时的卢梭不一样。大陆出版了这本书，买不到，我对它印象很好，内容记不得了，很想再看看。大家留心中文版《最后的三次散步》（*Rêveries du promeneur*，一译《一个孤独漫步者的遐想》）。

比较起来，华氏的抒情诗最好，题材、思想、文字，皆朴素。写小猫，小孩的自白，少女天真的对话和落叶。有诗曰《我们是七个》（*We Are Seven*），写不知生也不知死的小孩之间无邪纯真的对话，感人肺腑。

二十世纪，淳朴童真的小孩没了。现代、后现代的孩子，耶稣恐怕不答应他们进天国，耶稣说：孩子，去玩电脑游戏吧。

塞缪尔·泰勒·柯勒律治（Samuel Taylor Coleridge，1772—1834）。幼年失怙，在慈善学校长大。好读书，凭用功进剑桥，但游心于宗教、哲学书中。后来去当骑兵，不久又作罢。娶骚塞妻妹，得友人助，游德。写《莎士比亚论》之后成名。抽上鸦片，渐颓废。后来将妻儿托给骚塞，独往伦敦混了十九年，死了。只有许多未完成的诗和大计划。

名诗是《古舟子咏》（*The Rime of the Ancient Mariner*），叙事性质。他好写怪诞的故事，但文笔浓郁。他与华兹华斯性情完全不同，却是好友。或出于雅量，或是补偿心理。

罗伯特·骚塞（Robert Southey，1774—1843）。布商的儿子。初入西敏寺公学，因发表反对体罚制度的文章而被开除。后来进入牛津。一时穷困，奋斗。正当成名，却因用脑过度而神经衰弱。据说出过一百零九本书，神经是要受不了（我不写这么多书，大家也别写这么多）。诗风与华氏相近。也有说法认为他的成就是散文。名作有《纳尔逊将军传》（*The Life of Horatio Lord Nelson*），据说是不朽之作，我没读过。

沃尔特·司各特（Walter Scott，1771—1832）。苏格兰爱丁

堡人。大学学法律，但志在小说。晚年负债重，身体衰弱。诗以古韵文传奇作蓝本，但思想新颖，文笔活泼，当时极受欢迎。

以上都是十九世纪前期的诗人。

拜伦。我的讲义写了十六页，曹雪芹先生可能有意见了。

乔治·戈登·拜伦（George Gordon Byron, 1788—1824）。得年三十六岁，标准天才型人物的死亡。生于伦敦。父亲是家事不管的花花公子。母亲脾气坏。拜伦从小不相让，吵。拜伦是个穷的贵族。妈妈骂他"拐子"，他说：说这话的还是个人吗？

不幸的童年，使人性格尖锐。

上大学后是个捣蛋鬼，受罚。向往异国情调——这是十九世纪的特征。二十一岁游西班牙、希腊、土耳其，边游边写诗，就是《哈罗德游记》（Childe Harold's Pilgrimage），哈罗德是诗中主角名字。诗寄回英国，头两卷发表后，拜伦说："我一早醒来，一夜成名，成为诗台上的拿破仑。"

这就是拜伦：说得出，做得到；做得到，说得出。

1815年结婚，1816年离婚（正式分居）。就是这样。这种婚姻，就是拜伦风格。当时英国多么保守，舆论大哗。他一怒之下离国出走，说永远不回来了。

拜伦的脾气。

他是贵族、诗人、美男子、英雄，是多重性质的象征。我小时候一看这名字，还没读作品，就受不了了。再看画像，更崇拜。宝玉见黛玉，说这位妹妹好像哪儿见过。我见拜伦，这位哥哥好像哪儿见过。精神血统就是这样。席勒，我总隔一层；雪莱，我视为邻家男孩；拜伦，我称为兄弟。

人类文化至今，最强音是拜伦：反对权威，崇尚自由，绝对个人自由。

真挚磅礴的热情，独立不羁的精神，是我对拜伦最心仪的。自古以来，每个时代都以这样的性格最为可贵。

英国文学，莎士比亚之后，公推拜伦。

《哈罗德游记》历时六年，第一、第二篇以西班牙、葡萄牙、希腊、阿尔巴尼亚为背景。第三、第四篇以比利时、瑞士、意大利等地为背景——不是游记，而是见景生情。

我定义为"世界性的大离骚"。

在地中海的波浪间，在意大利的古堡间，在瑞士的雪山下，他的诗一句句涌出来。

坦白讲，我少年时得了这本《哈罗德游记》，屈原的《离骚》《九歌》就搁一边了。今年春节的那几天，我还用"哈罗德二世"的题名，写了一首诗。

另一本诗集名《海盗》（*The Corsair*），叙事诗，以地中海为背景。因陆地已为种种制度束缚，只有海上可以逍遥。主角康拉德（Conrad），崇高纯洁，但被人极度排斥，愤而当海盗，靠船、喽啰、剑术，一概反抗岸上的人类，只爱他的妻子，后来妻子死了，漂流不知所终。

《海盗》1814年出版，正是英国诽谤拜伦达于顶点时，一出，销量即达一万四千册。当时每个沙龙都谈拜伦，谁不读，谁就是落后分子。

拜伦最重要的诗是《曼弗雷德》（*Manfred*），是他从瑞士阿尔卑斯山到意大利时所作。主人公曼弗雷德是个强烈的异端，悲观、厌世。当时歌德的《浮士德》第一部也刚问世——欧洲就有如此精神上的明星——歌德说："此诗是模仿我的，但却是一种新的东西。"法国人丹纳（Taine）评价二者曰：浮士德是庸俗的，曼弗雷德是血性的；歌德是普遍的，拜伦是个人的。

我来打个圆场，做点补充：《浮士德》之意义在于普遍的象征性，其精神是一面旗帜。旗帜是一片布，布有什么精神呢？而《曼弗雷德》是一把剑，是要杀伐的。歌德是伟人，四平八稳的——伟人是庸人的最高体现。而拜伦是英雄，英雄必有一面特别超凡，始终不太平的。英雄，其实是捣蛋鬼，皮大王，捣的蛋越大，扯的皮越韧，愈发光辉灿烂。

英雄和伟人是不同的。用在历史人物上，试试看，很灵的。嵇康是英雄，孔子是伟人。

莎士比亚的诗剧是可以上演的，拜伦的诗剧如《曼弗雷德》，不能上演。曼弗雷德有个妹妹，容貌神色肖其兄。两人亲爱逾度，成乱伦关系。后来曼弗雷德自悔，与妹妹争执，杀之，重罪，逃往阿尔卑斯山间徘徊。他受到良心的谴责，极端痛苦，但不肯依赖宗教求得解脱。有七个精灵来问他：你祈求的是什么？他不答。精灵说：开口呀，你要掌有最高的权力，我们也给。曼弗雷德高叫道：我什么也不要，只求忘掉自己。精灵说：那只有死。曼弗雷德说：死后而灵魂不灭，还是不能忘掉自己。

这诗很阴郁的。善恶只能自己判断。

歌德诗如交响乐，拜伦诗如室内乐。

另有诗剧名《该隐》（*Cain*），比《曼弗雷德》更强烈。也可谓文学史上最疯狂的作品。司各特评之为"伟大的剧本"，雪莱称拜伦为"弥尔顿之后无敌的大诗人"，托马斯·穆尔（Thomas Moore）写信给拜伦："《该隐》真可惊恐，令人不能忘情……这剧将永存世界人类的心底。谁都要拜倒于《该隐》之前。"歌德称此诗是空前的大作品，在英国文学上无可比拟，他甚至劝友人念好英文，读《该隐》。

故事来自《圣经》（诸位忙，可能还没读《圣经》）。亚当、夏娃罚到世界后，生子，即该隐。该隐种田，其弟亚伯（Abel）牧羊。奉祭耶和华时，该隐供五谷，亚伯献小羊。耶和华喜纳小羊，却拒绝五谷。该隐怒而烧之，把亚伯也杀掉了——他以为人在世上即罪孽，一切困苦他一人担当算了。耶和华将该隐逐到旷野，要他永久受人诅咒。该隐就把儿子也杀了，不想让儿子长大也受罪。

其实我们在大陆，都是曲曲折折的该隐。

英国朝野一致认为拜伦是恶魔，在有神论的世纪，此诗太强烈了。奇怪的是，《旧约》记录了该隐的故事。如果没有真事，不必编造——这明明是为异端树碑立传。

大陆出过他的《唐璜》(*Don Juan*)，是他最后的作品，未完成，共十六篇，取材西班牙民间传说，借以攻击英国的伪君子。唐璜，风流男子，风流倜傥，十六岁爱上五十多岁夫人，事变后出逃，途中遇海难，漂流到一岛，与海盗之女恋爱，被海盗卖掉。乔装潜入土耳其后宫，与宫女杂处。后又逃亡俄国，得到女皇叶卡捷琳娜 (Empress Catherine) 宠幸，受命出使伦敦，骂那些虚伪的贵族。

这首长诗非常见功力，地理、环境、战争，凿凿有据，知识渊博，观察精到，手段充分。拜伦自称不读书，死后发现其藏书里满是注解，真是天纵英才。1948 年我乘海船经台湾海峡，某日傍晚，暴雨过后，海上出现壮丽景色：三层云，一层在天边，不动，一层是晚霞，一层是下过雨的云，在桅顶飞掠——我说，这就是拜伦。

而我当时的行李中，就带着拜伦诗集。

拜伦拐腿，拐得好，非常拜伦。我首推司汤达描写拜伦。司汤达在世上最崇拜拿破仑和拜伦。有次在意大利，一晚会据称有拜伦。司汤达大喜，去，原来座位就在拜伦旁边。远远看见拜伦入场，他已昏昏沉沉，根本无心听音乐。他说拜伦皮肤如大理石中点了灯。那晚，他说未听到音乐，但看到了音乐。

歌德对拜伦一往情深，不可自抑。《浮士德》有一个人物，名欧福良（Euphorion），是浮士德与海伦之子，豪迈不拘，后来堕海夭折了，这是写拜伦。而歌德一大段悼念欧福良的诗，很明显，针对拜伦。

在我看，拜伦的一生是十足的诗人的一生，是伊卡洛斯的一生。

为了希腊独立，拜伦倾家荡产。他奔赴希腊前线，任起义军司令，得热病死去，整个希腊为之哭泣，鸣炮志哀。尸体运回英国，伦敦人山人海迎候，引为英国的光荣。伪君子和反对他的人都想与他沾点关系。

拜伦的精神家谱是西方的怀疑主义。这主义从古希腊一路下来，初始都用心用脑，但没有胆。蒙田临终，世故圆滑，请来神父（他想不到三百年后一个中国人会算他的账，算他头脑与膝盖的账）。歌德一有机会就赞美拜伦，因为在文学上或生活上，拜伦做了歌德想做而不敢做的事。伟人能够欣赏英雄，但英雄未必瞧得起伟人。

李清照懂，有诗曰："所以嵇中散，至死薄殷周。"

怀疑主义世家的长长谱系，到了拜伦，是出了英雄好汉。李白、杜甫，不属于怀疑主义世家，想做伟人，没做成，诗仙、诗圣也。金圣叹、李贽等等是怀疑主义者，但本钱不够。战国以后，中国没有出大思想家。鲁迅，是一个人物。他早期的思想宣言《摩罗诗力说》，就对拜伦大为赞扬，以为要救中国，必须提倡"恶魔精神"，可惜鲁迅先生的抱负只在反帝反封建，可惜他刚刚开始怀疑，就找到了信仰。

拜伦的个人至上，纯粹的独立，纯粹的自由，其实就是尼采的超人意志。

拜伦是本能的天性的反抗。

一百多年过去后，可以说，拜伦是"超人"的少年时期，是初出茅庐、跟着感觉走的超人。他的哈罗德、康拉德、曼弗雷德、该隐、唐璜，都是语言横蛮的小伙子，不读书不看报，漫游，抢劫，乱伦，骂上帝。这位怀疑主义的子弟尚未成熟，他的诗中的人物，都是捣蛋的美少年，胆大，气醇，赋厚。

尼采一来，超人进入中年壮年，他不再如拜伦诅咒上帝，干脆宣布上帝已死，更提出系统的理论。这是哀乐中年说的话。

所谓"哀乐中年"，是指中年人的悲乐格外深切。尼采纯然活在哲学中，生活一片空白、一片干旱，是个喝不到酒的酒神，所以疯了。疯了，就没有"晚年"可言——超人的晚年也要来的。人到了老了，特别怀念少年时期。

青春活力是不浮夸的，装出来的活力才浮夸。拜伦的轻狂是一点不做作的——他喝酒，喝完就把杯子摔掉，说：我喝过的杯子不许别人再喝——尼采有没有在作品中看到他的先驱拜伦？我没有发现。

老年人的仁慈是看清了种种天真。拜伦的诗和尼采的哲学，在我看来是如何的乳气，生的龙、活的虎，事事认真，处处不买账……我是个残忍的人，一看再看，实在看得多了，徐徐转为仁慈。仁慈是对自己的放松，但对世事不放松。

艺术家是不好惹的。

超人有他的少年期、中年期、老年期。但超人没有更年期。

最后打个圆场：我们这个世纪、这代人的价值在哪里？

可以秋后算账。

拜伦只会叫：这是不对的！不公平的！不能忍受的！尼采呢，大老板（上帝）死了，小老板（耶稣）又不在，于是他说，一切重新估价。

拜伦可以流亡，做强盗，做 play boy，做军队统帅。他可以，他长得漂亮。但他的道路决不是普遍性的。尼采的"一切重新估价"呢，他来不及重新估价。从他死后到目前的一切，也需要重新估价。

过去的讲法：达则济世，穷则独善。我讲：唯能独善，才能济世。把个人的能量发挥到极点，就叫做个人主义。

不妨做个更通俗的图解：

希腊，开始认识自己；文艺复兴，是中世纪后新的觉醒；启蒙主义，是我们可以做些什么；到浪漫主义，是个性解放；到现代，才能有个人主义。

我的意思是，别以为从来就有个人主义，不，个人主义是从人的自证（希腊），人的觉醒（意大利），人与人的存在关系（法国），然后才在世界范围内发展成个人主义（以英、法、德为基地）。个人主义不介入利己利他的论题，是个自尊自强的修炼——但不必说出来。

二次大战前夕，是欧洲个人主义发展到最丰盛的不言而喻的时期。大战后忽然糊涂了，乃有存在主义。存在主义是个人主义的走调，个人主义是不言而喻的。

中国自外于世界潮流。中国没有个人主义。

"五四"以后，要在几十年内经历人家两千年的历程，也因为没有个人主义。革命一来，传统里没有"个人"，一击就垮。

这样来看拜伦以前如何，拜伦之后如何，所以见其可爱。

我这样形容他：至性，血性，男性。

在这一点，任何西方伟大的诗人都不能与拜伦比拟。

以下是一首小诗：

就此别了吧，

就是别了吧，

如果是永远也别了吧，

虽然我不原谅你，

也决不会背弃你，

就此别了吧，就是别了吧，

如果是永远也别了吧。

好，我们开了一个拜伦追悼会。来个大题小做：大家画画都找不到自己的风格，怎么办？所谓风格：由你来重新估价一切——下手马上不一样。

塞尚（Cezanne）重新估价苹果、风景……这又是小题大做。估价一切，本钱要足：天性，然后是修养。每个艺术家都要重新估价。

顺便说说——写作，论你尊敬者，"论"字放在后，如《塞尚论》、《鲁迅论》。论你不很尊敬者，"论"字可放前面，如《论某某某》。论不及水准者，不用"论"，起个别的题目，如《此岸的克里斯朵夫》、《塔下读书处》。

十九世纪英国文学（二）

一九九一年三月二十四日

二十岁，鼓呼爱尔兰解放运动，发传单，号召人民反抗政权。脸长得像姑娘，却是个脾气很大的造反派。他被家庭赶出，被学校赶出，被国家赶出（这是命。我少年时也被上海市长吴国桢批准的开除书开除，寄到家，我妈妈昏倒，家乡舆论大哗）。

鲁迅《伤逝》中涓生的屋里，墙上挂着雪莱的肖像。我小时候心目中的诗人，就是雪莱、拜伦、普希金。秀丽，鬈发，大翻领衬衫，手拿鹅毛笔——那时看到这副样子，就觉得是诗人，羡煞，却没想到"诗"。

我们小时候的小学教科书，有许多世界名著。唱莫扎特，我们却不知道。那时我就在教科书上读到了勃朗宁的诗，非常喜欢，叫做《花衣吹笛人》。这首诗有寓言童话的性质，但更有诗味。现在想想，我也是那个吹笛人——讲世界文学，就是吹笛呀。

我曾买到勃朗宁诗集，英文，很珍爱。"文革"中穷极，拿到上海旧书店卖。老板懂，看后说："他的诗没人要，他太太的我要，你有吗？"我只好将书抱回，一路上想："他要他老婆的，他要他老婆的。"

西方就有这好处：有这样健康的爱情教科书。中国要么道德教训，要么淫书；要么帝王将相画，要么春宫图。

我写东西时与奥斯汀和狄更斯比，奥斯汀太啰嗦，狄更斯太通俗，但我就是喜欢这两位作家。艺术上前人和后人的关系，是艺术上的天伦关系：前人哺育后人，后人报答前人，成天伦之乐。

珀西·比希·雪莱（Percy Bysshe Shelley, 1792—1822）。英国古贵族子弟，世代传承。他有继承爵位和财产的权力，但和父亲合不来。十九岁宣布自己的"无神论"。出小册子，名《论无神论的必然性》（*The Necessity of Atheism*），与父亲闹翻，被牛津除名。又与一位非贵族女子结婚，被家庭逐出。这段婚姻又不幸，不久离婚。妻子在离婚后自杀。

同情他的身世。一个不安于既成见解的人，在当时就以"无神论"为标志，又打破贵族门阀观念。

二十岁，鼓呼爱尔兰解放运动，发传单，号召人民反抗政权。脸长得像姑娘，却是个脾气很大的造反派。第一部长诗《麦布女王》（*Queen Mab*），被当局仇视。1811 年，他被家庭赶出，被学校赶出，被国家赶出（这是命。我少年时也被上海市长吴国桢批准的开除书开除，寄到家，我妈妈昏倒，家乡舆论大哗）。

雪莱去瑞士旅行，在日内瓦湖边碰到拜伦，从此友谊深厚，说死也为拜伦死。拜伦抽鸦片，请雪莱过海取货，结果溺死了（小道消息）。

拜伦与雪莱同时被介绍到中国。鲁迅《伤逝》中涓生的屋里，墙上挂着雪莱的肖像。我小时候心目中的诗人，就是雪莱、拜伦、普希金。秀丽，鬈发，大翻领衬衫，手拿鹅毛笔——那时看到这副样子，就觉得是诗人，羡煞，却没想到"诗"。

少年人都是由表及里的。

"我要把内心的光传给世人。"他少年时在泰晤士河畔立誓。

当时看了真感动啊！

现在以人生观、世界观、艺术观论，我和他已经没法谈了，好像童年的衣服，不能穿了——他当时"内心的光"，无非人民、平等、自由、博爱。今天怎样？哪里像他那时想的。艺术没有进化可言——艺术家却要不断进化。

这进化，指的是超越时代。

当时他是先知。他站在他的时代前面。我们今天读他的诗，也要站在今天的前面。

浪漫主义是一种福气，我们轮不到享受这种福气了。也因此今天我能写出和拜伦、雪莱不一样的诗。

他 1818 至 1822 年在意大利，创作力非常强盛：《伊斯兰起义》(*The Revolt of Islam*)、《解放了的普罗米修斯》(*Prometheus Unbound*)、《倩契一家》(*The Cenci*)、《给英国人民之歌》(*Men of England*)、《自由颂》(*Ode to Liberty*)、《西风颂》(*Ode to the West Wind*)……他都想在诗中解决问题，在诗中做政治宣言。普希金也如此。其实那时谁懂政治？我们现在读到十九世纪所谓民主、自由的政论诗，都会感到幼稚滑稽。

非正式排排队：所有以思想"革命"的，有如下几类：

感觉上的民主主义——古代希腊民主思想。

感情上的民主主义——启蒙时代的浪漫主义和自由主义。

理论上的民主主义——社会主义、共产主义。

行动上的民主主义——暴力、独裁。

思想上的民主主义——二十世纪成熟的思想家。

十九世纪的民主主义，就是"感情上的民主主义"。雪莱如果不死，世人会说他是个"革命者"。拜伦如果不死，我看他是"反革命"——我喜欢反革命分子拜伦。

凡属于感情上的民主主义，现在看，是受不了的，可以说过时了，预言、反抗等等，过时了。《西风颂》有句"冬天来了，春天还会远吗？"这是雪莱的名言。

世界哪里是那样的。好人读了要上当的。

雪莱与拜伦性格不一样的。拜伦因为思想上的不成熟，呼天抢地宣扬他的怀疑，雪莱也因为思想上的不成熟，欢天喜地维持他的信仰——说句老实话，我看他们写的诗，只当风景看看。说一句狂妄严厉的话：他们都不懂得写诗。

西方人真正会写的，是小说，不是诗。中国人才会写诗，但不会写小说。现代中国人，散文、小说、诗，都不知道怎么写了。

约翰·济慈（John Keats，1795—1821）。一个清清白白的唯美主义者（王尔德后来成了个肮脏的唯美主义者）。诗篇《艾德美》（*Endymion*，也称《恩底弥翁》），取材希腊神话，初出时被世人骂，他气得发疯。他不知道可以视批评家为刍狗，也不知道知名来自误解。他老实，没有我这样老奸巨猾，他气出肺病来。他与雪莱、拜伦都通信，那信写得真好。

他应雪莱之邀到意大利养病。那时没飞机，马车颠过去，到了意大利，肺病已是后期，完了，二十六岁死于罗马。

病也有时代性。那时作兴肺病。

他是诗之花，是个薄命的男佳人。他与雪莱、拜伦不一样，一味赞扬美，对人间世事概不在怀。不过他们那时的唯美，照我看，唯是唯了，美还不够美。

不过想回来，对一朵花不能要求太高。一朵花活二十六年，已经不短了。他的墓在罗马。丹青去时还不知道，没去拜访，以后要去。

"这里躺着的是一个姓名写在水上的人。"（Here lies one whose name was writ on water.）这是他的墓志铭。

我最喜欢司汤达的墓志铭：

"活过，写过，爱过。"（visse, scrisse, amò.）

厉害得不得了，又谦虚又傲慢，十足阳刚。

济慈的诗：《艾德美》、《伊莎贝拉》（Isabella）、《夜莺》（Ode to a Nightingale）、《古瓶颂》（Ode on a Grecian Urn）。雪莱像云雀，济慈像夜莺。他总是写夜莺。

直到十九世纪末，维多利亚时代诗名最大的是丁尼生。

阿尔弗雷德·丁尼生（Alfred Tennyson，1809—1892）。桂

冠诗人，文学史上位置很高。其父为牧师，有三子，丁尼生最小。上剑桥"三一学院"时，作诗得奖。他的哥哥也擅诗，两人合出诗集。不久独自出诗集，三年后又出一本，但都被批评家严厉否定。他自此隐居九年，直到1842年，再出新诗集，诗名大噪。丁尼生最后得爵位，得桂冠。

温和，明净，讲究音韵，合英国绅士口味。长寿。他是英诗史上的福人。福人往往是俗人。我不喜欢丁尼生，桂冠诗人尤其讨厌，好像皇家宠物。

勃朗宁和丁尼生被称为当时的"诗台双星"。但我喜欢勃朗宁。

罗伯特·勃朗宁（Robert Browning, 1812—1889）。受教于伦敦大学，一生生活宁静。早年写过戏剧，不好——他是诗人。后来找到自己，出诗集《铃铛和石榴》（*Bells and Pomegranates*）、《男人和女人》（*Men and Women*），渐得大名。

我们小时候的小学教科书，有许多世界名著。唱莫扎特，我们却不知道。那时我就在教科书上读到了勃朗宁的诗，非常喜欢，叫做《花衣吹笛人》（*The Pied Piper of Hamelin*）——有一个大城，老鼠成灾，市长招募灭鼠的能人，允诺厚赏。一个穿花格子衣服的流浪者说能灭鼠，市长高兴，请他行事。花衣吹笛人便吹响笛子，老鼠纷纷出洞来到他脚边，他边走边吹，走到河边，鼠群统统掉到河里淹死了。花衣吹笛人向市长讨报偿，市长赖账不认。吹笛人笑笑，转身走出市府，边吹边走，全城的小孩跟着他走出城门，不知去向。

这首诗有寓言童话的性质，但更有诗味。现在想想，我也是那个吹笛人——讲世界文学，就是吹笛呀。

他是个博大精深的诗人，淡远简朴中见玄思。他是写给少数智者看的，所以纪德称他"四大智星"之一。他像一座远远的山，不一定去爬，看到他在，我就很安心。他相貌极好。

伊丽莎白·芭蕾特·勃朗宁（Elizabeth Barrett Browning，1806—1861），通常称勃朗宁夫人。她是英国女诗人中最有成就的，相貌也极美。生于伦敦，知识广博精深，翻译希腊文学（《被缚的普罗米修斯》）。她最爱弟弟，弟弟不幸死于海难，她悲痛，隐居，以至瘫痪。

她名气大，长罗伯特·勃朗宁六岁。勃朗宁求婚。她先拒绝，后来感动，结婚。在意大利度蜜月，由于爱和葡萄酒，她康复了，能走路了。伍尔芙小说《爱犬富莱西》（*Flush: A Biography*），以他俩的宠狗的视角，描写他俩恋爱，写得真诚质朴。两人楼上楼下分别写商籁体（Sonnet，也称十四行诗），倾诉爱，交换：

　　不要怕重复，再说一遍，再说一遍，你爱我！（《葡

葡牙十四行诗集》第二十一首，*Say Over Again*）

充满真情。他俩是世界上最完美的爱侣（李清照才高于丈夫太多，还是寂寞的）。勃朗宁夫人死在意大利：她与丈夫谈心说笑，觉得累了，就偎在他臂上睡去——无病痛，死了。《被放逐的戏曲》（*A Drama of Exile*）、《孩子的哭声》（*The Cry of the Children*），是她的名诗。流传最广的是她写给勃朗宁的诗。

我曾买到勃朗宁诗集，英文，很珍爱。"文革"中穷极，拿到上海旧书店卖。老板懂，看后说："他的诗没人要，他太太的我要，你有吗？"我只好将书抱回，一路上想："他要他老婆的，他要他老婆的。"

讲到马修·阿诺德（Matthew Arnold, 1822—1888），文学理论和批评都要引他的话。他和丁尼生、勃朗宁恬静乐观的作风不同。他是怀疑论者。在牛津（大学）教诗歌，刊行诗集。但他的批评家名气压过诗名。死在意大利（我看不死则已，要死死在意大利）。

时代有点像个人：人的心情，明一阵，暗一阵，时代也如此。到阿诺德，理智和信仰冲突，直到悲观。再难受一阵子，济慈的后人又开始走济慈的唯美道路。

先有绘画的"拉斐尔前派"（Pre-Raphaelite），后来推广到文学。什么都不管，只想古代、中古、唯美。首领就是罗塞蒂兄妹。他们是意大利人，诗人，画家。

但丁·加百利·罗塞蒂（Dante Gabriel Rossetti, 1828—1882）。他的十四行诗，据说是英国最好的。他的画怎样呢，不怎么样，只多了一种造型。他所特别喜欢的女性的脸，后来影响到鲁迅喜欢的比亚兹莱（Aubrey Beardsley）。

诗更有名的是克里斯汀娜·罗塞蒂（Christina Rossetti, 1830—1894）。与勃朗宁夫人并称。有诗《鬼市》（*Goblin Market*），成名作。有一天，美国沙龙，克里斯汀娜在。青年文艺家在谈诗，谈到狂妄处，旁坐的罗塞蒂妹妹忽然站起来，说："我是克里斯汀娜·罗塞蒂。"然后离去。众人无话可说。

风范可嘉。

同时有莫里斯（William Morris），梅瑞狄斯（George Meredith），斯蒂文森（Robert Louis Stevenson），王尔德，哈代，斯温伯恩（Algernon Charles Swinburne），等等。均善诗。

哈代（Thomas Hardy）写诗起家，后来以小说得大名。八十三岁还出过诗集。还有一位道生（Ernest Dowson），其哀歌受人称赞，写酒、恋爱、失望。迷恋巴黎，是个颓废诗人，诗史总要提到他。另有一位菲兹杰拉德（Edward FitzGerald），译者，译波斯《鲁拜集》（*The Rubaiyat*），名载文史。十九世纪末，爱文学的青年每人一本《鲁拜集》。

这是文学史上的风流韵事。我在十三岁时见到《鲁拜集》

译本，也爱不释手。奇怪的文学因缘，凭本能觉得好。

那时的诗，已摆脱神话英雄事件。自湖畔诗派起，已倾向生活、爱、儿童、自然，属于感情上的民主主义。他们主张永恒的主题，但方法是向回走的。向回走的作用，是借古代的弹力，弹到前面。文艺复兴"三杰"都借古希腊之力，弹到前面去。

以诗论，勃朗宁强，借古代，显示现代气息。赏十九世纪英国诗，要保持距离，别以为诗到头了。不，诗的可能性多着呢。十九世纪的诗的矿藏，只发掘了一部分。

我写诗，神话、英雄、自然、爱情、儿童，都没有。诗的大路还有人在走——其实没人走——诗还大有作为。

十九世纪英国诗，值得读。维多利亚王朝的英国诗人，真如群星灿烂，讲不胜讲。中国人要好自为之。唐诗，仿佛是远山，是诗的背景——诗应该从我们这儿开始，移到近景来。曾用过的诗的材料、方法，我看都不是好材料、好方法。这个感觉我早就有，但不能公开说，说了，要被囚进疯人院。

但是十九世纪的小说，如哈代的几部，可以说是登峰造极——现在，我们自然而然从诗流到小说。

十九世纪英国小说谁开头呢？玛丽亚·埃奇沃思（Maria Edgeworth，1768—1849）。生于爱尔兰，终身不嫁。第一部小说《拉克林特堡》（*Castle Rackrent*），写地主农民。她的小说写社会问题，趣味浓厚忠肯，死时八十一岁。司各特很赞赏她。

第二位小说家就是司各特（Walter Scott，1771—1832）。也兼诗人，诗名高时，写了小说《威弗利》（*Waverley*），不自信，隐名出版，却大受欢迎。此后作二十九部小说，部部受欢迎。文笔收转自如，材料极其丰富，歌德大赞，称其伟大。晚年穷困，过度工作以偿还债务，虽然许多债本可以不用还的。

接下来是简·奥斯汀（Jane Austen，1775—1817）。《傲慢与偏见》（*Pride and Prejudice*）的作者，与司各特同代，很特异的女作家，生前几乎无人知道这么个女作家，小说名实相符。她的作品我以为是不易读的，写凡人凡事，六部小说，前后很完美。她的讽刺很平静，简朴的手法，很秀美。

女性作家中我非常推崇奥斯汀，有天才，有功力。那时女人写小说是笑话，要被人看不起的。奥斯汀就在那种翻板的小桌上写，听到脚步声，连忙盖上桌面。这样提心吊胆的写作生涯，竟能完成六部长篇小说——天才是埋没不了的。

查尔斯·狄更斯（Charles Dickens，1812—1870）。早年穷困，父亲还不出债，入狱，他探监。不幸的生活造就他的文学起点。他从未进过学校，一切自修。父亲出狱后送他到律师事务所工作，他不喜，宁可去当速记员，得以练习速记和文章的剪裁。得空喜欢在伦敦街头漫游（作家似乎都在大都市生活）。

初写滑稽有趣的东西登在报上，被人发现，请他去做连环画的脚本编写：《匹克威克外传》(*The Pickwick Papers*) 是也。出版后，读者兴趣不在画而在文，迅速家喻户晓。

狄更斯二十五岁前后，小说开始一部部出来，广受欢迎。1842 年游美，大受欢迎。晚年不写了，常在听众面前朗诵自己的作品。他的作品拍成电影最多，一拍再拍——《远大前程》(*Great Expectations*)、《大卫·科波菲尔》(*David Copperfield*)、《双城记》(*A Tale of Two Cities*)、《雾都孤儿》(*Oliver Twist*)、《老古玩店》(*The Old Curiosity Shop*)。

评价：正统文学批评说他艺术水准不够，认为是通俗小说作家。我以为这种批评煞风景。我喜欢他。在他书中，仁慈的心灵，柔和的感情，源源流出。说他浅薄，其实他另有深意。他的人物，好有好报，恶有恶报。但和中国式的因果报不同。他的这种"报应法"是一种很好的心灵滋补。托尔斯泰说：忧来无方，窗外下雨，坐沙发，吃巧克力，读狄更斯，心情又会好起来，和世界妥协。

我年轻时期忧来无方，也用这老药方。你们现在都忙，没有空闲忧悒，如果谁落在忧悒中，不妨试试：沙发、巧克力、狄更斯。

狄更斯的小说结尾，失散或久别的亲友又在一起了，总是夜晚，总是壁炉柴火熊熊然，总是蜡烛、热茶，大家围着那张不大不小的圆桌，你看我，我看你，往事如烟，人生似梦，昔在，今在，永在。

这种英国式的小团圆，比中国式的大团圆有诗意得多。我们大家在美国，说老实话，都在硬撑，谁不思念狄更斯结局中那张不大不小的圆桌？

我写东西时与奥斯汀和狄更斯比，奥斯汀太啰嗦，狄更斯太通俗，但我就是喜欢这两位作家。艺术上前人和后人的关系，是艺术上的天伦关系：前人哺育后人，后人报答前人，成天伦之乐。

威廉·梅克比斯·萨克雷（William Makepeace Thackeray，1811—1863）。响当当的大小说家。上海解放初期，许多文人看萨克雷。生于印度，五岁回英国。十八岁入剑桥，但他想学艺术，退学，写小文登报。到《浮华世界》（*Vanity Fair*，又称《名利场》）出版，成名。后来出《潘登尼思》（*Pendennis*），又以"英国十八世纪幽默家"的演讲著称。写上流社会，结构很强。讽刺寓意，好心肠，不是攻击性的。他的小说如一种皮鞋，好皮，好功夫，穿在脚上有点夹脚，不舒服。他的小说有点像任伯年，是小说能品中的大师。

爱德华·布尔沃–利顿（Edward Bulwer-Lytton，1803—1873）。早熟，母教很好，六岁能诗，十五岁出书。剑桥学生。步行游历全英国和爱尔兰。后定居法国。善谈，还在内阁参过政。作过小说《庞贝的末日》（*The Last Day of Pompeii*），情节浪漫，考证翔实。又有小说《未来的人类》（*The Coming Race*），提到当时还没有的电。

十九世纪后半叶英国文学，也是女作家领头登场：夏绿蒂·勃朗特（Charlotte Brontë, 1816—1855）。她们是三姐妹，生于牧师家庭。本来是五个女孩，一个男孩，母亲死后，姨妈来照顾孩子。大女儿和二女儿都夭折了。夏绿蒂·勃朗特是老三，艾米莉（Emily Brontë, 1818—1848）是老五，安妮（Anne Brontë, 1820—1849）是老六，住在约克郡的桑顿村，旷野的偏僻一角，自然环境影响了她们的气质和文学风格。

三姊妹都在文学史占地位。安妮是诗人，也写小说，有名，但地位不如两位姐姐。

三姐妹在约克郡一直写到死，真正做到了生活和艺术的一元。生活和艺术家应该是什么关系？她们的实验很成功：终生不嫁，态度虔诚，成果卓越。这种自立、不嫁、求全、写，不一定使人佩服，但要深思。似乎艺术另有自己的上帝，而她们是上帝的选民。

一说《简爱》（*Jane Eyre*）是自传性的，其实她的经历和简爱不同。出书后非常轰动，直到二十世纪才冷清。艾米莉《呼啸山庄》（*Wuthering Heights*）的光辉盖过了《简爱》。

伍尔芙夫人对《简爱》的批评凶狠不留情。我以为《简爱》还是好。一是情操崇高，二是适合年轻人读，是爱情的好的教科书。年轻时不爱看此书，完了——感情上爱情上看不懂《简爱》，是个大老粗。对《少年维特》、《简爱》、《茶花女》、《冰岛渔夫》（皮埃尔·洛蒂）这几部爱情小说，如果看不懂，不爱看，那是爱情的门外汉门外婆。而且我可以判断他是个坏人，没出息。

西方就有这好处：有这样健康的爱情教科书。中国要么道德教训，要么淫书；要么帝王将相画，要么春宫图。

我到现在还想写一两部纯粹感情、爱情的小说，只是老了还写爱情，拿不出手。来美九年，敬爱情而远之。

你们还年轻，人生的季节已经错过了。如开桃花，是十日小阳春。

还是去读小说。

人生多少事，只能"虽不能至，心向往之"。人的幸福，其实就到心向往之的地步。整个音乐就是心向往之的境界，是拿不到的东西。

伍尔芙夫人扬《呼啸山庄》贬《简爱》。何苦来哉？前书适合老年人读，后书适合青年读。毛姆（Maugham）评《呼啸山庄》，说："令我想起绘画上的艾尔·格列柯（El Greco）。"

这几本书是爱情上的"福音书"。爱情在这个世界上快要失传了。爱情是一门失传的学问。

诗意上来时，文字不要去破坏它。现在我看到的中国的现代诗，字眼、文字都太刺眼（欣赏艺术需要本钱——天性、学问——没看懂的东西，是没有本钱)。

　　大家都结婚了。否则，就做个爱情上的流浪汉。已经结婚的，就地取材，自己、双方，创造新的快乐。

十九世纪英国文学（三）

一九九一年四月七日

他的行文非常迟缓，我读时，像中了魔法一样。他行文的本领，音乐家都得羡慕：如此长，温和。读时，心就静下来，慢下来。他写苔丝早起，乡村的种种印象描写，无深意，无目的。就是这种行文。

出书后遭冷落嘲骂。哈代人也老实，居然就从此不写小说了。如果我活在那个时代，一定仗义执评，痛骂那些有眼无珠的混账，使哈代先生心情转佳。

知识学问是伪装的，品性伪装不了的。讲文学史，三年讲下来，不是解决知识的贫困，而是品性的贫困。没有品性上的丰满，知识就是伪装。

什么是艺术家？要把天才用到生活上而不配，去用在艺术上者，就是艺术家。要自己识相。我第一次剃了头照照镜子，又黄又瘦，还有什么希望？这么一个人，只好乖乖儿画画，乖乖儿写文章。偶有风流，算是意外收获。

把愤慨而幽默、渊深而朴素混在一起的，是兰姆。在世界范围中，兰姆，瓦莱里，我特别认同。据说兰姆为人很好，人见人爱，我及不上。我是人见人恨。他热爱伦敦，我痛骂上海人——他脾气好，我也该学。最好的东西总是使人快乐而伤心。魏晋人夜听人吹笛，曰：奈何奈何？

乔治·艾略特（George Eliot，1819—1880）。也是当时著名的女小说家，艾略特是笔名，很男性（乔治·桑也是笔名，很男性），本名玛丽·安·埃文斯（Mary Anne Evans）。少女时受良好教育，后来靠自学，成绩可观。通法、德、希腊、希伯来语，早年靠翻译起家。与父不合，父亲去世后离国旅游（说到旅游，想到观光业，非常痛恨。观光业一开始就不光彩。以后大家去，一定要了解该国历史。从前的大人物，一趟旅游，影响一生）。回国后迁去伦敦，住在《西敏寺评论》(*Westminster Review*) 杂志出版人家中，任编辑，也大量投稿——最理想还是一大笔遗产，终生旅游。

初有短篇小说集《教区生活场景》(*Scenes of Clerical Life*)，不太为人注意（始用乔治·艾略特笔名）。四十岁发表第一部长篇小说《亚当·彼得》(*Adam Bede*)，出名。众人猜作者是谁——狄更斯段数高，不猜人，看笔调，说：一定是女作家。

后与评论家刘易斯（George Henry Lewes）同居，刘易斯有妻子，在守旧的英国舆论界，对此倒也不太责备，可见他俩很相配。刘易斯的思想后来在艾略特的小说中大有流露。爱情的内容其实很简单，没有多大内容。为何有的爱情造成这样大的历史景观？因为遇到挫折，不让他们爱，于是道德、智慧出现，才显得伟大。光是爱情，有多少东西？歌德说："高昂的热情，坚持不了两个月。"一个高明的演员，在台上的高潮不超过二十分钟。

爱情显得好时，不是爱情，是智慧和道德。刘易斯与艾略特的爱，相互影响，所以长久。

作品风格质朴，热烈，人事描写都写得实在而单纯。通体看来，很大气。就文学成就看，高于勃朗特三姊妹。毕生著作《罗慕拉》(Romola)，我没有看过。据说参考书用了五百多种。一般评论，英国女小说家以乔治·艾略特最伟大。

金斯莱兄弟。哥哥查尔斯 (Charles Kingsley，1819—1875) 更著名。终生任传教士。剑桥毕业，留任历史学教授。著作多。有小说、散文、诗。勤奋。小说三十五本，其中《希帕蒂娅》(Hypatia)，写一位优秀的希腊女子宣讲新柏拉图思想，被基督徒杀害。《水孩》(The Water-Babies) 是英国孩子热衷阅读的小说。弟弟亨利 (Henry Kingsley，1830—1876)，写过三部战争小说，名不如兄。文学史上总称"金斯莱兄弟"。

二流作家有威尔基·柯林斯 (Wilkie Collins，1824—1889)。他以情节取胜，写恶人，让人钦羡。为什么写恶人呢？司马迁擅长写、也喜欢写恶人。恶人有一种美，司马迁把他们列入"列传"。张飞在传统戏曲中是黑脸，但在颊边添些粉红，看去很妩媚。梅里美 (Mérimée) 也爱写恶人，强盗，流氓——卡门多恶，做爱时苍蝇多，击蛋于墙，移苍蝇叮蛋，自己脱身。

有本事，拿自己作模特，写出一个恶人，恶得美丽。

还有查尔斯·里德（Charles Reade，1814—1884）。文字风格很好，写淘金、游民。听说写文艺复兴很有本领。

刘易斯·卡罗尔（Lewis Carroll，1832—1898）。《爱丽丝奇游记》（*Alice's Adventures in Wonderland*）。据现在说，是为一个女孩写的。一出版即风行各地，几乎任何国家都有译本。

布莱克摩尔（Richard Doddridge Blackmore，1825—1900）。当时就写暴力，反对柔和的家庭小说。乡土味很重。

罗伯特·路易斯·史蒂文森（Robert Louis Stevenson，1850—1894），不是二流，而是大作家了。我这一辈，无人不读史蒂文森《金银岛》（*Treasure Island*），还有《新天方夜谭》（*New Arabian Nights*）。听说在英国也无人不读《金银岛》，尤为少年人喜。他是诗人，但被小说的名气遮盖。身体弱，租船在太平洋游荡，海上的空气与冒险恢复了他的健康。据说其书信写得极好，大家有心去找找看。

他的冒险小说一不写爱情，二不写悲剧。英文本领无敌，语言特别有弹性。纯技术地去享受、欣赏他的英文本领，一定很有趣。

梅瑞狄斯（George Meredith，1828—1909），杜·马里耶（George Du Marier，1834—1896），吉卜林（Rudyard Kipling，1865—1936）。这三人各有风格。梅瑞狄斯深刻，高超，文笔晦

涩。杜·马里耶是画家，后来成小说家，成功了。吉卜林最优秀，他的特点，是不用奇特材料，可以平凡事而写得恐怖。被许多人称为文坛上的"彗星"。1907年得诺贝尔奖。曾来过中国。

· 乔治·艾略特、史蒂文森、吉卜林，这三人最好。

匆匆表过，留时间讲哈代。我一直崇拜他，将来可能写一篇哈代的论文。瓦莱里（Valéry）写过《波德莱尔的位置》，名字多好。我也要写《哈代的位置》。

他有多重意义。他的作品好到，在这个路子上我看到绝望为止。另一个陀思妥耶夫斯基，也让我绝望。有些伟大的作品一派拒绝模仿的气度，"不许动！"好像这么说。

托马斯·哈代（Thomas Hardy，1840—1928）。伦敦国王学院出身。十六岁学建筑，数度得皇家建筑师学会奖励，二十五岁后才专事文学。一个大问题：一个天才如何认识自己？如果哈代的才智用在建筑上，名利双收，前程远大——他不走。当时，他"一无所有"的是他的文学。一个天才是在他一无所有时，就知道自己的才能在哪方面。

起点，就要有这份自信。

然后，一本一本书，一个一个字，一个一个标点，证明自己是一个天才。

我认为哈代最好的小说是《苔丝》，全名《德伯家的苔丝》

（*Tess of the d'Urbervilles*）。还有一本《裘德》，全名《无名的裘德》
（*Jude the Obscure*）。还有一本《归来》（*The Return of the Native*），中
国曾有译名《还乡》。

他是真正的大家，大在他内心真有大慈大悲。他的行文非
常迟缓，我读时，像中了魔法一样。文学家、画家，常会羡慕
音乐家，而音乐家、画家，恐怕都得羡慕哈代行文的本领：如
此长，温和。读时，心就静下来，慢下来。他写苔丝早起，乡
村的种种印象描写，无深意，无目的。就是这种行文，描写，
了不起。

《还乡》写的是艾格顿荒原，将来我一定要去。他的浪漫，
一种平心静气的，看不出来的浪漫。我读时二十多岁，后来又
读过几遍，对这本书非常迷恋。那位红土贩子，平凡，忠实。
总有一天我要去艾格顿荒原住几夜。

像《苔丝》这种小说，福楼拜、托尔斯泰，看了都会发呆
的。我想象福楼拜会说："我还是写得粗了，急躁了。"托尔斯
泰，老实的滑头，也会说："他的才是小说，我们写的还不是
呢……"如果给陀思妥耶夫斯基看，他会说："你注意到吗？
我用的方法也是这样的。他用大调，我用小调。"

除了纯粹的文学欣赏，伟大的小说是可以测验人的。

哈代，陀氏，是一种方法的两种用处。公平地说，福楼拜、
托尔斯泰，是耶稣的衣服的一部分，重外在；哈代、陀氏，是
耶稣的心灵的一部分，重内在。排小说的位置，哈代、陀思妥

耶夫斯基是第一流的。普鲁斯特、乔伊斯，不如他们。

艺术家贵在自觉。曹雪芹是半自觉的，哈代、陀氏是恰如其分地自觉；普鲁斯特、乔伊斯，太过自觉了。

《裘德》是哈代的压卷之作，不易读。我迷恋裘德这个人，他平凡，被人拖下泥潭，最后贫病交逼，高烧濒死时还在大雨中上山顶赴约。整部书悲怆沉郁，但伟大在平淡，一点不用大动作。

出书后遭冷落嘲骂。哈代人也老实，居然就从此不写小说了。如果我活在那个时代，一定仗义执评，痛骂那些有眼无珠的混账，使哈代先生心情转佳。现在历史还了公道，那帮批评家已无踪影，而《裘德》巍然长存。

我以后还要读。你们也一定要读，大陆有很好的译本。

以后我写长篇小说，一定要和两位人物商量——不是模仿——哈代和陀氏，不断不断看他们俩的书。

哈代可以教我的，是气度。向陀思妥耶夫斯基可学的，是一种文字的"粘"度，一看就脱不开了。

我们面临两种贫困：知识的贫困，尤其是品性的贫困。

哈代，多么沉得住气。伏笔吗？到后来他也不交代了。气度大！陀氏的结构的严密度，衣饰、自然、环境，都不写，全是人、对话，看得你头昏脑涨，又心明眼亮。

知识学问是伪装的，品性伪装不了的。鲁迅，学者教授还没看清楚，他就骂了。

讲文学史，三年讲下来，不是解决知识的贫困，而是品性的贫困。没有品性上的丰满，知识就是伪装。

哈代的小说，里面有耶稣的心，无疑可以救济品性的贫困。

英国小说谈到这里。还有两位可以谈谈：吉辛，王尔德。

乔治·吉辛（George Gissing, 1857—1903）。短命才子，死后作品被人发掘。长得俊美，聪明，学生时每得奖，立志研究学问，十九岁时却跟一女子恋爱，造成不幸婚姻。妻子挥霍无度，逼得他偷，进监狱。出狱后流亡美国，靠写短篇小说谋生，后狼狈回伦敦。他很能写，特别是《狄更斯评传》（*Charles Dickens: A Critical Study*），但他败给一个女人。

奥斯卡·王尔德（Oscar Wilde, 1854—1900）。生于爱尔兰都柏林（那儿老出文学家）。父亲是名医，母亲是文人，家庭沙龙里都是名流。幼年即博览名品，眼界气度都高阔。高唱唯美主义，宣传唯美主义，身体力行。访美，进海关时，人问有何要保险，他说："除了天才，我一无所有。"

太自觉了。用不着这样说。

剧本写得好。散文有《狱中记》（*De Profundis*，一译《深渊书简》），看是可以看的，但也就两三句话可以借借。"太阳照着是金色，月亮照着是银色，别人的事情，有一天会轮到自己。"说是很会说。大陆有《狱中记》译本，出书极少，成珍本——珍贵的杂书。萧伯纳认为，即兴的辩论，无人能与王尔德匹敌。口才极好。

他的唯美主义，是所谓"高举旗帜"的。他说："艺术模仿自然，我看是自然模仿艺术"。《谎言的颓败》(The Decay of Lying)，论文，也写得好。我要损王尔德、罗曼·罗兰，是我从他们家进出太久，一出门就损——其实他们没有亏待我。

他说："所有的艺术都是无用的。"当时这样说，很痛快。又说："诗像水晶球，使生活美丽而不真实。"才气是横溢的——让萧伯纳佩服，不容易。他的"为艺术而艺术"，也可谓之"重新估价"。他反功利，反伪道德。他说："我是社会主义者！因为在社会主义国家，才能人人为艺术而艺术。"

现在我们可以说，那是艺术的屠宰场。我如果带他参观，一进门，墙上就挂着一张皮。我告诉王尔德：这就是唯美主义那张皮。

王尔德不愧为一个智者，言论锋利。不过，有时我想对他说：你别说得太多了。言多必失呀。

"作为一个个性独特的人，一个善于讲话、善于讲述轶事的人，王尔德是一个伟大无比的人。"萧伯纳原话。

"我把我的天才用在生活上，对于艺术，我只用了一点点。"这是他的逆论。在《道林·格雷的画像》(The Picture of Dorian Gray) 中，他用透了这种逆论。当时看很痛快，现在看，逆论容易讨好羡慕智慧的人。我讨厌逆论，是因为说者常把读者看轻。说得通俗点，是小儿科。

我的东西，常被人误以为逆论，但我与王尔德的区别，是他的逆论基于说明什么东西，我并不急于说明什么。他是玉笼中的金丝雀，我是走在外面，听取一片鸟叫。

为人生？为艺术？这争论是世界性的。前后一百年，在社会主义国家是动武解决的，从世界范围看，这场水深火热的争论却越来越淡化，现在根本没有这种争论了。

大概到我四十岁时，顿悟了：为人生而艺术，为艺术而艺术，都是莫须有的。哪种艺术与人生无关？哪种艺术不靠艺术存在？

黑格尔讲，从小孩嘴里讲的格言，和一个成年人讲的格言，意思是不一样的。我是老人了。我为这两种思潮苦恼过几十年，现在我悟了，说了，是有意义的。给大家讲，是双重的补课。

我们现在到了一个新的平面，回头看，有一种重新评价的乐趣。先看中国：鲁迅真的是为人生而艺术吗？他的人生观还是比较狭隘的。他对人生的回答，还是比较起码的。徐志摩真的为艺术而艺术吗？他和艺术根本是一种游离的状态，没门儿。他的出国，不过是旅游，他的东西，没有点，没有面，没有线。所谓江南才子，他不过是"佳人"心目中的"才子"，鲁迅根本瞧不起他。他的所有东西都是浮光掠影。

总之，一个文学家，人生看透了，艺术成熟了，还有什么为人生为艺术？都是人生，都是艺术。

这争论，人类竟愚蠢了一百年。

少年时，人说我是为艺术而艺术。不肯承认，也不敢反对，好苦啊。

王尔德，文学技巧好，但整个控制不行。唯美到了王尔德身上，变成一种病（张爱玲也有这种病，常要犯病）。

王尔德的童话好。他的《快乐王子集》(*The Happy Prince and Other Tales*)，是妙品——安徒生是神品——他的语言，妙在英国人才懂得的调弄语言。

他讲起话来气象很大。有一次喝醉后回旅馆，见纪德，一见就说："亲爱的，对人类充满深厚同情的文学，是在俄罗斯。"他又对纪德说："思想总是朝阴影飞去。太阳是妒忌艺术的。"

说得多好。

他的两大悲哀：一是唯美而不懂得美。他最喜欢的三张画根本不美，死神、裸体、翅膀之类。最怕是喜欢什么，就去艺术中找——这好比一个美食家张开嘴，口中没有舌头。二是他在生活上是个失败者。他自称"天才用在生活中"，正好相反。健康、灵活、明智、健美，善于保护自己，留后路，这才是生活中用天才。这是要本钱，要条件的。王尔德没有这个本钱。

什么是艺术家？要把天才用到生活上而不配，去用在艺术上者，就是艺术家。

要自己识相。

我第一次剃了头照照镜子，又黄又瘦，还有什么希望？这么一个人，只好乖乖儿画画，乖乖儿写文章。偶有风流，算是意外收获。伟大，才气，有什么用？面对美人，人家一笑，就跟人走了。

我们流亡国外，不好老老实实到中国街去买点菜吃。生活要保持最低限度的潇洒，不要像王尔德那样弄到老而丢脸，死在旅店。早年他与情人饮酒，挥霍无度。

他说：耶稣是第一个懂得悲哀之美的人。

最早翻译王尔德的，是张闻天。尼采的书的译者，是楚图南。

要自己会料理自己。思想家，第一不要疯。艺术家，第一不要倒下去。

本来站不直，靠艺术才站站好，怎能跌倒？连艺术的面子也会丢。我宁可同情疯的思想家，不同情跌倒的艺术家。王尔德没有晚年。他跌倒了，败了自己。所谓"不以成败论英雄"，那是指政治家、军事家。艺术，就要以成败论英雄。

哪有"此人写得不好，却是个天才"之说？

讲讲十九世纪的文学批评。

批评成为一种门类，从英国杂志开始。一是《爱丁堡评论》（*The Edinburgh Review*），创刊于 1802 年。一是《每季评论》（*The Quarterly Review*），创刊于 1809 年。两刊竞争，"批评"于焉诞生。

后又有二刊出，然后"评论"风行一时。这是文学的新的航向，新的福音（我一直主张办同人杂志——可是没有"人"呀）。

《伦敦杂志》（*London Magazine*）出来后，更为成熟，全是一流人才一流作品，德昆西、卡莱尔，等等。

散文因此风气大盛。作家各找各的领土，新旧两派打仗，一时百家争鸣——岂不有点像我们的"五四"时期吗？

初期英国散文有三派：一派属《爱丁堡杂志》；一派属《伦敦杂志》；一派不属上述两杂志。

德昆西（Thomas De Quincey，1785—1859）。论文与散文全集，共二十二册，叙述本领极高，严肃而滑稽，幽默而恐怖，最出名的是《一个吸鸦片者的自白》（*Confessions of an English Opium-Eater*），空空实实，真真假假，后来一提德昆西，都要提这本名著。

查尔斯·兰姆（Charles Lamb，1775—1834）。愈近现代愈受尊敬。我对他一见钟情。少年时能看到的，不过是别人节引他的话，一看就狂喜："童年的朋友，像童年的衣服，长大就穿不上了。"好啊！一句话，头脑、心肠、才能，都有了。

还有"吃饭前的祷告"，他说："轮到我祷告，曰：'在座没有牧师吗？谢天谢地。'"

把愤慨而幽默、渊深而朴素混在一起的，是兰姆。在世界范围中，兰姆，瓦莱里，我特别认同。据说兰姆为人很好，人见人爱，我及不上。我是人见人恨。他热爱伦敦，我痛骂上海人——他脾气好，我也该学学。

郑重推荐兰姆的《伊利亚随笔》（*Essays by Elia*），是他的精华所在。另有《莎氏乐府本事》（*Tales from Shakespeare*），流传极广，曾是最流行的英文课本。

他非常敬重古典作品，喜欢古典作品中的恬静。

最好的东西总是使人快乐而伤心。魏晋人夜听人吹笛，曰：奈何奈何？

兰姆写得这么好，我怎么办呢，也只有好好地写。

十九世纪英国文学（四）

但这种伟大崇高的灵智境界，进去容易，出来很难。一进去，年轻人很容易把自己架空。艺术家不能这样凭着英雄气息成长的。一个人要成熟、成长、成功，其过程应该是不自觉、半自觉、自觉这样一个自然的过程。罗兰、卡莱尔对我的不良影响，是因为他们一上来就给我一个大的自觉，一个太高的调门。

"历史是更伟大的圣经。"这话也是他说的。说得好！我们讲文学史，是在讲文学的圣经。我们学文学，就是文学的神学。

在中国，不稀奇。刘勰的《文心雕龙》，司空图的《二十四诗品》，文字都美极，美得无懈可击。这本应是文学的菜单，结果菜单比菜好吃。

福克纳领诺贝尔奖时说：说到底，艺术的力量，是道德力量。大鼓掌。可他平时从来不说这些大道理。他书中不宣扬道德的。道德在土中，滋养花果——艺术品是土面上的花果。道德力量愈隐愈好。一点点透出来。哈代，陀思妥耶夫斯基，耐性多好！哪里宣扬什么道德？现代文学，我以为好的作品将道德隐得更深，更不做是非黑白的评断。

批评是很广义的名词。讲文学史，当然是文学批评。就文学本题讲，所谓文学批评，是指散文。历史学家，善批评者，作品收入散文。

托马斯·卡莱尔（Thomas Carlyle, 1795—1881）。大名鼎鼎。十九世纪后半的大批评家。我读罗曼·罗兰和爱默生时，起劲地读过一阵卡莱尔。我告别罗兰时，也告别卡莱尔。读书如交友。读万卷书，朋友总有千把个，但刎颈之交，不过十来人。卡莱尔不算。

父为石匠。农家子弟。求学于爱丁堡大学。当时学而优则教（士），他不想去当教士，最终决定坚持信仰，靠讲课、写作维持生活。长寿，身体却坏，一辈子胃病。

1825 年出《席勒传》（*The Life of Friedrich Schiller*）。1826 年结婚，此后撰稿为生，所作大多为德国文学论文。1837 年，出版重头书《法国革命》（*The French Revolution: A History*）。1841年，将多次讲演成集《英雄和英雄崇拜》（*Heroes and Hero Worship*）——他的名字与此著作联在一起。后又出版另一代表性著作《过去与现在》（*Past and Present*）。

怎样评价卡莱尔？

他是很有魅力的男人，长得雄伟，爱默生推崇备至，敬爱他。我少年时，家中阴沉，读到卡莱尔句：

没有长夜痛哭过的人，不足语人生。

大感动。又有："打开窗户吧，让我们透一口气！"（呼吸英雄的气味）但这种伟大崇高的灵智境界，进去容易，出来很难。一进去，年轻人很容易把自己架空。艺术家不能这样凭着英雄气息成长的。一个人要成熟、成长、成功，其过程应该是不自觉、半自觉、自觉这样一个自然的过程。

罗兰、卡莱尔对我的不良影响（不是他们不良，是于我不良），是因为他们一上来就给我一个大的自觉，一个太高的调门。

人要从凡人做起，也要学会做观众。

罗兰一上来就起点太高，结果并不长进。他在师范大学时写信给托尔斯泰，是这点水准，到老得诺贝尔奖，还是这点水准。傅雷也相似，上来就给罗曼·罗兰写信，从法国留学回来，到红卫兵冲击，还在那些观点。

起点高，而不退到观众席，老在台上演戏，那糟糕极了。后来罗兰访苏，简直失态。

他是讲文以载道的。

卡莱尔在文学上比罗兰好，辞藻丰富，句法奇拔。他认为无情与冷漠是世上的大罪。他反对一切民主主义，要有英雄伟人出来领导——对的。可是英雄呢？伟人呢？

我以为是不得已，才找个民主制度。民主是个下策。再下策呢？一策也不策——明乎此，才可避免民主的弊端。

其他策，更糟，所以乃为上策。

所谓民主，是得过且过的意思。一船，无船主，大家吵，吵到少数服从多数——民主。

民主是不景气的、无可奈何的制度。卡莱尔痛恨快速发展的商业工业社会。眼光远。他反对物质主义。

我与他不同的是，他演讲，讲正经话，我只能讲俏皮话，笑话，骂人，写散文诗——骨子里，倒是英雄崇拜。

我反对民主？这话要有一个前提的。要这样讲下来，把民主和英雄主义对比下来，才可以讲讲。

"历史是更伟大的圣经。"这话也是他说的。说得好！

我们讲文学史，是在讲文学的圣经。我们学文学，就是文学的神学。

别说我反民主——别误解。目前，民主是唯一的办法。我希望今后东欧、中国有了真的民主，不要是现在现成的美国式的民主。拿一个更好的民主出来，这样子，七十年受的苦没有白受。

不能把西方这种暴力、性、刺青……拿来。

约翰·罗斯金（John Ruskin, 1819—1900）。生于伦敦，苏格兰人，父为酒商。童年少年很快乐。1839 年在牛津大学以诗得奖，四年后发表《近代画家》（*Modern Painters*），1849 年发表《建筑的七盏灯》（*The Seven Lamps of Architecture*），1853 年发表《威尼斯之石》（*The Stones of Venice*），均属艺术论文集。

他谈艺术，谈谈就谈到当时的社会道德，这是他关心的东西。他在伦敦大学讲艺术，都宣传社会道德、人生等等，也是文以载道派。他的目的，想创造纯洁、快乐的理想国。

"美学只有建立在道德的基础之上。"他说。

这种类型的文人，中国历代有的是，认为诗赋小道，安邦定国才是大丈夫所为。我的看法，你要做政治家、教育家，你就去做，别做艺术家。拿破仑指挥军队，贝多芬指挥乐队——这很好嘛。要拿破仑去指挥乐队，贝多芬去指挥军队？

罗斯金人是好的，心是热的，这是我的评论。他的观点今已无人感兴趣。

马修·阿诺德（Matthew Arnold，1822—1888）。现在还常常提到他。诗人，以批评家传世。他的可贵，是对产业革命以后的庸俗物质主义，大肆攻击。我们目前所处的平民文化、商品极权，是他预见的社会。他是有远见的。

罗斯金、卡莱尔，都可为了道德，艺术要靠边。阿诺德不这样。他从不标举什么具体的道德方向，他知道艺术的道德是在底层。

我常说，道德力量是潜力，不是显力。

福克纳（William Faulkner）领诺贝尔奖时说：说到底，艺术的力量，是道德力量。大鼓掌。可他平时从来不说这些大道理。他书中不宣扬道德的。

道德在土中，滋养花果——艺术品是土面上的花果。道德力量愈隐愈好。一点点透出来。

哈代，陀思妥耶夫斯基，耐性多好！哪里宣扬什么道德。

现代文学，我以为好的作品将道德隐得更深，更不做是非黑白的评断。

他的行文，流利庄重，不明说，多做暗示。他认为文学是人生的批评。我有一句不愿发表的话：

艺术家是分散的基督。

如果面对阿诺德，我就说给他听。

沃尔特·佩特（Walter Pater, 1839—1894）。他是个老侠客，样子潇洒，文章漂亮。唯美主义的旗手，是佩特。唯美主义的健将，都是他的学生，王尔德也在他旗下。

唯美主义起于英国，到法国后，法国人却很自尊，不提佩特，其实法国那群精致玲珑的文人诗人，都受过佩特理论的影响。波德莱尔、魏尔伦、兰波、马拉美、瓦莱里、纪德，都从唯美开始，又能快步超越唯美主义，潇洒极了。

佩特文体美丽。在西方，这种美丽的论文体是自佩特首创的。在中国，不稀奇。刘勰的《文心雕龙》，司空图的《二十四诗品》，文字都美极，美得无懈可击。这本应是文学的菜单，结果菜单比菜好吃。

他的《文艺复兴》(*The Renaissance*) 和《希腊研究》(*Greek Studies*)，都写得好极。他是文学上的雅痞。《想象的肖像》(*Imaginary Portrait*) 是他写的美好而不可及的传奇。另有《享乐主义者马利乌斯》(*Marius the Epicurean*)。

此公不能等闲视之。

英国历史著作，麦考利 (Thomas Babington Macaulay, 1800—1859) 写过《英国史》(*The History of England from the Accession of James the Second*) 和《弥尔顿论》(*Essay on Milton*)。

据说此二书受到现代人的重视，远超过卡莱尔等人。他的文章无一页沉闷。他表白的是多数人的见解，可是别人表白不清楚，在他却是轻轻易易，通而不俗，文笔愉快。实际上，这种才能，正适合写历史。

托马斯·赫胥黎 (Thomas Henry Huxley, 1825—1895)。这个人文章要看。很好很好。达尔文的继承人、发扬者。他是生物学家，杂文、论文、讲演，文学价值都很高，看似轻松，毫不在意，而又雄辩，旁征博引。我很喜欢他的文笔，完全是文学家在那儿谈科学。请各位留意，碰到赫胥黎的作品，别忘了一读。

"这是文学上的水、空气,一定要有的。"民
国版大仲马小说书影。

十九世纪法国文学（一）

一九九一年五月（缺）日

不容易啊！人要做到这样。可是你去做做看？不容易啊！

人有那么一种心理，痛悔，内疚，等等，放在心里深思即可。一出声，就俗了，就要别人听见——就居心不良。人要想博得人同情、叫好，就是犯罪的继续。文学是不许人拿来做忏悔用的。忏悔是无形无声的，从此改过了，才是忏悔，否则就是，至少是，装腔作势。

自己不会写通俗小说，但我非常尊重通俗小说。这是文学上的水、空气，一定要有的。最好在三十岁以前读，而且一口气读完。

坦白一点：本人写的《上海赋》，用的是巴尔扎克的办法。台湾有老上海来信，说我比上海还要上海——巴尔扎克比现实还要现实。艺术不反映现实。现实并不"现实"，在艺术中才能成为现实。现实是不可知的，在艺术中的现实，才可知。

福楼拜一定嫉妒巴尔扎克，一如芬奇嫉妒米开朗琪罗。巴尔扎克是动，福楼拜是静的。巴尔扎克，米开朗琪罗，多产；福楼拜，芬奇，是少作的。巴尔扎克和米开朗琪罗是精力的，苦行的，随便生活的；福楼拜和芬奇是精致的，讲究的。巴尔扎克伟大，福楼拜完美。

一路讲到这里，大家熟悉的人渐渐多了。

如果问，十九世纪法国文学是谁开的幕呢？大家以前随波逐流地读了一些小说，没有概念，这不是大家的错，时代使然。

翻译家做了很多事情。

当时有一本好书《十九世纪文学之主潮》，巨著，涵盖十九世纪整个世界文学，有全译中文本，每个作家都有肖像，道林纸精印，我翻来覆去读。现在的大陆、港、台作家们可能不记得这回事，书也绝版了。译者韩侍桁，好像没去台湾，也许在大陆，但从不见人提起。

著者，大名鼎鼎：勃兰兑斯（Georg Brandes，1842—1927）。

我凭记忆，先讲讲法国十九世纪文学先驱：斯塔尔夫人，夏多布里昂。

大家都说："法国文学我很喜欢，十九世纪法国文学，那是更喜欢！"——谁是开创者呢？不知道。

要知道，但是不作声。

斯塔尔夫人（Germaine de Staël，1766—1817）。生于巴黎，随夫姓。说歌德的《浮士德》是不讨好、写不好的，就是她。

嫁瑞士人，旋离婚。身为法国人，反拿破仑。据传拿破仑的一个亲信与她相谈两小时，回来立即也反拿破仑。拿破仑放逐她，于是她周游列国。两部文论集：《文学论》（*De la littérature dans ses rapports avec les institutions sociales*），《德国论》（*De l'Allemagne*），大有名。

说理流畅，不加修饰。虽说文学史上有地位，在我说来不太重要。

夏多布里昂（Chateaubriand，1768—1848）。被称为法国浪漫主义的父亲。他是虔诚的教徒，自己不打浪漫主义旗号，只想好好传教。文句优美，意象丰富。作品有《基督教真谛》（*Génie du christianisme*）、《殉道者》（*Les Martyrs*）、《勒内》（*René*）。当时在欧洲大流行。

记得我小时一见他的画像，一听他的名字，就以为懂了什么是法国浪漫主义：鬈发，长长的鬓脚，大眼，甜美的口唇，高领黑大衣，一手插进胸口，名字又叫夏多布里昂！

小时候其他主义搞不懂，浪漫主义好像一下子就弄懂了。现在我定义：个人的青春是不自觉的浪漫主义，文学的浪漫主义是自觉的青春。

我有兴趣的是他的《墓畔回忆录》（*Mémoires d'outre-tombe*），他死后出版，把自己的性格、为人，都说出来。与卢梭《忏悔录》比：卢梭是假装的、大有保留的、避重就轻的；夏多布里昂是诚意的，不想哗众取宠的，不装腔作势的，使人看了，想："啊！原来他是这样一个人，他没有我想的那么高。"这就是夏多布里昂的可爱，卢梭比下去了。

不容易啊！人要做到这样。可是你去做做看？不容易啊！

没有人，也没有神，有资格听我忏悔。人只能写写回忆录。谁有资格写忏悔录？写什么忏悔录？！

人有那么一种心理，痛悔，内疚，等等，放在心里深思即可。一出声，就俗了，就要别人听见——就居心不良。人要想博得人同情、叫好，就是犯罪的继续。

文学是不许人拿来做忏悔用的。忏悔是无形无声的，从此改过了，才是忏悔，否则就是，至少是，装腔作势。

要忏悔，不要忏悔录。

夏多布里昂在整个法国文学史上，是个男高音独唱。思想是旧的，文体是新的，感情是热的，正适合导引浪漫主义。

接下去，来了：

雨果、巴尔扎克、司汤达、大仲马、梅里美、福楼拜、乔治·桑，等等等等。

到现实主义之后，文学家已难以归类。

一个文学家、艺术家如果被人归类为什么什么主义，那是悲哀的。如果是读者、评家误解的，标榜的，作者不过受一番委屈。如果是作者自己标榜的，那一定不是一流。

王尔德不错的。但一标榜唯美主义，露馅了。你那个"唯"是最美的吗？人说陀思妥耶夫斯基现实主义，他光火，但有教养，说："从最高的意义上，是。"

凡概括进去的，一定是二流三流。

不要去构想，更不要去参加任何主义。大艺术家一定不是什么主义的——莎士比亚什么主义？

（很严肃地）要说笑话时，也不要说："我来讲个笑话。"

维克多·雨果（Victor Hugo，1802—1885）。诗人，小说家，戏剧家。一代文豪。十七岁踏上文坛。此后曾任上议院议员，竭力主张民主，拿破仑三世称帝时逃亡，事败，乃归。普法战争之际，为祖国尽心效命。死后国丧，巴黎人山人海，备极哀荣。

雨果的文学现象非常庞大。1827年他的《克伦威尔剧引》（Préface de Cromwell）发表时，巴黎像造反一样，宣称古典主义结束，浪漫主义胜利。

戈蒂埃得到拜访雨果的荣幸，隔夜要失眠的。

《巴黎圣母院》（Notre-Dame de Paris）、《九三年》（Quatrevingt-treize）、《悲惨世界》（Les Misérables），宏大，奇怪，振奋人心。用的是故事、情节、场面，人物是为故事、情节、场面存在的。

和陀思妥耶夫斯基相反：陀的故事情节场面是为人物存在，当人物说话时，故事、情节、场面好像都停顿了，不存在了。

雨果和陀思妥耶夫斯基比，陀更高超，符合原理。

雨果不要吗？要。可以这样：先看雨果，后看陀思妥耶夫斯基。我看雨果，就像看旅游风景。要看陀思妥耶夫斯基，累啦！跟他走，走不完。

雨果是公共建筑，走过，看看，不停下来。他不是我的精神血统。

史料：《悲惨世界》出版前，就译成九国文字。巴黎、伦敦、柏林、马德里、纽约、彼得堡等，同时轰动。豪华呀！

大仲马（Alexandre Dumas，1803—1870）。有黑人血统。文学老板。很会经营事业，有两百个伙计，小说工厂，日夜开工，出二百多种小说。《三剑客》（Les Trois Mousquetaires）、《基督山恩仇记》（Le Comte de Monte-Cristo），法国妇孺皆知，就像旧中国的关公、武松，家喻户晓。

我常以旁观者看这些通俗小说：如果没有《三剑客》，没有《三国演义》、《水浒传》，人们谈什么？何等无聊。自己不会写通俗小说，但我非常尊重通俗小说。这是文学上的水、空气，一定要有的（但是写鸳鸯蝴蝶派、琼瑶这样的通俗文学，我不要）。

通俗小说最好在三十岁前读，而且一口气读完。

书中结构很简单：吃得苦中苦，方为人上人。主角唐泰斯（Edmond Dantès）被打成"反革命"，他是靠自我平反，然后，有恩报恩，有仇报仇，报得精致讲究啊。作为一个有心性的男子，人生的快乐无非是有恩报恩，有仇报仇。人生不得此痛快，小说中痛快痛快。

武侠小说之不可取，太脱离现实。

孟子说："恻隐之心，人皆有之。"

我看未必，倒是"报仇之心，人皆有之"。

但《基督山恩仇记》不是艺术品。我一口气读完《基督山恩仇记》，一点不觉得艺术，就觉得我生活了一场，痛快了一场。

大仲马是个老板，兰姆是个朋友，打打电话，散散心。

人生和艺术，要捏得拢，要分得开。能捏拢、分开，人生、艺术，两者就成熟了。捏不拢，分不开——大家过去不外乎人生、艺术的关系没摆好，造成你们的困境。

怎么办？捏拢，分开，学会了，学精了，就成熟了。

生活大节，交朋友，认老师，与人发生性关系，生孩子，出国，都要拿艺术来要求，要才气横溢。

唐泰斯在报恩报仇上才气横溢，我把他当人生看的，不是艺术。

你们在海外生活太平凡，太随俗。没有警句，没有伏笔。

唐泰斯发的是金钱之财，我们要发财，应该发的是天才的才，比伯爵更富有。

奥诺雷·德·巴尔扎克（Honoré de Balzac，1799—1850）。文学的巨人。对巴尔扎克，不能用什么主义去解释了吧。

面对他，思想的深度，文体，都免谈。谈这些，太小家气——哈代，你要纯性地读，狄更斯，充满友情去读，托尔斯泰，可以苛求地读。可是我读巴尔扎克，完全放弃自己。用北方话说，豁出去了。由他支配，我没意见。

他的小说，忽然展开法国十九世纪生活。

坦白一点：本人写的《上海赋》，用的是巴尔扎克的办法。台湾有老上海来信，说我比上海还要上海——巴尔扎克比现实还要现实。

艺术不反映现实。现实并不"现实"，在艺术中才能成为现实。现实是不可知的，在艺术中的现实，才可知。

他人很怪，以为自己善于经营事业，但诸事皆败，死心写作，靠稿费版税，写作还债，一辈子还不清的债——可见他的生活一点不现实，一进入文学，就现实了。

我早年就感到自己有两个文学舅舅：大舅舅胖胖的，热气腾腾、神经病，就是巴尔扎克，二舅舅斯斯文文，要言不烦，言必中的，就是福楼拜。福楼拜家，我常去，巴尔扎克家，只能跳进院子，从后窗偷看看。

他的手稿，据说是全世界最潦草的。

他写作时穿着浴衣，蓬头垢面，一个人在房间里大声说话，是和小说中的人物对话、吵架。十九世纪的墨水干得慢，要用吸墨纸，吸墨纸也是二十世纪初才流行，所以巴尔扎克用粉吸墨，像爽身粉、胡椒面。写个通宵，他就把粉洒在稿纸上，叫道："好一场大战！"

他常常忽然失踪，半年一年没消息，戈蒂埃、布耶（Louis Bouilhet），好朋友们以为他死了。忽然，下午，高大的巴尔扎克冲进来，扔一捆手稿在沙发上，随之倒下，大叫："给我吃的！"

他的世界中，人、事、物，都是夸张的，就方法论言，和米开朗琪罗的壁画是一样的。

一进入他的书，就感到他每个人物的精力。

福楼拜一定嫉妒巴尔扎克，一如芬奇嫉妒米开朗琪罗。

巴尔扎克是动，福楼拜是静的。巴尔扎克，米开朗琪罗，多产；福楼拜，芬奇，是少作的。

巴尔扎克和米开朗琪罗是精力的，苦行的，随便生活的；福楼拜和芬奇是精致的，讲究的。

巴尔扎克伟大，福楼拜完美。

巴尔扎克的生活一点也不愉快。他是文学劳动模范。

他在爱情上是个理想主义者。

每一部都是独立的，各部又是连贯的。《人间喜剧》（*La Comédie humaine*），总计划未完成，但和《红楼梦》缺后半部不一样。他的未完成不遗憾。

他是整体性的渊博。社会结构，时尚风格，人间百态，什么都懂。法国小说家中要论到伟大，首推巴尔扎克。他的整个人为文学占有，被作品吸干。人类再也不会有巴尔扎克了。所幸我们已经有他。

巴尔扎克万寿无疆！

本课笔记内页："早年我看不起乔治·桑，后来一看就服。福楼拜称她大师。福楼拜言必由衷，不是随便说说的。"

第四十四讲

十九世纪法国文学（二）

一九九一年六月二日

年青人无私无畏，其实私得厉害、畏得厉害，只有那点东西，拿掉就没有了。年青人谈人生，谈世界，其实说的是自己。

她与缪塞、肖邦，都有情恋，传说一时。她说肖邦有最优美的性格，最恶劣的脾气，最仁慈，又最刻薄。大家听了叫好，我以为没说出什么——情人，情人眼中的人，其实都是这样。

读福楼拜，要读进去，要读出来。我读时，与福楼拜的年代相差一百年，要读出这一百年；读《诗经》，相差三千年，也要读出来。

艺术充满艺术家的性格，比肉体的繁殖还离奇。维特、哈姆雷特、贾宝玉、于连，都流着作者的血。我喜爱于连，其实是在寻找司汤达——上帝造亚当，大而化之，毛病很多；艺术家造人，精雕细琢，体贴入微。

因瞧不起波旁王朝，司汤达的遗体葬在意大利——这不是好事，也不是坏事，是件很有意思的事。

居斯塔夫·福楼拜（Gustave Flaubert，1821—1880）。最早被译为福罗贝尔。巴尔扎克是文学上的巨人，福楼拜是文学上的圣人，以文学为宗教的最虔诚的使徒。父为外科医生，极有名望，反对儿子从事文学。父子吵，父亲说："你学了最无用的东西。"儿子说："脾脏有什么用？但割去脾脏，人就死了。"

《包法利夫人》（*Madame Bovary*）出，评价说福楼拜秉承医学的冷静，解剖人性。有漫画，画他一副医生打扮，在解剖包法利夫人。

十三岁，在学校小报当文学编辑。少年时的读物是莎士比亚、蒙田、雨果、马拉美。练习写小说，写上层社会青年的思想感情，流露他鄙视庸俗，浪漫主义情怀。

年青人都经过浪漫这个阶段。我们这两代人，时代动荡，以革命的名义来表达浪漫——入党、入团、参加少先队等等——其实是庸俗。加上运动轰轰烈烈，劳动的辛苦——你们被剥夺了浪漫主义的人权：浪漫主义是青年的人权。

你们的青春没有花朵，只有标语、口号、大字报。我们的青春在二次大战烽火中度过，在国共内战中度过。解放后，浪漫情怀被剥夺。我常常说浪漫情怀，意思是青年应该是这样的。我们没有像样的青春，至今恨恨不已。但可以安慰的，是死乞白赖拉到一点浪漫主义的尾巴，不是猪尾，是孔雀屏，有点光彩的。

"五四"得到的，就是西方浪漫主义的一点回光返照。

福楼拜的青年期健康，浪漫，像模像样。他也有苦闷，但我定义他们那种苦闷是"室内的苦闷"。

年青人无私无畏，其实私得厉害、畏得厉害，只有那点东西，拿掉就没有了。年青人谈人生，谈世界，其实说的是自己。年青人可以学音乐，画画，跳舞，但写小说不胜任。

对年青人一生的转变有重要影响的事件，如下：

死亡，最亲爱的人的死亡。

爱情，得到或失去爱。

大病，病到几乎要死。

旅行，走到室外，有钱的旅行和无钱的流浪。

福楼拜青年时即旅游，看世界。1849 年 11 月到 1851 年 5 月，约一年半，他到了南欧，到了开罗、亚历山大埠、大马士革、贝鲁特。三十岁回来，成熟了。三十六岁写成《包法利夫人》，四十一岁写成《萨朗波》(*Salammbô*)，四十八岁完成《情感教育》(*L'Éducation sentimentale*)。

初写《圣安东尼的诱惑》，不成功，遇到大批评家圣伯夫(Sainte-Beuve)，劝他写"黄色新闻"。三思，懂了，写成《包法利夫人》。出书后打官司，说他伤风败俗。律师为他雄辩，大胜，福楼拜以《包法利夫人》一书题赠。

三部作品都可说是精心结构：《包法利夫人》，极完整的肖像；《萨朗波》，斑斓、广阔、丰富；《情感教育》，交响乐。

他是世界文学中最讲究文法修辞的大宗师。他本人是个对世界的绝望者，深知人的劣败，无情揭露。他的小说人物都是些不三不四、无可奈何的角色。晚年说：我还有好几桶脏水（粪便），要倒到人类头上。

《包法利夫人》最完美，《情感教育》博大精深。他写的都是些他看不起的人，主张不动感情，不表立场。

我接受福楼拜的艺术观、艺术方法，是在二十三岁。当时已厌倦罗曼·罗兰。一看福楼拜，心想：舅舅来了。我到莫干山时，读的是福楼拜、尼采，由挑夫挑上山。

读福楼拜，要读进去，还要读出来。我读时，与福楼拜的年代相差一百年，要读出这一百年来；读《诗经》，相差三千年，也要读出来。

上次谈到艺术家的道德力量，大家可能觉得是个谜团，也可能终生是个谜团，谁能打破这个谜团，是各人造化。

福楼拜是个道德力量特别强、又特别隐晦的人物。《包法利夫人》在我看来是道德力量非常强的小说，但在当时，几乎被判为伤风败俗的大淫书。

艺术家的道德力量究竟是什么？大家思考。

他的艺术力量很奇妙。写极平庸的人与事，却有魅力，仔细看，有美感。有人以灯光照透他的书页，想要寻找魔力。纪德称其书是"枕边书"（他俩是同乡），将福楼拜视为老师。

我当年的枕边书是《红楼梦》。

福楼拜的好友布耶（Louis Bouilhet）早死，福楼拜难过，乔治·桑写信劝，劝得好：

"现在我看清为什么他死得那样年轻，他的死是由于过分重视精神生活，我求你，别那么太专心文学，致志学问。换换地方，活动活动，弄些情妇，随便你。蜡烛不应两头点，然而你却要点点这头，又点点那头。"

文学家之间的友谊，真伟大。

那时乔治·桑已经七十岁了，对福楼拜谆谆劝导。福楼拜不响，埋头写。三篇世界名著就此产生，永垂不朽，特别是《一颗简单的心》（Un cœur simple）。我第一遍读时，全心震动，之后大概重读过十几二十遍，乔治·桑却没来得及读到。

艺术家的关系，就要像乔治·桑与福楼拜之间那样，说得出，听得进，做得到。当时乔治·桑对福楼拜的批评指责，是在艺术观、方法论上面的否定，很重。按世俗眼光，当时福氏已名满法国，一代宗师，哪容得别人指责？可是福楼拜真会听劝，起初他还招架辩解，后来竟会说："那么，您叫我怎么办呢？"

接着，他就一声不响写出了《一颗简单的心》。

福楼拜死，学生莫泊桑说："终于，这次他倒下了。文学杀死了他，正如爱情杀死了一个情人。"左拉说："情形是这样的——鲁昂（Rouen）五分之四的人不知道谁是福楼拜，另外五分之一的人都恨他。"

送葬者寥寥。但有左拉、莫泊桑、屠格涅夫——够了，够了。

屠格涅夫写信给左拉，说："用不着把我的悲痛告诉你。他是我最爱的人。"

把警句写在案头床边，俗。但我年青时曾将福楼拜的话写在墙壁上：

艺术广大已极，足可占有一个人。

乔治·桑（George Sand，1804—1876）。父母早丧，随祖母生长于农村。十三岁入巴黎修道院，后来又回农村，在乡下如饥似渴读书。十八岁嫁男爵。丈夫只知吃喝，乔治·桑很厌恶。后携一子一女到巴黎（附带说，艺术家都有两个本能：脱离家庭，到大都市——其实有两面：离家而不入都市，枉然；入都市而仍有家庭，枉然）。以男装现身巴黎酒吧和沙龙，后以笔名乔治·桑独立发表作品。

她与缪塞（诗人）、肖邦，都有情恋，传说一时。她说肖邦有最优美的性格，最恶劣的脾气，最仁慈，又最刻薄。大家听了叫好，我以为没说出什么——情人，情人眼中的人，其实都是这样。

《安蒂亚娜》、《莱丽亚》、《木工小史》、《奥拉斯》，均为小说，不太好。我要推荐的是《魔沼》(*La Mare au diable*)、《弃儿弗朗索瓦》(*François le Champi*)、《小法岱特》(*La Petite Fadette*)这三本书，乔治·桑的精华，纯粹乔治·桑风格：温婉，清丽，细而不腻，好像没有人在写，自然流露。

少男少女最难写——那样简单，那样不自觉——乔治·桑写来好极了，这是女性的优越。以母爱人文学，但又严守文学的规范，对角色不宠爱，不姑息。

她先是个诗人，再做个母亲——早年我看不起乔治·桑，后来一看就服。福楼拜称她大师。福楼拜言必由衷，不是随便说说的。

三部都是中篇。晚年写神话之类，不好。生活过得平静幸福。按理说，司汤达、巴尔扎克、福楼拜三者并立，当中夹不进乔治·桑。但乔治·桑实在是伟大的。

司汤达 (Stendhal, 1783—1842)。他的《红与黑》(*Le Rouge et le Noir*)，实在是奇峰。《红楼梦》、《红与黑》，都是奇峰。原名玛利－亨利·贝尔。出身资产阶级家庭，早丧母。父亲是个思想保守的律师，祖父倒有启蒙思想。司汤达早年曾经从军，跟拿破仑征战欧洲。后定居巴黎，读书，准备写作。是个强人，好男儿。读书打仗，读书写作，干脆利落，时间也扣得很紧。

他研究哲学，观察人物性格，勤学苦修凡五年，自己造就自己，很有办法。历练成熟后又入军队，担任皇家及军队高职（早年曾随军征战莫斯科）。拿破仑失败后，司汤达流亡米兰，与"烧炭党人"来往，还研究音乐、美术。他的初期文章是评论音乐、美术的。

巴尔扎克是大舅，福楼拜是二舅，教我谆谆，司汤达是好朋友。他的初期作品，信不信，是写莫扎特传，写海顿，写《意大利美术史》，写完献给拿破仑。也写游记，据说博大精彩，笔法泼辣，其时不过三十多岁。

刚才提到的"烧炭党"，不是真的烧炭，是集会时穿烧炭工衣服。司汤达一直自称"米兰人"，希望在墓碑上写"米兰人"（艺术家和国家的关系，一个是艺术家无祖国，一个是艺术家决定国家）。司汤达被米兰人赶出，回巴黎，穷到有时一天一餐。他交游广阔，应英国报纸聘写报道，批评法国时政，死后结集名《英国集》。同时还写《论爱情》（De l'Amour）——世间只有两篇《论爱情》：柏拉图和司汤达——文字不多，点到为止。

1823 年写《罗西尼的一生》（Vie de Rossini），见解警辟，品位高超——个人艺术背景如此，长篇小说中却一字不谈音乐。凡大师，都这样，内心汪洋一片。后来又写《拉辛与莎士比亚》（Racine et Shakespéare），书中观点，为后来批判现实主义形成道理。

1827 年，第一部小说《阿尔芒斯》（Armance）问世，可理解为《红与黑》的前奏。第二部《法尼娜·法尼尼》(*Vanina Vanini*, 1829)，革命与爱情之火熊熊燃烧——后收入中短篇集《意大利遗事》(*Chroniques italiennes*)——这时司汤达四十六岁。以其人生洞见，三十多年历练，遂动手写《红与黑》(*Le Rouge et le Noir*)，一年成稿，乃世界文学史上的奇迹。尼采对此书极为推崇。

他是文学上的军事学家，还以近二十年间，得成《拿破仑传》(*Napoléon Bonaparte*)。

五十年来，凡有中译本司汤达，我都注意，从来没有一次失望过。欣赏艺术，是单恋，艺术理也不理你的，还是靠爱。《红与黑》的故事，不讲了，去看书。一讲，成教条，成故事。可注几点："红"指军装，"黑"指教袍。主角于连(Julien)夹在两者中间，故称"红与黑"。

艺术充满艺术家的性格，比肉体的繁殖还离奇。维特、哈姆雷特、贾宝玉、于连，都流着作者的血。我喜爱于连，其实是在寻找司汤达——上帝造亚当，大而化之，毛病很多；艺术家造人，精雕细琢，体贴入微。

尼采比司汤达晚生六十一年（司汤达死后两年，尼采出生，所以司汤达没听到尼采的赞美），他特别注意司汤达的心理分析。司汤达和梅里美的小说，就是尼采提倡的酒神精神——尼采自己没有这样讲。他不讲，我就讲。

司汤达去今一百五十多年。他是个有酒神精神的文学家。

因瞧不起波旁王朝，他的遗体葬在意大利——这不是好事，也不是坏事，是件很有意思的事。

第四十五讲

十九世纪法国文学（三）

一九九一年六月十六日

读巴尔扎克，读左拉，要有耐力，要花工夫。一拿起都德的书，轻快，舒适，像赤了脚走在河滩的软泥上。

专门谈短篇小说，十九世纪后半叶到二十世纪上半叶，是一个时期，可以解作老派的短篇小说，莫泊桑、契诃夫、欧·亨利，是代表。

上帝说："可怜的孩子，你到地上去，有高山大海，怕不怕？"亚当说："不怕。"上帝说："有毒蛇猛兽。"亚当说："不怕。"上帝说："那就去吧。"亚当说："我怕。"上帝奇怪道："你怕什么呢？"亚当说："我怕寂寞。"上帝低头想了想，把艺术给了亚当。

艺术没有进步进化可言，我们读前辈的书（看画、听音乐），应有三种态度：设想在他们时代鉴赏；据于自己的时代鉴赏；推理未来的时代鉴赏。

龚古尔兄弟也是福楼拜时期的文学家。两兄弟合写小说，同一个风格，精密观察社会，尤注目于平民生活。兄埃德蒙（Edmond de Goncourt，1822—1896），弟裘里斯（Jules de Goncourt，1830—1870）。家产富，死后，余产设"龚古尔学会"，颁龚古尔文学奖。

附带谈谈所谓"奖"。凡有数据比较的竞赛，才能排名次。赛跑、跳高，快一秒、高一公分，就分冠亚军。钢琴比赛，无法公正评判——"奖"这种东西，闹着玩玩的，庸人们不识货，凭得奖、不得奖起哄。这点道理假如不懂，其他的虚荣更是看不破了。

埃米尔·左拉（Émile Zola，1840—1902）。生于巴黎，家贫，熟悉下层生活，曾做书局发行员，业余写短篇小说，渐有名。任某报编辑，因勇于批评旧派而被去职，更勤于著作（他与塞尚是同窗好友，曾同住，据说左拉成名了，塞尚搬出，不想沾左拉的光）。左拉为著名冤案"德雷福斯事件"（The Dreyfus Affair）辩护，已在晚年，以他的声望，正面、直接发挥艺术家的道德力量，伸张人道和公理，震动力极强，十分可敬可佩。

据说后来为煤气毒死，也许是谋杀。

"左拉"与"自然主义"几乎是同一个词，我早年不看他的作品。后来耐心读，才知道写得很好，悟到艺术品都是艺术家的头脑、心肠、才能，三者合一。三者可有侧重，但不可能单凭其一。全靠才能，没有头脑、心肠，行吗？全凭头脑，根本不具心肠，也无才能，行吗？又或者，心肠大好，"无才便是德"，头脑又是一包糨糊，行吗？

左拉长于科学分析，但并非纯客观描写，其实宜于中年、老年读。他的写作规模极为庞大：《卢贡·马卡尔家族》（*Les Rougon-Macquart*），共二十卷，类似巴尔扎克的《人间喜剧》。《三大名城》（*Les Trois Villes*）三卷，伦敦、罗马、巴黎。《四福音》（*Les Quatre Evangiles*）四卷（非宗教）。论技巧，当然远不如福楼拜，但奉告诸位别上论家的当，硬把左拉称为自然主义——单凭头脑、才能，不够创造艺术，多多少少要有一份心肠的。

阿方斯·都德（Alphonse Daudet，1840—1897）。我有一份偏爱。读他的书是很好的休息。都德幼年贫苦，身体又弱，后来住在巴黎，靠写作为生。

读巴尔扎克，读左拉，要有耐力，要花工夫。一拿起都德的书，轻快，舒适，像赤了脚走在河滩的软泥上，感觉好像早该这样享受一下。我特别喜欢他的《磨坊书简》（*Lettres de mon moulin*）。有一个我的学生兼朋友的年轻人，曾经写了九个短篇小说，非常像都德的《磨坊书简》，因为手稿与我的手稿存在一起，"文革"抄家同归于尽，想想比我的损失更可惜：我能再写，他却不能再写了。

都德，可说以心肠取胜。这个人一定好极了，可爱极了，模样温厚文静，敏感，擅记印象，细腻灵动。偶现讽刺，也很精巧。其实内心热烈，写出来却淡淡的，温温的，像在说"喏，不过是这样啰"，其实大有深意——也可说没有多大深意，所以很迷人。

我特别喜欢这种性格，沉静而不觉其寡言，因为一举一动都在说话。偶尔兴奋了，说一阵子，你会感到很新奇，想到他平常不肯多说，真可惜——而他又停了，不好意思了。

这就是都德。他的性格、文风，全然一致。这样的人品，即使不写作，我也认他为艺术家、好朋友。推荐你们读都德的书，从《磨坊书简》开始，然后读《小东西》(Le petit chose)、《莎孚》(Sapho)、《达拉斯贡的狒狒》(Tartarin sur les Alpes)，写法国南方风俗民情，处处动人，用不完的同情心。

有人把他比作狄更斯、莫泊桑，我想：你们去比吧，我不比。只在心里说："不一样的，不一样的。"都德不是大家，但赢得我永远的爱。别的大师像大椅子，高背峨峨，扶手庄严，而都德是靠垫。我不太喜欢二流画家，更不喜欢二流音乐家，却时常看重二流的文学家。我感到劳累时，需要靠垫，文学有这好处，画和音乐不能作靠垫的。为了答谢艺术的知己之恩，我将写一部分文字给人做做旅途上的靠垫。

居伊·德·莫泊桑（Guy de Maupassant, 1850—1893）。生于法国西北诺曼底省迪耶普，没落贵族家庭，舅舅是诗人、小说家，母亲颇有文学修养。十三岁到鲁昂上中学，老师是布耶（Louis Bouilhet，"巴那斯"派／高蹈派，诗人）。1870年，二十岁的莫泊桑到巴黎读法律，值普法战争，被征入伍。两年后供职于海军部和教育部，系小职员。

他在中学时已作多种体裁的文学习作，后来更勤奋。福楼拜是干舅舅，是他亲舅舅和母亲的朋友，所以把莫泊桑当外甥，上来就很严厉。福楼拜读了莫泊桑的习作，说：

"我不知道你有没有才气，你这些东西表示有某种聪明，但年青人，记住布丰的话，'天才，就是坚持不懈的意思'，用心用力去写吧。"

福楼拜首先要莫泊桑敏锐透彻地观察事物，"一目了然，这是才情卓越的特权"。福楼拜的"一字说"，当然更有名：

"你所要表达的，只有一个词是最恰当的，一个动词或一个形容词，因此你得寻找，务必找到它，决不要来个差不多，别用戏法来蒙混，逃避困难只会更困难，你一定要找到这个词。"

这话是福楼拜对莫泊桑讲的，结果全世界的文学家都记在心里。

我也记在心里。以我的经验，"唯一恰当的词"，有两重心意：一，要最准确的。二，要最美妙的。准确而不美妙，不取，美妙而不准确，亦不取。浪漫主义者往往只顾美妙而忽视准确，现实主义者往往只顾准确而忽视美妙，所以我不是浪漫主义，也不是现实主义。

经验：越是辛苦不倦找唯一的词，就越熟练。左顾右盼——来了，甚至这个词会自动跳出来，争先恐后，跳满一桌子，一个比一个准确，一个比一个美妙。写作的幸福，也许就在这静静的狂欢，连连的丰收。

怎样达到此种程度、境界呢？没有捷径，只能长期的磨练，多写，多改。很多人一上来写不好，自认没有天才，就不写了，这是太聪明，太谦逊，太识相了。

天才是什么呢？至少每天得写，写上十年，才能知道你是不是文学的天才。写个九年半，还不能判断呢。司汤达没写《红与黑》时，如果问我："MX 先生，你看我有没有文学天才？"我就说："谁知道，还得好好努力吧。"

莫泊桑每写一篇就给福楼拜审阅，二人共进早餐，老师逐字逐句评论，一丝不苟。凡有佳句、精彩处，痛加赞赏，莫泊桑是受宠而不惊。如此整十年，莫泊桑愈写愈多，而福楼拜只许他发表极少的几篇（中国的武功，练不成，不许下山）。

1879 年，某夏夜，六位法国文学家聚会梅塘别墅，商定各写一篇以普法战争为背景的短篇小说，汇成《梅塘之夜》(*Les Soirées de Médan*) 出版。1880 年 4 月，《梅塘之夜》问世。六位中有五位是著名作家，数莫泊桑是无名小子，但他的《羊脂球》

（*Boule de Suif*）被公众一致赞为杰作中之杰作。

法国文坛一片欢呼，除了莫泊桑，最高兴的当然是福楼拜。

除了早年的诗和诗剧，莫泊桑传世之作都写于 1880 年到 1890 年，计：短篇小说三百篇，长篇小说六部，游记三部，以及关于文学、时事政治的评论。

所谓社会主义文学理论，总把莫泊桑、巴尔扎克、福楼拜、左拉划为"自然主义"，就是批判和暴露现实的，又对贵族资产者有所留连，唱挽歌。这种论调貌似公正，使中国两三代读者对法国十九世纪几位大小说家有了定见。

什么"有进步的意义，也有反动的作用"，什么"有艺术成就，也有时代性局限"，什么"既要借鉴，也要批判"。好吧，既有如此高明的教训，他们写出些什么呢？

自从列宁提出"党性高于一切"，艺术要表现党性，党性指导艺术，而高尔基宣称文学即是人学，与列宁唱对台戏。也许列宁没有这个意思，没料到党性会发展到目前这样的程度。

仅就文学而论，何以苏联也有新的、好的文学作品？帕斯捷尔纳克的《日瓦戈医生》，索尔仁尼琴的《癌症楼》，肖洛霍夫的《一个人的遭遇》，不是写出来吗——这不是问题，倒是我上述论点的解答：凡是得到世界声誉的苏联作品，都是写"人性"，尤其是帕斯捷尔纳克，他是马雅可夫斯基、勃洛克（Alexander Blok）的好朋友，他就是不服从"党性"。

中国近百年没有文学杰作。所谓继承本国传统，吸收外国经验，都是空话。什么"典型环境典型人物"，还是不知"人性"为何物，只会向怪癖的人性角落钻，饥饿呀，性压抑呀，好像"人性"就只一只胃，一部生殖器。

回头再看法国十九世纪的小说家，不是什么"自然主义"，什么"批判现实主义"，是一秉西方人文的总的传统，写"人"，写"人性"。追根溯源，就是希腊神殿的铭文："认识你自己。"

动物不要求认识自己。动物对镜子毫无兴趣。孔雀、骏马、猛虎，对着镜子，视若无睹。人为什么要认识自己呢？一，改善完美自己；二，靠自己映见宇宙；三，知道自己在世界上是孤独的，要找伴侣，找不到，唯一可靠的，还是自己。

艺术的功能，远远大于镜子。艺术映见灵魂，无数的灵魂。亚当出乐园，上帝说："可怜的孩子，你到地上去，有高山大海，怕不怕？"亚当说："不怕。"

上帝说："有毒蛇猛兽。"亚当说："不怕。"

上帝说："那就去吧。"亚当说："我怕。"

上帝奇怪道："你怕什么呢？"亚当说："我怕寂寞。"

上帝低头想了想，把艺术给了亚当。

莫泊桑从平凡琐屑中截取片断，构思、布局，别具匠心，文词质朴优美，结局耐人寻味。契诃夫赞叹："莫泊桑之后，实在没有什么短篇小说可言了，不过大狗叫，小狗也叫，我们总还得汪汪汪地汪一阵子。"

《羊脂球》至今看，还是好。《于勒叔叔》也好，稍感疏浅露骨。《项链》大有名，现在读，可能嫌粗糙了。其他以此类推，是老派的短篇写法。他的长篇小说平平，只一篇《皮埃尔和让》(Pierre et Jean)极好，好得不像是莫泊桑写的。

一定要比的话，巴尔扎克、福楼拜、司汤达，更有未来的意义和价值。司汤达的光射得最远，莫泊桑的光较柔和，以后可能黯淡了。地位始终在的，契诃夫还是不及莫泊桑。

莫泊桑体质好，但消耗得厉害。十年全盛期过完，得了严重的神经官能症，近乎疯狂，四十三岁就逝世了。

大器是大器，可惜没有晚成。

专论短篇小说，十九世纪后半叶到二十世纪上半叶，是一个时期，可以解作老派的短篇小说时期，莫泊桑、契诃夫、欧·亨利，是代表。二十世纪后半叶，世界性地产生了新的短篇小说，体裁、风格，大异于老派。法国、英国领先，美国随之而起，南美大有后来居上之势，日本也蹿上来了。

中国，不谈。

新型的短篇小说，特征是散文化、不老实、重机智、人物和情节不循常规。最好先读老派的，再读新派的。先读新派，嘴巴刁了，再读老派会觉得笨、啰嗦，把读者当傻瓜。

我写的短篇《静静下午茶》，在十九世纪中叶是不成其为短篇小说的。给莫泊桑、契诃夫看，会说："你搞什么名堂？"可见一百年光景，文学变得多厉害。

正因为不再那么写了，我特别尊重老派的写法，那种写法，当时非常前卫的。同一道理，当今的前卫作品，将来也会被指为笨、啰嗦，把读者当傻瓜。王羲之《兰亭序》有说："后之视今，亦犹今之视昔。"——有一点要申明，上述这种历史变迁，未必是文学的进步进化，而是文学的进展。艺术没有进步进化可言，我们读前辈的书（看画、听音乐），应有三种态度：设想在他们的时代鉴赏；据于自己的时代鉴赏；推理未来的时代鉴赏。

举例：希腊雕像（胜利女神），那是三种鉴赏态度都能完全完满肯定。之外，莎士比亚的诗剧、莫扎特的乐曲，也是昔在、今在、永在。也许将来有一天，有一个时代，希腊雕像、莎士比亚、莫扎特都被否定，更新的艺术"超过"了他们，怎么说呢？

好说。不必等未来，已经发生过了。十月革命后，马雅可夫斯基一群先锋战士高喊："把莎士比亚、托尔斯泰扔到大海去。"中国十年"文革"，号称八个样板戏，一个钢琴协奏曲，一幅油画，横扫西方资产阶级的全部艺术。

结果是马雅可夫斯基自杀，江青完了。

这种死，不是殉道，而是无路可走。马雅可夫斯基，值得惋惜，他无疑是天才。帕斯捷尔纳克劝过他，提醒他，他不听，直到死前在"最后的一次讲演"时，才流露政权要逼死他，他知道，在劫难逃，只好以失恋的名义自尽。

我同情他，爱他，忘不了这个俄罗斯血性汉子。

十九世纪法国文学（四）

一九九一年六月三十日

论小说，浪漫主义、写实主义，还分得清。诗、诗人，本来是糊涂的，若要把某诗人归于某派，其实难。这也是诗的好处，诗人占了便宜。上次讲过画小孩子最难，小孩通体不定型，不易着笔，诗人便是小孩，没法归类于派别。

我七岁丧父，只记得家里纷乱，和尚尼姑，一片嘈杂，但我没有悲哀。自己没有悲哀过的人，不会为别人悲哀，可见欣赏艺术必得有亲身的经历。1956 年我被迫害，死去活来，事后在钢琴上弹贝多芬，突然懂了，不仅懂了，而且奇怪贝多芬的遭遇和我完全不同，何以他的悲痛与我如此共鸣？

我在三十岁之前与戈蒂埃好好打过一番交道：那时我要当个纯粹的艺术家，戈蒂埃说他喜欢鲜花、黄金、大理石，他不在乎酒，而在乎酒瓶的形式，又说"耶稣并不是为我而来到世界"。单是这些，我就跟他合得来。

博学虽然可耻，但使人心宽。心宽而不体胖，希望大家尽量博学吧。

回到法国十九世纪末叶。法兰西三大小说家——巴尔扎克、福楼拜、司汤达——缔造了文学丰碑，接下来再开局面，另辟蹊径，进入二十世纪了。新的一群法国作家，以法朗士、布尔热、洛蒂为代表。

阿纳托尔·法朗士（Anatole France，1844—1924）。以法国之名为名，作品的确是地道的法兰西风。生长在巴黎书商家，有好古之癖，中学时代对希腊文学情有独钟。"德雷福斯事件"中，他曾与左拉等人联名声援。欧洲大战时，发表反战言论，战后参加巴比塞（Henri Barbusse）等作家组织的"光明社"活动，高呼正义与和平，赢得同胞的尊敬。

词句细腻，风趣雅致，古今题材都能得心应手。《钿盒》(L'Étui de nacre)、《泰绮丝》(Thaïs) 是古事新编。《红百合》(Le Lys rouge)、《趣史》(Histoire Comique) 写近代。《企鹅岛》(L'Île des Pingouins) 讽刺现代文明。《波纳尔之罪》(Le Crime de Sylvestre Bonnard) 是传奇性的。他的文字，清澈素净，思想却倾向革命。

我总是不喜欢法朗士，我的诗《剑桥怀波赫士》有一句"那渊博而浅薄的法朗士，与我何涉"，当然，只是说说俏皮话，认真讲起来，法朗士是个十分法兰西风格的大作家。

保罗·布尔热（Paul Bourget，1852—1935）。以诗人、批评家闻名，后来才写小说，注重心理分析。司汤达之后，布尔热最善表现人物的内心活动。他既攻击唯美主义，又攻击唯物主义，他自己是理想主义。他有一书名《近代爱情心理学》(*Physiologie de L'amour Moderne*)，我想看而找不到书。谁偶尔碰到了，不妨翻翻，告诉我究竟如何。

皮埃尔·洛蒂（Pierre Loti, 1850—1923）。少年时期任职海军，经波斯、埃及、中国、日本，后来采为写作素材。《菊子夫人》(*Madame Chrysanthème*) 就写他在日本的故事。《冰岛渔夫》(*Pêcheur d'Islande*) 最佳。他与布尔热不同，布尔热是心理观察家，道德观念很强，洛蒂是印象主义者，色彩的、音响的、诗意的，笔下人物鲜活。

上次已推荐过《冰岛渔夫》。要看黎烈文译本，台湾译本差强人意。

小说家就讲这些。附带说，那时，俄国小说传译到法国，仁慈博爱的情怀感动了法国人，这是一桩大事。

十九世纪的法国诗人，分"浪漫派"、"高蹈派"、"象征派"。

法国浪漫派的诗，是整个浪漫派文学的一支，破除旧格律，向内取材于心灵活动，远则上溯中古、远古，至于异国、异乡。

高蹈派是对浪漫派的反动。反对浪漫派的粗率，反对热衷于自我表现，主张诗是客观的、非主观自我的，而追求纯洁、坚固、美丽，其实是一种新的古典主义。他们连莎士比亚、但丁，也嫌野蛮，所以高蹈派的寿命不长。

接着来了象征主义。象征主义反对高蹈派的纯客观，他们的批评家古尔蒙（Remy de Gourmont）说："人之所以要写诗，就是为了表白人格。"

好了，说到这里，赶快要告诉大家，这三派以及其他许多附属的派，并不是吵架，更不打架。诗总归是诗，写出来，也分不清到底什么派——高蹈派的德·列尔（Leconte de Lisle）所写，象征派的魏尔伦（Paul Verlaine）所写，我看看都差不多。我觉得这三派的诗人都很孩子气，喜欢标榜，但不排斥、不仇视，到底是法兰西人。

论小说，浪漫主义、写实主义，还分得清。诗、诗人，本来是糊涂的，若要把某诗人归于某派，其实难。这也是诗的好处，诗人占了便宜。上次讲过画小孩子最难，小孩通体不定型，不易着笔，诗人便是小孩，没法归类于派别。

由此可见，西方社会、西方文化之多元，由来已久。

法国的浪漫派诗歌，始于谢尼埃（André Chénier，1762—1794）。三十二岁死于断头台。他的诗，从古希腊、罗马得灵感。这里，又触及前面讲的奇怪现象了：谢尼埃是浪漫派诗人的先驱，而他的诗又充满古典精神，写得柔和可爱，自然而然，放入希腊古诗选中亦不逊色。可惜死得太早。

真正的浪漫派第一大诗人，是拉马丁（Alphonse de

Lamartine，1790—1869）。少年时喜读卢梭和斯塔尔夫人的作品，后从军，不久复归。因所恋的妇人病死，他将热烈的情思发为诗歌，于 1820 年出版，名为《默想》（*Méditations poétiques*），大获成功，登上大诗人的宝座。之后又发表《新默想》（*Nouvelles Méditations*）等诗集。"二月革命"时曾为临时政府首领之一，后来帝政复辟，他退休故乡。著作丰富，除了诗，有小说、杂记、史书等，但还是以诗著称。

小说《葛莱齐拉》（*Graziella*），极感人，极多情，我非常喜欢，可能带有自传性。他的诗却大概由于翻译，实在看不出好。但有人说，十七世纪后，法国久未听到这样好的诗歌了。

雨果是当时的诗王，占了近五十年的王位。小说、戏剧，名声极大，诗名尤大，抒情诗、叙事诗、史诗，各体俱精，最著名的有：《秋叶集》（*Les Feuilles d'automne*），《光与影》（*Les Rayons et les Ombres*），《静观》（*Les Contemplations*，亦称《沉思集》），《街荫之歌》（*Les Chansons des rues et des bois*），《历代传说》（*La Légende des siècles*）。

以我的兴趣，宁愿看雨果的小说，他的诗总觉得"过时"了。但雨果确实擅写诗。举一个例，他在某诗中写一位母亲之死，她身边的孩子才五岁，聪明活泼，嬉闹歌唱如常，毫不知道母亲永远离开了他。最后，雨果写道：

悲哀是一只果子
上帝不使它生在
太柔软的载不起它的枝上

这无疑是诗人的头脑和心肠，心肠柔软，而头脑冷冽，雨果又有才，写了出来。

我七岁丧父，只记得家里纷乱，和尚尼姑，一片嘈杂，但我没有悲哀。自己没有悲哀过的人，不会为别人悲哀，可见欣赏艺术必得有亲身的经历。1956年我被迫害，死去活来，事后在钢琴上弹贝多芬，突然懂了，不仅懂了，而且奇怪贝多芬的遭遇和我完全不同，何以他的悲痛与我如此共鸣？

细细地想，平静下去了，过了难关。我当时有个很稚气的感叹："啊，艺术原来是这样的。"那时我三十岁。我的意思是说，三十岁之前自以为颇有经历，其实还是浅薄。

所以谈雨果，我尊敬他，他有伟大的仁慈，他对法兰西、对世界、对全人类都是爱、都关怀，你在思想、感情、兴趣上与雨果歧异，可是面对这样一位伟人，心里时时崇敬，这是我们对前辈们应有的态度。

维尼（Alfred de Vigny, 1797—1863）。作品不多，却很精湛，他悲观而安定，不怨天不尤人，名作《狼之死》（*La mort du loup*），叙老狼负伤而忍痛，默然而死，极感人。

维尼是世袭的公爵，早岁从军，退伍后专心写作，戏剧、小说都很有名，诗集有两册，在法国诗台上占光荣的一席。维尼少年始写诗，年寿愈高，诗愈精醇，形式愈为齐整。

我崇赞维尼的人品风范，一是敏于感受，二是坚强而上进。拉马丁的悲哀是个人性的，维尼的悲哀是人类全体性的。他因此通向仁慈，境界开阔。他有一篇小说，可惜名字记不起了，写一青年被人谋杀，情节奇妙而充满诗意。我读了大为感叹，诗人该像维尼那样，参透人情世故，依然天真纯洁。

缪塞（Alfred de Musset, 1810—1857）。十足巴黎风的法国才子，终生不做事，沉溺于醇酒妇人，消耗生命和感情。诗的调子是哀伤的，二十岁就发表作品。此后十年继续写诗、戏剧、小说，曾与乔治·桑恋爱，分离后很痛苦，为此写了不少抒情诗。缪塞的抒情是狂热的、豪放的，他很崇拜拜伦，论艺术上的精深，他胜拜伦一筹，当然，拜伦的光彩雄伟，无人能及。

戈蒂埃（Théophile Gautier, 1811—1872）。"为艺术而艺术"（Art for Art's Sake）这个口号，就是戈蒂埃首先提出的，是他结束了浪漫派而开创高蹈派。他以画家的身份到巴黎，却成了诗人。

说来有趣，我在三十岁之前与戈蒂埃好好打过一番交道：那时我要当个纯粹的艺术家（现在不纯粹了，关心政治、历史，杂七杂八），戈蒂埃说他喜欢鲜花、黄金、大理石，他不在乎酒，而在乎酒瓶的形式，又说"耶稣并不是为我而来到世界"。单是这些，我就跟他合得来。

读他的《莫班小姐》(*Mademoiselle de Maupin*)、《珐琅与螺钿》(*Émaux et Camées*)，附和福楼拜对他的嘲笑："可怜的戈蒂埃，诗句写得这样好，就是写不好一首诗。"——有一次我和郭松棻谈天，不知怎么一转，转到戈蒂埃，二人对答如流，旁边一位王鼎钧先生是台湾资深老作家，他惊骇道："你们怎么读过这种书，我连知也不知道。"——其实戈蒂埃并非冷门，不过因为郭松棻对他有所了解、有些兴趣，使我快慰，有一种他乡遇故知的亲切感。

连续讲了龚古尔兄弟、左拉、都德、莫泊桑、法朗士、布尔热、洛蒂、拉马丁、雨果、维尼、缪塞、戈蒂埃——各位至少多了一些概念，以后在别处听到，看到，就不致全然陌生了。

博学虽然可耻，但使人心宽。心宽而不体胖，希望大家尽量博学吧。

十九世纪法国文学（五）

一九九一年九月十五日

现代诗，波德莱尔开了一扇门，兰波开了一扇门。此后，门里涌出妖魔鬼怪。但波德莱尔和兰波可以不负责任。

气质和品味，我更近瓦莱里。但我一直偏爱波德莱尔。不忘记少年时翻来覆去读《恶之花》和《巴黎的忧郁》的沉醉的夜晚。我家后园整垛墙，四月里都是蔷薇花，大捧小捧剪了来，插在瓶里，摆书桌上，然后读波德莱尔，不会吸鸦片，也够沉醉了。

如果李商隐懂懂法文，一定与马拉美倾谈通宵。二十岁前，我曾一味求美，报纸也不看——受他影响。宋词。马拉美。后来醒过来了：一个男人不能这样柔弱无骨。是骨头先醒过来。

我爱的物、事、人，是不太提的。我爱音乐，不太听的。我爱某人，不太去看他的。现实生活中遇到他，我一定远远避开他。这是我的乖僻。艺术家的乖僻，是为了更近人情。

法国十九世纪诗，把这种手法用得隐晦，不可捉摸。托尔斯泰对此大加挞伐。托尔斯泰说什么，发什么脾气，让他说去，最好的办法是连连点头，说："Yes Sir! Yes Sir!" 其实他骂的都是有才华的人。象征主义的败类出在二十世纪。托尔斯泰倒是骂得太早了。

兰波，无法对付的。永远那么自信，狂妄。他，马雅可夫斯基，叶赛宁，是世界不宠他们，他们自己宠坏自己，都是自恋狂。

上次讲了三派：浪漫派、高蹈派、象征派。高蹈派可以再讲讲。

法国十九世纪的一派诗风，在浪漫派之后，特点是反浪漫派，以戈蒂埃为开山祖。德·列尔是个代表，标榜避开主观感情、想象，注重客观、事实、理性，追求形式完美，手法参考音乐和雕塑。大陆的讲法，是形式主义。实际上，他的诗还是有主观想象，形式也没有雕刻那样完美。如此标榜，主要是想避开浪漫主义的流弊。

世上各种主义，都对的——对一面。要这样看。

浪漫派人物，有谢尼埃、雨果、缪塞，等等。到了高蹈派，已是 1866 年。德·列尔出一诗集《今日的巴纳斯》(*Le Parnasse Contemporain*)，众诗人参加，有普吕多姆、埃雷迪亚、科佩等。"巴纳斯派"，就是高蹈派。

依次讲。德·列尔 (Leconte de Lisle, 1818—1894)。生于法属非洲，少年时游历印度。回法后参加傅里叶 (Fourier) 的社会主义团体，热衷政治活动。后来写诗，弄翻译，译介荷马的《伊利亚特》(你们看，法国人也到十九世纪才看到荷马)。诗集有《上古之歌》(*Poèmes antiques*)、《悲歌》(*Poèmes tragiques*)。高蹈派的中坚。

在中国的文艺界，你问德·列尔，很少有人知道。克洛岱尔 (Paul Claudel) 还到中国来过，在福建为官数年——听到你不知道的人事，不要说："我怎么不知道！"我要是听了不知道的人和事，感觉自己无知、惭愧、惶急，愿意听人讲。听了，就知道了——这是正常的，是对不懂的事物的态度。

德·列尔是诗人中的叔本华，是个悲观主义者。他对希腊有研究。顺便说，高蹈派的诗人都是慕古的。德·列尔反现代文明，赞美死亡。诗风优雅、光洁、纯白如大理石。现在对法国还有影响。

对中国一点没有影响。从前李广田出过《西窗集》，收入许多法国诗。

普吕多姆（Sully Prudhomme，1839—1907）。原是工程师，后潜心学哲学，诗集很多。《公平》（*La justice*）、《幸福》（*Le bonheur*），以诗体写哲学伦理，不用哲学论证，用形象表达。对人类痛苦有很柔和的同感，文字上很恰当。法国哲理诗自他始，此后哲理诗成格局。

埃雷迪亚（José-Maria de Heredia，1842—1905）。特别讲究形式。高蹈派主张非情绪、非个人。埃雷迪亚严格遵从这信条，写古代战争，不带丝毫个人情感。名诗集有《战利品》（*Les Trophées*），十四行诗（Sonnet）体裁（很像宋词的长调短调。十四行，前八行，后六行，可分上阙、下阙）。

科佩（François Coppée，1842—1908）。以诗和戏剧著名。家世贫困，一生在贫民窟度过，后来专写贫民生活，找到自己的风格。他以高蹈派精细的手法写平民：小贩、工人、贫女。

波德莱尔，什么派都不是。他在法国诗台的重要性不下于塞尚之于法国近代绘画史，是一个真正成功的诗人。纪德在《地粮》（*Les nourritures terrestres*）中说："有个好公式：要担当人性中最大的可能，成为人群中不可更替的一员。"波德莱尔做到的。

我补充，在许多可能中找一个大的可能，塞尚找到了，大到自己完不成，那么多后人跟着去实现去发展。

"人群中不可更替的一员"，这是基本的。这就是风格。

伟大人物的话，想想有道理，想想有道理。比如芬奇说："知与爱是成正比的。"知得多，爱得多。爱得多，知得多。

夏尔·波德莱尔（Charles Baudelaire，1821—1867）。不属于什么派，不属于什么主义。这是真正伟大的艺术家。向来称波德莱尔是"恶魔的诗人"，诗人是纯洁善良的，怎会是恶魔？我觉得很对——事物有各个面。过去的艺术只有一面景观，波德莱尔显示另一面景观。

有神性的一面，还有魔性的一面。波德莱尔对魔性有特殊敏感。神性是正面的诗的素材，已用得太多。魔性，别人还看不清时，波德莱尔已先看、先觉、先用、先成功。

但回头看，波德莱尔还是位天使。他是站在现代诗门口的铜额的天使。其实他的手法还是老式的。

现代诗，波德莱尔开了一扇门，兰波开了一扇门。此后，门里涌出妖魔鬼怪。但波德莱尔和兰波可以不负责任。

一部《恶之花》（*Les Fleurs du mal*），雨果评："你创造了一种新的战栗。"

他对声、味、色、香，特别敏感。写夜，写死，写尸布，写游魂，写怪鸟，写来都很美。一句老话：化腐朽为神奇。

闻一多学的就是波德莱尔。

生活上也追求神奇。吸大麻，情妇是黑种人，得遗产，一天用掉一半。但丁经过了地狱，波德莱尔从地狱里出来——都有话可以说。

波德莱尔推崇美国的爱伦·坡（Allan Poe）。爱伦·坡在美国无闻，先在法国给叫起来的：波德莱尔翻译了他的作品。波德莱尔的散文写得极好，你们读了，一定觉得：这样好的散文诗，怎么以前没有读过？

他这种印象、思维、感觉，我们都有，捉摸不着。他却很精巧，大大方方表现出来。例如《沉醉》：

你醒来，醉意减消，去问询微风波涛、星辰禽鸟，那一切逃循的，呻吟的，流转的，歌唱的，交谈的——现在是什么时刻。它们会说，沉醉的时刻，快去沉醉于诗，沉醉于美，沉醉于酒。

气质和品味，我更近瓦莱里。但我一直偏爱波德莱尔。不忘记少年时翻来覆去读《恶之花》和《巴黎的忧郁》的沉醉的夜晚。我家后园整垛墙，四月里都是蔷薇花，大捧小捧剪了来，插在瓶里，摆书桌上，然后读波德莱尔，不会吸鸦片，也够沉醉了。

他说：巴黎的夜晚，每个窗口亮着灯，真想走到每个窗口看看。

这种感觉，我们不是都有吗？

又说：香水用完，闻闻还香，伸给狗闻。狗打个喷嚏，走掉。

临死的一念：呀！世界上好看的、好听的、好吃的，我经历过些。可是我也可以弄好看的、好听的、好吃的，但还没有弄出来——慢慢死，弄出来。

让·黎施潘（Jean Richepin，1849—1926）。也不属于任何派。怪杰。漂泊四方。《穷途潦倒之歌》（Chanson des gueux）是他第一本诗集。小说、戏剧都有名，精于心理描写。调子惊世骇俗，曾被政府送入狱。

象征派，也叫象征主义。到底什么是象征主义？

也很简单。譬如爱伦·坡有诗《乌鸦》（The Raven）。乌鸦代表命运，代表他灵魂中黑暗的一面。凡写到乌鸦，就代表这——以一面代表另一面，以显的一面代表隐的一面。

象征，是很古老的手法。比、兴是也。

法国十九世纪诗，把这种手法用得隐晦，不可捉摸。托尔斯泰对此大加挞伐。托尔斯泰说什么，发什么脾气，让他说去，最好的办法是连连点头，说："Yes Sir! Yes Sir!"

其实他骂的都是有才华的人。象征主义的败类出在二十世纪。托尔斯泰倒是骂得太早了。

象征派领袖，保罗·魏尔伦（Paul Verlaine，1844—1896）。少年成名，天天泡酒吧，少年人前呼后拥。公案：他碰到了兰波，两人一起闯了大祸。兰波当时从乡下出来，寄诗给魏尔伦，约见。魏尔伦发现兰波还是个大男孩，成了好友。魏尔伦爱兰波，抛弃妻子与兰波出走，二人浪游至英国、比利时，兰波却一再提出要离开，魏尔伦绝望中枪击兰波，兰波不死，魏尔伦入狱后，兰波撤诉，魏尔伦出狱，但从此消沉，五十几岁死。

魏尔伦有大才。诗集《今与昔》（*Jadis et naguère*），情绪细腻而热烈。自云：

这里没有一行不是生命。

这是诗人的话。

"如果你愿意，那么一起走。不愿意跟随，那我一个人走。"他说。他把生命直接放到诗里，又把诗放在生活里。论文集也出色。名著《诗艺》（*Art poétique*），第一个提出音乐是一切艺术的最高点："艺术不必清晰，不必理论，不必要机智，而必须要音乐。"

他写诗不拘格律。"自由诗"始自魏尔伦。

写过宗教诗，据说是法国文学中最优美的宗教诗。说明他虽纵酒，但始终知道感情的升华。

品德、思想、作风，都好。他对兰波一往情深，而兰波是野马，不回头。

马拉美（Stéphane Mallarmé，1842—1898）。又是一个大诗人，可与魏尔伦并称象征派双璧。

马拉美终生做一个中学教师（舒伯特是个小学教师）。沉静的，自我完美的，柔和，高超，诲人不倦。他真是一代宗师。纪德什么的，都从他那里来。他说，我写诗，就是为了诗。德彪西是他的好朋友。《牧神的午后》（L'après-midi d'un faune），以马拉美诗为本。

诗幽暗晦涩，连他的好友也不能完全理解。有时又会写得好比太阳出，一目了然。读起来要着迷，柔美、婉转，非常享受，好像吃东西。

还有《片叶集》（Pages），富于音乐性。故法国以外读者少，连法国读者也少。以中文读，也可读出韵致。他是美文学，清醒，颓废，如果李商隐懂法文，一定与马拉美倾谈通宵。二十岁前，我曾一味求美，报纸也不看——受他影响。宋词。马拉美。后来醒过来了：一个男人不能这样柔弱无骨。是骨头先醒过来。

他是美人鱼之歌，水手都会迷得跳下去。

他人品道德硬铮铮的。纪德临死以前回忆马拉美，写得好，好得像是马拉美的遗嘱。纪德对他感恩戴德："我们再也管不了这个世界。最近得到非洲少年来信，还在想人类得救问题，使我这个行将就木的老人还不至于绝望地死去。大地还有盐味。"

马拉美的学生中，有的信仰宗教，有的信仰法西斯。

兰波（Arthur Rimbaud, 1854—1891）。至今还可说是西方诗的神童。极度早熟。今年（1991 年）是他一百年殁日。我为文论兰波，两万字，11 月出版。

一生下来，助产小姐出外取水，兰波已从床头爬下来到门口，双目圆睁。幼年读书，成绩令老师惊讶。后来翻翻画报，作起诗来。不要旅行的，翻翻画报就行了。很小就想离开家，每次出门，不带一分钱。

天才有共性，内在共通。去体会分析这种共性，很有趣，很有玄学价值。听到聂鲁达说马雅可夫斯基和兰波很相像，我心中狂喜。没有人知道我为什么狂喜。我写他，心中充满对他的爱。因为是爱，不能不说老实话。

他写过《醉舟》（Le bateau ivre），我以之题名《醉舟之覆》。开头是引弥尔顿诗"恶呀，你来作我的善吧"。

我爱的物、事、人，是不太提的。我爱音乐，不太听的。

我爱某人，不太去看他的。现实生活中遇到他，我一定远远避开他。

这是我的乖僻。艺术家的乖僻，是为了更近人情。明白这种乖僻，对米开朗琪罗，对贝多芬的荒诞行为，感到特别亲切。

我爱兰波，总得说几句话。一拖四十年，今年终于将这份债还了。

兰波与马拉美也很好。兰波诗中也富音乐性。

我在文中很残酷地处理兰波。我对他进行了一次情杀。魏尔伦打中他的左手，我中其心脏。

兰波，无法对付的。永远那么自信、狂妄。他，马雅可夫斯基，叶赛宁，是世界不宠他们，他们自己宠坏自己，都是自恋狂。

作品有《地狱一季》(Une Saison en Enfer)、《彩画集》(Illuminations)。不多讲，大家看我的文章。

还有象征派诗人拉佛格 (Jules Laforgue)、古尔蒙 (Remy de Gourmont)，略过。

讲讲十九世纪法国的戏剧和批评。

百年中，法国文坛非常热闹。小说丰富得满出来，诗都是第一流的。现在不得不讲一讲戏剧和批评——法国的光荣是在十九世纪。以后不再了。

中国的唐朝，离我们太远了。以后要出，只有像曹雪芹那样的文学上的孤家寡人。

十九世纪法国戏剧是随浪漫主义一起来的（所谓打倒古典主义，是打倒伪的、僵化的、教条化的古典主义）。当时法国剧坛上，伪古典主义是有霸权的。

大仲马（Alexandre Dumas）写了一百多个剧本。《亨利三世及其朝代》（*Henri III et sa Cour*)、《奥托尼》（*Antony*）是代表作。《亨利三世》是丈夫逼妻子诱其情夫来，杀之。《奥托尼》是情人杀人妻，告诉丈夫说："她是纯洁的。我杀她，是我爱她，她不爱你！"

雨果、维尼、缪塞，都写剧本。雨果（Victor Hugo）向以情节胜场。《欧那尼》（*Hernani*）写一个贵族女不爱王子，爱强盗（庄子也爱强盗）。《吕布拉》（*Ruy Blas*），叙皇帝爱上了仇人派来的间谍。这种诡谲的剧情，也只雨果大手笔才能写得华婉动人。维尼（Vigny）写了《查特顿》（*Chatterton*），细腻活泼。缪塞（Musset）的剧本放肆任性，以为上不了舞台，上演后大受欢迎。而最轰动的，还是小仲马的剧本。

小仲马（Alexandre Dumas Fils，1824—1895）。大仲马的私生子，家教严，被关起来，写完再放出来。有《茶花女》（*La Dame aux Camelias*）等二十多个剧本。论技巧，胜于大仲马，结构严密，人物真切，在法国长期有影响。

到了亨利·贝克（Henry Becque，1837—1899），风气转移，以直觉观感入剧，开"自由剧"先河。

安德烈·安托万（André Antoine，1858—1943）。写法比较现代，将人生一片片切开，放到舞台上，较自由，但不加渲染的真实，观众难以接受。

莫里斯·梅特林克（Maurice Maeterlinck，1862—1949）。比利时人，法文写作，象征主义。

当时社会剧和心理剧写中产阶级形形色色。作者有白里欧（Eugene Brieux）、拉夫顿（Lavedan）等。

以下讲文艺批评。法国在 1824 年创办《地球报》（*Le Globe*），指导文艺运动，引介各国作品。

十九世纪法国第一位大批评家是维尔曼（Abel-François Villemain），作品是他的文学讲义，他是文学的史家。

尼撒（Nizard）与维尔曼观点相反，重理想教导，认为文艺是知性的，时代、个人，他不管。

哪个对？都对。对了一面。

更大的批评家上场了：圣伯夫（Sainte-Beuve，1804—1869），即批评指导福楼拜的那位。本为医生，谈谈谈谈，就弃医从文，在报上发表谈话、文论，汇成《星期一评论》（*Causeries du Lundi*），历十一年。他的治学方法是个案研究，常为了深究某一个作家，闭关十五天，从家世、生平、性格，慢慢体味。他在《文人写照》（*Portraits littéraires*）中试图建立一种批评的科学，立意伟大。但这是不能成功的。

丹纳（Hippolyte Taine，1828—1893）。师承圣伯夫，立科学批评法，仍嫌偏激。先是教师，后专攻文学。说"生活是为了思想"，出《英国文学史》（*Histoire de la littérature anglaise*），序言标榜，治文学史须从三项下功夫：一，种族；二，时代；三，环境。每个作家受制于这三大影响。这种极平常的见解，当时竟被奉为圭臬。后来才有人批评他过于机械，越到近代，丹纳的方法越遭非议。

勒南（Ernest Renan，1823—1892）。与丹纳相反，重理想，偏怀疑主义。对宗教有深入研究，不像丹纳那样立模式。游耶路撒冷，写《耶稣传》（*Vie de Jésus*），写成一个伟大的人，出书后轰动，中译本称《人之子》。又有《基督教的起源》（*Histoire des origines du Christianisme*）。文体庄严细腻，真正的基督徒，破迷信，还耶稣真相。

这两课一共讲了多少？斯塔尔夫人……

"我对普希金,一直未解除'敬意',但和海涅是
赤脚兄弟,打打闹闹。"图为民国版海涅作品书影。

十九世纪德国文学

一九九一年十月六日

当时所谓东方，止于波斯、阿拉伯。中国从未被西方了解过。太可怜，太神秘。中国，不可能被西方汉学家来了解，还得我们自己来——用他们听得懂的话，告诉他们不懂的事。

所谓东方，中国才是代表，补给西方，正是对的，因为西方最缺的就是中国的东西：含蓄，以弱制胜。东方西方要是真的相通，文明才开始。可是要唤醒东方，中国，非得西方来理解。

什么是悲观主义？我以为就是"透"观主义。不要着眼于"悲"，要着眼于"观"——悲观主义是一个态度，一个勇敢的人的态度。

可惜我们不懂德文，听说尼采原文读起来铿锵有力，坠地作金石声，以后找个纯种的日耳曼男人朗读几段《查拉图斯特拉》听听。说尼采是哲学家，太简单了。我以为他是：一个艺术家在竭力思想。我常想：尼采，跑出哲学来吧！

精神世界再高贵，也是贞洁的，透明的，无私的。我们讲文学史课，胜于读书，就好在可以讲私房话。要守住：公开场合，正式发表，不能讲私房话。将来出我的讲稿，私房话出不出？思考题。其实很简单，把"不能讲的"，也讲出来。

我看鲁迅杂文，痛快；你们看，快而不痛；到下一代，不痛不快——而今灯塔在动，高度不高，其间不过一百年。个人遭遇时代，有人手舞足蹈，有人直接介入。我以为，遭遇大事要先退开。退开，可以观察。谁投入呢？有的是。

先打招呼：十九世纪德国文学不能和法国比。自歌德、席勒始，影响不衰，但不如英法。原因是拿破仑打到德国，德国即俯首听命，战败国心态。老回想中世纪的光荣，当时德国建造了宏丽的教堂。

中国人讲德国货好，恩格斯时代却以为德国货最差。

德国人非常爱国，自尊。德国浪漫主义的精神所在，就是慕古和爱国。到叔本华，德国文学才出光华（大哲学家，都和文学一气）。

从第一期讲起。先有蒂克（Ludwig Tieck，1773—1853）。生于柏林，功在推动浪漫主义诗潮。主要作品是童话，才不甚高（弄童话，总得是诗人。安徒生是诗人）。

施莱格尔（Friedrich von Schlegel，1772—1829）。理论家，浪漫主义批评家的领袖。他哥哥威廉是翻译家，译了莎士比亚的作品——可怜啊，当时德国人还没有读到莎士比亚！近代文学，没有翻译，不可设想。民国时称创作是处女作，翻译是媒婆："啊，又在做媒婆啦？""是呀，我做不了处女呀！"

什么叫"嘉年华"？就是狂欢节。和"谢肉祭"是一回事，嘉年华（Carnival）是音译。当时爱伦·坡译介到法国，如同嘉年华，大轰动。俄国文学译介到法国，又大轰动。

少有一种中国的新译本超过老译本。中国有些新译家和新诗人一样，写封信，写个便条，别字连篇，文句不通，却在翻译世界名著。

还有诺瓦利斯（Novalis，1772—1801）。诗人。我喜欢他。出书后，许多别人的文中接引他的文句，说得好极了。只活了二十九岁，死于肺病。我少年时见他一张铜版肖像，眼神特殊，一直不忘——人是可以貌相的。从他身上说，以貌取人是行得通的。心有灵犀，一点是通的。有诗集《零片集》（*Fragments*）。他的句子，一读狂喜，通灵。

德国浪漫主义第一期寿命很短，止于1804年。当时，德国政治很暗淡，神圣罗马帝国松散凋零，被拿破仑打坏了。诗人、作家们的爱国心给激发起来。这一时期，有亚宁（Ludwig Achim von Arnim）、格雷斯（Joseph Görres）、布伦坦诺（Clemens Brentano）、格林兄弟（Brüder Grimm）等等，他们不再沉湎于浪漫主义第一期的想象，转而写当代的现实生活，编写德国民间故事，追写国民的历史。1813年，拿破仑败于莫斯科，德国人又唱起爱国诗，但无甚佳作。这一时期的主要成就和光荣，是克莱斯特（Heinrich von Kleist）的戏剧和小说（略记）。

诗人中，吕克特（Friedrich Rückert）有崇尚东方的倾向。当时所谓东方，止于波斯、阿拉伯。

中国从未被西方了解过。太可怜，太神秘。中国，不可能被西方汉学家来了解，还得我们自己来——用他们听得懂的话，告诉他们不懂的事。

所谓东方，中国才是代表，补给西方，正是对的，因为西方最缺的就是中国的东西：含蓄，以弱制胜。东方西方要是真的相通，文明才开始。可是要唤醒东方，中国，非得西方来理解。

要讲清楚：我讲的中国，是指嵇康他们。我讲俄国人，是讲普希金，不是讲他的第九世孙————一个大胖子，又胖又蠢。

小说领域的三位代表性作家：富凯、霍夫曼、赫林。

富凯（Friedrich de la Motte Fouqué，1777—1843）。一生在中世纪骑士时代气氛中（战败国心态：慕古，爱国）。中国也如此。历史上许多智者不理会他存在的时代。米芾收字，只收到晋代为止，唐字不收。蒙田只和古人交朋友。海德格尔只读希腊古文，人问他现代如何，他想想，说："梵高画的靴子。"

希腊古文————梵高的靴子。

所谓理想主义，要么是向未来看，要么，其实是向古代看。"现在"没有多大意思。

霍夫曼（E. T. A. Hoffmann，1776—1822）。他是天才的作家，多写超自然的世界，搞场面，弄气氛。霍夫曼竭力模仿司各特（Walter Scott），但不及。

德国浪漫主义最后一期，以乌兰等作家为代表。乌兰（Ludwig Uhland）是有名的中古研究者，以抒情诗闻名文坛。莫里克（Eduard Mörike）诗才一流，也写小说。莱农（Nikolaus Lenau）是奥地利人，天性悲观，来到美国，失望。又回到欧陆，悲观愈深，疯狂。情绪、思想，都悲观。莱瑙像拜伦，都是绝望者。莱瑙在奥地利是大诗人。

什么是悲观主义？我以为就是"透"观主义。不要着眼于"悲"，要着眼于"观"——万事万物都会过去的，人是要死的，欲望永远不能满足，太阳底下无新事……这就是悲观。悲观主义是一个态度，是一个勇敢的人的态度。

得不到快乐，很快乐，这就是悲观主义。如此就有自知之明，知人之明，知物之明，知世之明。

一切都无可奈何，难过的，但是透彻。

十九世纪浪漫主义的精髓，都在音乐中，德国骄傲的是音乐。音乐与文学关系，是看在歌剧和歌曲。韦伯（Friedrich Wilhelm Weber）、马契尼（Heinrich August Marschner）等等的歌剧，舒伯特、舒曼的歌曲，是浪漫主义顶峰。

叔本华、尼采，不是浪漫主义。他们深远影响到德国文学及世界文学。叔本华的随笔是很好的散文。尼采的《朝霞》、《艺术的启示》，特别是《查拉图斯特拉如是说》，是一流的艺术品。可惜我们不懂德文，听说尼采原文读起来铿锵有力，坠地作金石声，以后找个纯种的日耳曼男人朗读几段《查拉图斯特拉》听听。

说尼采是哲学家，太简单了。我以为他是：一个艺术家在竭力思想。

我常想：尼采，跑出哲学来吧！

1830 年 7 月，法国革命震动全德，产生"少年德意志"（Junges Deutschland）文学运动，作风写实，倾慕自由，最有代表性的作家是海涅。

海因里希·海涅（Heinrich Heine，1797—1856）。德国犹太人。他称得上是浪漫主义的儿子，既充满梦想，也面对现实。他的象征性介于两者之间：歌咏仙岛的美丽，又为贫民的苦难呐喊，在陶醉与绝望之间，互不碍。

"我同情革命。但我知道有一天无产阶级会把艺术打得粉碎。"他说。

海涅交织的是爱美之心和同情心。他要是活到现代，会好得多，可以心安理得爱他那些艺术——幸福，就是心安理得地爱艺术。

我青年时，爱艺术，但爱得心不安、理不得——在中国，在那时——直到 1982 年出来了，才爱得心安理得。这过程，说说容易，一挣扎，五十年。

最高兴的是：我对了，他们错了。有时走在路上，忽然一高兴："我对了。他们错了。"

他们的势力真是大呀！

一个人，只要心里有了爱，一生就弄得半死不活——这是海涅的散文。我对普希金，一直未解除"敬意"，但和海涅是赤脚兄弟，打打闹闹。海涅和安徒生是好朋友，居然写诗送给安徒生，一起划船。

原文是这样：

> 谁有一颗心，心里有爱，就被弄得半死不活。

要敢于和古人称兄道弟，亲密无间。不是高攀。艺术面前人人平等，这样，孤独的内容就多了，这样，艺术视你为"归人"，而不是"过客"。四海之内皆兄弟，指的是精神界，在这精神界里，是兄弟。这兄弟有三类：

架上书，案头书，枕边书。

精神世界再高贵，也是贞洁的，透明的，无私的。我们讲文学史课，胜于读书，就好在可以讲私房话。

要守住：公开场合，正式发表，不能讲私房话。将来出我的讲稿，私房话出不出？思考题。

其实很简单，把"不能讲的"，也讲出来。

艺术，是光明磊落的隐私。

光明磊落，是态度，不是艺术；隐私，更不是艺术——两者在一起，就是艺术。

私，越隐越私；光明，越磊落越光明——越是光明磊落地说隐私，艺术越大。

从来的大艺术家都是讳莫如深。

耶稣有多少隐私！

1827 年海涅诗集《歌集》（*Buch der Lieder*）出版，满纸夜莺、玫瑰、紫罗兰。为什么呢？当时这些已用滥，他要再来用，以示他用得好——禅家叫做"截断众流"。不解者骂他不诚恳，其实是他年少气盛（三十岁前作品）。后来有《北海之歌》（*Die Nordsee*），就越写越诚挚了。七月革命使海涅把法国当成新耶路撒冷。他迁居巴黎，写了很多散文。

左派嫌他不革命，右派嫌他不够艺术。

读海涅，要读他的人格——把诗意扩大到整个人格，可放诗意处，就放上诗意：这是普希金。

他的风采，有逸气。丹麦的勃兰兑斯爱海涅，说他是一只羚羊，抓他不住。

看一个诗人，不要完全注意他的诗——他的肖像，散文，他的整个人。海涅是犹太人，无祖国。他是世界主义的，而德国人当时国家至上。他心仪法国气质，又佩服拿破仑。

他没有一首诗我读来完全钦佩（可能因为诗太难译），但他的散文，我没有一篇不佩服：逸趣横生，机智雄辩。他的哲学论文、游记杂感，都好透了，处处见到他这个人，一看就知道是个大诗人在写散文，左顾右盼，神采风流。他说黑格尔是条蛇，又说亚当夏娃中的那条蛇，是女的黑格尔。又说："姑娘，让我吻你，反正我走了就不会回来的。"

"文革"期间，陈伯达在中央会议上嘲笑海涅，我实在气愤：他也配对海涅乱叫。结果我被批斗。

　　海涅晚年卧床，双目失明，肖像憔悴，却永远俏皮。有诗给妻子：

> 亲爱的，我知道我死后
> 你会常来看我。
> 来时步行，
> 回去千万坐马车。

　　恳切，又是说笑话。我当时看到这首诗，心头一酸，一热。这才叫诗（二十多岁写不出的，非得老了来写）。

　　好，讲到这里。海涅死了，讲别人。

　　蒲尼（Ludwig Börne）是少年德意志的中坚分子（海涅也参加，若即若离），善写政论。

　　这又让我想起鲁迅。所谓短兵相接，我总认为是报界巨擘的事，大文学家、思想家，除非实在让不开，则挺身而出，但总不必纠缠。大骨节眼，大转折点，"投一光辉"才好，这才是为先驱——海上的灯塔一定要有高度，不能低于水面，而且一定是固定不动的，不能游来游去。我看鲁迅杂文，痛快；你们看，快而不痛；到下一代，不痛不快——而今灯塔在动，高度不高，其间不过一百年。

个人遭遇时代，有人手舞足蹈，有人直接介入。我以为，遭遇大事要先退开。退开，可以观察。谁投入呢？有的是。

我不是灯塔，但可以小小发点光，充充浮标。我的象牙塔移到海上，可以作灯塔。

真的灯塔，是象牙塔。

十九世纪德国文学、俄国文学

一九九一年十月二十日

我读书的秘诀是：看书中的那个人，不要看他的主义，不要找对自己胃口的东西，要找味道。在我看来，叔本华、康德、尼采、瓦格纳不是四个人，而是一个人，都通的。或者说，这"一个人"有时悲观，有时快乐，有时认真，有时茫然。试问，哪有一个人从小到老悲伤，或从早到晚哈哈大笑的？

尼采有哈姆雷特的一面，也有堂吉诃德的一面，我偏爱他哈姆雷特的一面，常笑他堂吉诃德的一面。现在读尼采看来是太难了——很多人是在读他堂吉诃德的一面。

他在抗战前后的中国曾红极一时，台湾诗人亦不乏追慕里尔克者。他的想象力造型力甚强，不过我不喜欢他，思想、技巧，太表面。中国是隔一阵子总要举一人出来叫嚣，其实谁也没学会。西风东渐，确有其事，无论哲学、政治、经济、文学、艺术，从民国初年开始，大大地刮过西风，但刮不出成果来。

世界上什么事情最可怕呢？一个天才下起苦功来，实在可怕极了。

简洁是大天才的特征（在希腊，是典范）。有人向普希金请教："很早你就同烦冗为敌，同废话作战，教给我，如何才能巧妙地与简练为伍？"不知普希金怎样回答。如果普希金授权我作答，我写道："先生，来信太啰嗦，祝简练。"

茹可夫斯基是普希金的老师，读了学生的诗，送普希金一张照片，上面写道："给我的学生，他的失败的先生敬赠。"照片我也有，还不知道题赠给哪一个学生。

史笔、文笔，是不一样的。文学与史学的大问题，至今无人提出来研究。

小说在古代德国（古典文学时期），不足道，浪漫主义时期也不见不朽的大作。十九世纪，小说活跃起来。一是主观命题，以古茨科（Karl Gutzkow）为代表，代表作是《精神的骑士》（*Die Ritter vom Geiste*）。一是描写客观，以伊默曼（Karl Leberecht Immermann）为代表，代表作是《奥皮霍夫》（*Der Oberhof*）。

　　"五四"的新文艺青年，最爱读《少年维特之烦恼》。最风魔的却是《茵梦湖》（*Immensee*），作者是德国的施托姆（Theodor Storm，1817—1888），当时几乎时时处处碰到人家在读《茵梦湖》，我一时找不到，急死了，终于找到，不过是写初恋、失恋，情景交融，很柔和，很罗曼蒂克，但我本能觉得这类纯情的作品不经久。现在看，《少年维特之烦恼》站得住，《茵梦湖》已被忘记了。你们有机会遇到《茵梦湖》，不妨大略看看，借此知道"五四"时期年轻人的心态和取向。

　　当时德国小说家甚多，史比尔赫根（Friedrich Spielhagen）、法莱泰（Gustav Freytag）、海泽（Paul Heyse）、毕齐乌斯（Albert Bitzius）、奥尔巴哈（Berthold Auerbach）、罗伊特（Fritz Reuer）、凯勒（Gottfried Keller）、冯塔纳（Theodor Fontane），等等，现在少有人提起了。我认为迈尔（Conrad Ferdinand Meyer，1825—1898）的短篇小说最杰出，风格简明，客观到了冷酷的地步。

当时的德国小说不如德国戏剧。提到戏剧，就想到瓦格纳（Wagner），其实有三人，均为代表：黑贝尔（Hebbel）、路德维希（Ludwig）、瓦格纳，三个人都生于1813年。前两位在德国是广为人知的，在中国却不知名。

理查德·瓦格纳（Richard Wagner，1813—1883）写的是"乐剧"（Music Drama），与一般歌剧的区别是：歌剧主要是唱，乐剧则以乐队与歌唱并重。瓦格纳本想写交响乐，听贝多芬，自知不敌，遂写乐剧。他生活豪奢，常背巨债，一时想去做强盗，临别听贝多芬《第九交响曲》，决定还是做音乐家。

瓦格纳的乐剧，只能听，看不得。最好的作品是《特利斯坦与伊索尔德》（*Tristan und Isolde*）和《帕西法尔》（*Parsifal*）。《特利斯坦与伊索尔德》写爱，写情欲。初演，尼采说：

"第一个不协调和弦出，回答了蒙娜丽莎之谜。"

瓦格纳好用半音，后人多受影响。《帕西法尔》，可谓得道，成圣，恬淡空旷，其中有一段《快乐的星期五》，写耶稣受难。他是艺术家中最霸气的一位，易招反感。托尔斯泰一见之下，奋起搏击。但托尔斯泰错了，瓦格纳的真挚、深沉，尤其到了晚年，真正炉火纯青，返璞归真，《帕西法尔》是少数几个艺术的极峰，可以说是托尔斯泰理想的艺术。我初听《帕西法尔》，觉得艺术到这样子，无法批评。

黑贝尔（Christian Friedrich Hebbel，1813—1863）。深受少年德意志的影响，可贵在纯粹用自己的原创力观察人生。

他认为戏曲描写外在行动的时代过去了，剧场的真正功能是表现灵魂的内在运动。这种角度史无前例。他是浪漫派悲观主义的夕阳中燃烧的个人主义火炬，影响到后来的易卜生（Henrik Ibsen）和北欧其他作家。

奥托·路德维希（Otto Ludwig, 1813—1865）。比较差些，他写实，做了黑贝尔、瓦格纳的补充。

康德重理想，叔本华重真实。普法战争以后，叔本华在青年中还大有影响，要到尼采出来，叔本华才让位。而尼采又从叔本华出来，再舍弃叔本华。

这里必须郑重声明：哲学家、文学家、思想家、艺术家，要说谁超过谁，谁打倒谁，都是莫须有的，不可能的，不可以的。

我读书的秘诀是：看书中的那个人，不要看他的主义，不要找对自己胃口的东西，要找味道。

在我看来，康德、叔本华、尼采、瓦格纳不是四个人，而是一个人，都通的——或者说，这"一个人"有时悲观，有时快乐，有时认真，有时茫然。试问，哪有一个人从小到老都悲伤，或从早到晚哈哈大笑？我们说说家常话：尼采的意思其实是，生命是悲观的，但总得活；要活，就要活得像样！尼采有哈姆雷特的一面，也有堂吉诃德的一面，我偏爱他哈姆雷特的一面，常笑他堂吉诃德的一面。

现在读尼采看来是太难了——很多人是在读他堂吉诃德的一面。

我们所处的时代和尼采的时代相比，是他那个时代好。他的时代，天才大批降生在德国、欧洲。那时代是工业时代。我以为工业时代是男性的，商业时代是女性的——我们正处在阴柔的商业时代。二十世纪末期碰上这个时代，其实倒霉。

我的对策，是索性抽掉这个背景。

在我作品中看不到这个时代。曹雪芹聪明，抽掉他的时代。他本能懂得时空必须自由。大观园在南京？北京？他不让你弄清楚。莎士比亚对他的时代，毫不关心，他最杰出的几部作品，都不写他的当代。

再去看尼采的书：当时的德国连影子都找不到。他把事实提升为诸原则，他只对永恒发言。

艺术家可以取材于当代，也可以不取材于当代。到目前，没有人正面提出艺术可以不表现时代——但我不主张艺术不去表现当代，这样会做作。

戈哈特·豪普特曼（Gerhart Hauptmann，1862—1946）。比尼采小十八岁，诗人气质，思想接近尼采，初期剧作是写实主义的，有《日出之前》（*Vor Sonnenaufgang*），成名，又有《孤独的人》（*Einsame Menschen*）、《织工》（*Die Weber*）、《獭皮》（*Der Biberpelz*），都力量充沛，后来慢慢写到象征主义去了，出代表作《沉钟》（*Die versunkene Glocke*）。在"五四"时期颇有影响，我曾把《沉钟》的主角列为"超人"，写入我的论文《伊卡洛斯诠释》。主角海因里希是一位铸钟匠，年轻美貌，独立铸成巨大的铜钟，设法运到高山顶上，中途受挫，巨钟坠入海底，海因里希随之殉身，变成海底阴魂，每撞其撞，而世人不闻。

我年轻时很喜欢这个剧本，现在呢，真对不起，终不脱少年情怀，故作老成，文艺腔太重，看轻读者。十九世纪象征主义曾经盛极一时，今天无人问津了。当时呢，对高超的人来说太浅，对普通的人则太深，两头不着实。

另有苏德尔曼（Hermann Sudermann，1857—1928）。小说《忧愁夫人》（*Frau Sorge*），也是"五四"时期广为传阅的书，我没看过，只知他是大戏剧家，攻击当时的社会制度。

还有阿图尔·施尼茨勒（Arthur Schnitzler，1862—1931）。奥地利人，以描写维也纳社会生活著称，优雅轻灵。《爱情之光》（*Liebelei*，英译：*Light O' Love*）、《梦幻的故事》（*Traumnovelle*）、《寂寞的路》（*Der einsame Weg*）是他的名作。

里尔克（Rainer Maria Rilke，1875—1926）。诗人，象征主义健将，曾为罗丹的秘书，当年是一班少年表现主义抒情诗人的领袖。他在抗战前后的中国曾红极一时，台湾诗人亦不乏追慕里尔克者。他的想象力、造型力甚强，不过我不喜欢他，思想、技巧，太表面。

中国是隔一阵子总要举一人出来叫嚣，其实谁也没学会。

西风东渐，确有其事，无论哲学、政治、经济、文学、艺术，从民国初年开始，大大地刮过西风，但刮不出成果来。

原因很多，概括地说：西风一到中国，就变成东风——西方军大衣、"派克"（Parka）大衣一进口中国，北方人就叫"皮猴儿"——在中国，儒家意识形态深深控制着中国人的灵魂。梁启超、章太炎、胡适、鲁迅，都曾反孔，最终还是笼罩在孔子阴影里。中国的集体潜意识就是这样的，奴性的理想主义。总要找一个依靠。真正的思想家完全独立、超党派，中国没有。

西风东渐，要看这次历史契机，西风到日本，还是西风，从不提日本民族、日本特色，闷着，里面还是大和魂。日本人是经济动物，中国人是政治动物。中国的政治经济，还有点希望，哲学艺术，很难看到希望。或许可以借将来政治经济的进步来从事哲学艺术。

我一直关心中国的政治、经济，从来不关心哲学、艺术、思想界的争论。文艺界的吵闹，我毫无兴趣，而政治上、经济上每有风吹草动，十分敏感。

做生活的导演，不成。次之，做演员。再次之，做观众。

德国的文学家，还有诗人德默尔（Richard Dehmel），写得明媚、高洁；剧作家霍夫曼斯塔尔（Hugo von Hofmannsthal），神秘光彩；菲比希（Clara Viebig）以写贫民和孩子们的生活著称；胡赫（Ricarda Huch）是女诗人，技术精纯，想象丰富；

托马斯·曼（Thomas Mann），小说严正热情，散文恬淡优美；瓦塞尔曼（Jakob Wassermann）的小说，曾被比作狄更斯、陀思妥耶夫斯基，有先知的权威性。

十九世纪德国的文学很兴旺的，但一般说起，就是少数几个文学家，施托姆凭一本《茵梦湖》，豪普德曼凭一本《沉钟》，盛传百年，想想不很公平。

文学家个人的命运和文学史的大命运，往往不一致。要注意个人的作品，不要随文学大流，大流总是庸俗的。小时候母亲教导我："人多的地方不要去。"那是指偶尔容许我带仆人出门玩玩。现在想来，意味广大深长。在世界上，在历史中，人多的地方真是不去为妙。

现在讲到十九世纪俄国文学了。

今天要讲俄国了。俄国文学没有像中国那样有长远的传统。俄国文学实发于十九世纪，就一百年，天才纷纷降生，这是一大异象，谁也解释不了。起初当然受欧罗巴影响，不到百年，俄国文学成熟了，反过来影响欧罗巴，整个世界忙不过来地读俄国文学。

茹可夫斯基（Vasily Zhukovsky, 1783—1852）。俄国文学开山老祖，大大的功臣。浪漫派诗人，拜伦、席勒都是由他引进俄国。他仁慈、慷慨、热诚、优雅，简直是位圣人。一个民族有这样一位人物，文艺不复兴也会复兴，何况天才一五一十一百地掉在俄罗斯的黑土上。

十二月党人于1825年在圣彼得堡发动革命，失败了，死了不少优秀青年。浪漫主义思潮却更加汹涌，普希金就出现于这样一个时代。

普希金（Alexander Pushkin，1799—1837）之前，俄文不纯粹的——但丁之前，意大利文很尴尬。德文，是由马丁·路德清理的。马丁·路德曾说：我好不容易把马厩里的粪便清除了——当时俄文夹杂许多外来语，古体今体，条目混乱。普希金，第一个用纯粹的俄文来写美丽伟大的著作。

文字与语言关联，又有非语言的因素，不能颁布法律来规定语言，靠语言学家也整理不好，只有天才特高的文学家，他为自己而使用文字，一经应用，文字生机勃勃。中国的白话文，用得最好的不是胡适他们，而是曹雪芹。

普希金被公认是俄国文学的太阳，相当于莫扎特在音乐上的成就。他生来就是诗人，在皇村学校时就构想长诗、喜剧、长篇小说，没有别的要做——这种才是天生的艺术家，不改行的，起点就是终点，终点也是他的起点。世界上什么事情最可怕呢？一个天才下起苦功来，实在可怕极了。

普希金小时候大量阅读父亲的欧洲藏书，又读俄国前辈杰尔查文（Gavrila Derzhavin）、巴丘什科夫（Konstantin Batyushkov）的作品。茹可夫斯基是普希金的老师，读了学生的诗，送普希金一张照片，上面写道："给我的学生，他的失败的先生敬赠。"

照片我也有，还不知道题赠给哪一个学生。

1813 至 1815 年，普希金写的还是前辈巴丘什科夫的"轻诗歌"（light verse），即所谓"阿那克里翁体"（Anacreon，讴歌醇酒、美人），过了两年，转调了，写单恋的痛苦，心灵的早衰，青春消逝的悲伤，这又是菇可夫斯基的风调。

任何天才免不了模仿期（贝多芬的第一、第二交响乐，就明显地受莫扎特、海顿的影响），而天才的特征，又是不顾死活要找自己的风格。"风格"的定义，我最近想到的诠释是："敏于受影响，烈于展个性，是谓风格。"当年巴丘什科夫自以为循循善诱，规范普希金，普希金回答道："不，我要艰难地走自己的路。"

就我少年的记忆，模仿别人风格时，不知怎的，神闲气定，俨然居高临下，其实根本不知道自己的风格在哪里。姊夫姊姊看了我的诗，两人商讨："弟弟年纪这样轻，写得这样素净，不知好不好？"我心里反驳："年纪不轻了，素净当然是好。"

但我知道他们的忧虑。大抵富家子弟，行文素净是不祥之兆，要出家做和尚的。

普希金少年就有心冲出狭隘的个人抒情的范围。1814 年写出《皇村回忆》（*Recollections in Tsarskoe*），引起狂热赞美。文学界前辈给予高度评价。有一幅画，画着他朗诵这首诗的高贵姿态。那些俄国老作家可不像中国老作家，一感到普希金出现，情不自禁叫起来："这是一个巨人，将超越我们所有的人。"有的说："看哪，这个坏蛋已经写得多么好啊。"

普希金自己呢，独爱拜伦，他说："我爱拜伦，爱得发狂。"在一首《白昼的巨星已经黯淡》的诗的副题，明明写着："仿拜伦。"

说来凑巧，我近来也怀念拜伦，写了一首《哈罗德II》，大意是哈罗德又到了西班牙。还写了一首《致普式庚》（普式庚，今译普希金），第一句就套用普希金的口吻。这是一种新技法，在现代画面的百忙之中，不期然地放进一点点古典，特别有静气，仿佛一个强盗吞下一粒定心丸。

一个人的艺术作品，留在世界上，实在是不死的。对于我，拜伦、普希金完全是活着的。

普希金非常关心政治，很参与，这我不认同。我要是活在"五四"或者抗日时期，不会去写反帝反封建的诗。抗战、救亡，会参加。写诗，我不会弄"同胞们，杀鬼子"这种调子。笔和小提琴一样，不能拿小提琴杀敌。你要搞政治？不如搞军事，搞军事，不如搞政变——一张小纸条，取你千军万马。

诗人关心政治，写政治诗，事过境迁，留不下来的。现代的文学家聪明冷静了。索尔仁尼琴、昆德拉都是旁观祖国的大风大浪，一个在美，一个在法，很安静。这两位还不是灯塔型人物，却能像灯塔一样，不动。

普希金如果生于现代，又是侨居外国，写得更起劲，更好，我想他是不写意识流的，明白、清新，这才是大路。我们会很谈得来的，相互改改诗——要是他精通中文的话。

在普希金之前，俄国的诗人，诗人而已，普希金是第一位"艺术家的诗人"，这是别林斯基（Belinsky）的评价，很中肯。杰尔查文善于描写景色，音调铿锵有力。巴丘什科夫造型优美，格调和谐。茹可夫斯基有迷人的音乐性。这些特征，普希金一下子就吸收了。据说看普希金的原稿，非凡的简洁。

简洁是大天才的特征（在希腊，是典范）。有人向普希金请教："很早你就同烦冗为敌，同废话作战。教给我，如何才能巧妙地与简练为伍？"

不知普希金怎样回答。如果普希金授权我作答，我就写道："先生，来信太啰嗦，祝简练。"

作文，第一就要简练。简练就是准确，就是达意。

果戈理也很懂普希金的好，他说："普希金的每一句话之所以强有力，只由于这句话与别的话联结在一起，才有整体的重量，如果离开了整体，这句话就软弱无力。"

绘画，通这个道理，书法亦复如此。

普希金对希腊诗下过极大的功夫（别林斯基称希腊为"艺术工作坊"），流放时期写的《海仙》、《缪斯》、《少女》、《戴奥尼娅》、《夜》，都是希腊艺术作坊的学艺品。普希金读希腊诗，也只是读译文，但像别林斯基所说："深厚的艺术本能，弥补了不能直接研究古代作品的缺陷。"

别林斯基这些话，也替不通外国文的同志们做了解嘲。当初我们凭印刷品、留声机接触西方绘画、雕塑、建筑、音乐，没有被误导，完全靠艺术的本能。将来一定要到希腊去，用手指触摸神殿的柱子。

海涅、司汤达对拿破仑大颂赞，而普希金与拿破仑的关系，真是难为他了。文学家的爱恨，是自由的，纯个人性的，而史家的爱恨是有标准的，非个人的，所以艺术家一谈历史，脸色凝重。司马迁写《史记》，很为难，雄辩、巧辩，甚至诡辩，为他所喜欢的人物讲几句话。他喜欢项羽，按理"成者为王，败者为寇"，只有帝皇传才能列为"本纪"，可是司马迁却写作《项羽本纪》，全文处处突出项羽的性格才能，最后虽然狠狠批评了一句，整体看，明明是小骂大帮忙。

我完全认同司马先生的用心良苦。《滑稽列传》，《游侠列传》，都是司马迁兴趣所钟，别开生面，其他史家是不写的。司马迁在《史记》中做尽了小动作，因为实在写得好，其他史家奈何不得。

史笔、文笔，是不一样的。文学与史学的大问题，至今无人提出来研究。

论到性格才华的惺惺相惜，普希金喜欢拿破仑，而国情民心使普希金不能言出由衷，他写于 1821 年的《拿破仑》原是列为"颂诗"的，但按照当时的社会舆论，拿破仑是"凶恶的侵略者"、"残暴的专制君王"。三年过去后（普希金大概想了三年），他改变了说法，称拿破仑是"叛逆的自由的继承者和元凶"。小贬大褒，无疑承认拿破仑的英雄性。

事情早已过去，我着眼于诗人的用心。凡使诗人为难的事，不论大小，我最感兴趣。他们为难的事，轮到我，也为难，好在许多使古人为难的事，我不为难了，古人的梦，由今人来醒。纪德说得好："最快乐的梦，不及醒痴的一刻。"

《致大海》（*To the Sea*）一诗，是普希金向浪漫主义告别，拿破仑、拜伦，都消失了。写《欧根·奥涅金》（*Eugene Onegin*）时，普希金的制高点是超逸的了。他关心时事，但一到艺术，就十分纯粹。这一点，致命地重要。陀思妥耶夫斯基读了太多太多的历史和哲学，小说中一点不肯流露，所谓"冰山是只露八分之一在水面上"。但是，现实的归现实，艺术的归艺术。艺术不能跟现实走，艺术也不可能领着现实走。所以普希金全面关注现实，而作品如此之纯。

十九世纪俄国文学再谈

一九九一年十一月三日

要去评价一个伟大的人物，你自己是怎样一个人物？这是致命的问题。

论家认为这是冈察洛夫的功绩，我不以为然。小说不是药。俄国后来的大不幸，不是克服"奥勃洛莫夫"可以解决。中国人向来要求文学有益于名教，都落空。文学所能起的道德作用，仅就文学家自身而言，一般读者的好或坏，不是文学教出来的——艺术有什么好呢？对艺术家本人有好处：写着写着，艺术家本人好起来。

陀思妥耶夫斯基的粗糙是极高层次的美，真是望"粗"莫及，望"粗"兴叹。如汉家陵阙的石兽，如果打磨得光滑细洁，就一点也不好看了。尊重这粗糙，可以避免自己文笔光滑的庸俗。

自从"意识流"写法和其他种种写法出现，我都不以为然，不过是将人剖开，细看，说"这是心，这是肺"。深刻吗，新奇吗？爱情的深刻，必得解剖肾脏、生殖器，才算真正懂得爱情吗？上帝把心肺包起来，是故意的！

文学的最高意义和最低意义，都是人想了解自己。这仅仅是人的癖好，不是什么崇高的事，是人的自觉、自识、自评。

最近又读一遍《复活》，实在写得好。笔力很重，转弯抹角的大结构，非常讲究，有点像魏碑。十足的小说，试以别的小说来比，都会显得轻佻、小聪明、小趣味。

莱蒙托夫（Mikhail Lermontov，1814—1841）。普希金之后最有才华的诗人。在短命诗人中，尤为短命。

我喜爱和理解莱蒙托夫，是在喜爱和理解普希金之前，听音乐，也是先爱贝多芬，后爱莫扎特。这是少年人爱艺术的过程。十七岁到杭州，我不喜欢西湖，胸中充满着崇高伟大的理想，最好是看到高山大海，悬崖峭壁，所以要听贝多芬，要读莱蒙托夫。

我想过，如果少年青年时喜欢莫扎特、普希金呢？那是要环境优裕，生活平静。我的童年少年很苦闷，没有心情接受普希金那种典雅的美。倒是暴烈、粗犷的美容易起共鸣。但要说真正理解，十六七岁的人不足认知贝多芬，也谈不上懂得莱蒙托夫。

莱蒙托夫出奇的早熟，文学风格、人生境界，都早熟。前面讲普希金狂热推崇拜伦，而莱蒙托夫写道：

不，我不是拜伦，我是另外一个。

这才是真正的异端，把他放在异端之中，他还是个异端。你学拜伦？学尼采？你已经不是一个异端。

普希金死后，莱蒙托夫的长诗《诗人之死》（Death of the Poet），轰动整个俄国。被沙皇政府放逐高加索，他在那里写了很多豪放的诗，我曾为之配曲。《当代英雄》（A Hero of Our

Time）的主角名皮恰林（Pechorin）就是莱蒙托夫自己，或者说，是作者心灵的投影。皮恰林比欧根·奥涅金（Eugene Onegin）更使我感到亲切，奥涅金是世俗的，皮恰林是艺术的。普希金花了一点力气塑造了奥涅金。皮恰林却是莱蒙托夫的心灵肖像，用了极高超的反讽笔法。

很多读者，尤其是女读者都骂皮恰林为坏人，是个不义之徒，不知皮恰林是高贵的、真情的，他的苦闷是虎落平阳被犬欺的苦闷。莱蒙托夫命意在此，书名是个反讽。皮恰林是最优秀的青年，但被埋没了，成为受嘲笑的失败者。

也有很多评论家（包括所谓思想家）把艺术家文学家的忧郁痛苦归罪于时代、政治，以为这一解释很公正，很深刻，其实浅薄。

莱蒙托夫首先是对世界、对人类（人性）绝望了，对他当代的一切又持鄙视否定态度。拜伦亦如此。

艺术家、诗人的悲哀痛苦，分上下两个层次，一个是思想的心灵的层次，对宇宙、世界、人类、人性的绝望，另一个是现实的感觉的层次，是对社会、人际、遭遇的绝望。

高尔基、鲁迅、罗曼·罗兰，有下面的一个层次，而对上面那个层次（即对宇宙、世界、人类状况、人性本质），未必深思，一旦听到看到共产主义可以解决社会、生活、人际关系、个人命运，就欣欣然以为有救了。

所谓一流的大师，上下两个层次同时在怀。莎士比亚只在怀于上面这个层次（也许就是这一层，鲁迅不在乎莎士比亚），尼采也只就上层次而发言（音乐家呢，先天限制他只有上一层次）。回到莱蒙托夫，他不是哲学家，但本能地怀有上层次的痛苦，又憎恶他所处的那个时代。

他对生命极为厌倦、厌烦、厌恶，二十多岁就认为自己是从人生舞会中退出的孤独者，在冷风中等待死神的马车。这种自觉，这种哲理性的感慨，吸引我追踪他。

他写皮恰林在驿站上等马车，四周无人，颓丧疲倦，一忽儿马车来了，人来了，皮恰林腰杆笔挺，健步上车，一派军官风度（说到这里，木心作状模仿那种姿影）。我们在世界上，无非是要保持这么一点态度。

莱蒙托夫的抒情诗好，小说也好。他的叙事诗《姆齐里》（*Mtsyri*，英译：*The Novice*），中国有译本，题为《童僧》，写一个收养在修道院中的男孩，神父管教甚严，他每夜梦见家乡亲人。某夜狂风暴雨，男孩逃出修道院，在森林中漫走了三个日夜。当神父们找到他时，他因为和豹子搏斗，跌入深坑。孩子抓住一把草根不使自己陷落，一只白鼠一只黑鼠不停咬着草根，眼看要断了，草尖上有一滴花蜜，姆齐里叫道："让我尝一滴蜜，我便死去！"

书中的修道院，就是世界，白鼠黑鼠，就是白昼与黑夜，死去之前想要尝一滴蜜！（我们这些流亡者岂不都像姆齐里。）莱蒙托夫也死于决斗。他的大眼睛泪汪汪的，真是悲剧的眼睛，天才诗人的眼睛。

受普希金影响的诗人很多，平平不足道，只有克雷洛夫
(Ivan Krylov, 1769—1844) 有其价值和地位，寓言最有名，诗
轻灵美妙，音节铿锵，当时十分流行。

俄国写实主义文学开始得比任何一国都早，普希金时代过
去，果戈理时代到来，从此俄国写实主义文学大规模开始。普
希金、莱蒙托夫的作品，也可说是写实主义的先声。

果戈理 (Nikolai Gogol, 1809—1852)。十九岁到圣彼得
堡，想做演员，不成功，去部里当办事员，不久离职，专事写
作。1829 年，两部描写俄罗斯乡村的小说集出版，立刻获得
茹可夫斯基和普希金的赞赏。早期作品《狂人日记》(*Diary of a
Madman*)，开后来心理分析小说的先路，鲁迅受到影响。另有
《外套》(*The Overcoat*)、《钦差大臣》(*The Government Inspector*)，更
是名篇，讽刺挖苦是其主调。屠格涅夫说：“我们啊，都是从
《外套》里出来的。”

同期，有《聪明误》(*Woe from Wit*，又译《智慧的痛苦》)
一剧极成功，作者是格里鲍耶陀夫 (Aleksander Griboyedov,
1795—1829)。

接着就是冈察洛夫 (Ivan Goncharov, 1812—1891)。他
的文学生涯四十五年，但作品很少，除了几部札记和游记，

小说只三部：《平凡的故事》(*A Common Story*)、《悬崖》(*The Precipice*)，都好，尤其是《奥勃洛莫夫》(*Oblomov*)，哄传一时，写出一个典型：人不坏，甚而很好，可是一味的懒，有思想，没行动，连女人、爱情也刺激不了他，只想躺在沙发上。这种人物在中国的富贵之家多得是，我不觉得新奇。但在俄国当时，知识阶层人手一本，都觉得血管里有些"奥勃洛莫夫"。

论家认为这是冈察洛夫的功绩，我不以为然。小说不是药。俄国后来的大不幸，不是克服"奥勃洛莫夫"可以解决。中国人向来要求文学有益于名教，都落空。文学所能起的道德作用，仅就文学家自身而言，一般读者的好或坏，不是文学教出来的——艺术有什么好呢？对艺术家本人有好处：写着写着，艺术家本人好起来。

冈察洛夫之后，俄国文学的黄金时代光临了：

屠格涅夫 (Ivan Sergeyevich Turgenev)，六十五岁。

陀思妥耶夫斯基 (Fyodor Dostoyevsky)，六十岁。

托尔斯泰 (Leo Tolstoy)，八十二岁。

托尔斯泰十岁时，陀思妥耶夫斯基十七岁，而屠格涅夫二十岁，这三位天才，是一代人。

伊凡·谢尔盖耶维奇·屠格涅夫 (Ivan Sergeyevich Turgenev, 1818—1883)。父亲是没落贵族，母亲性情怪僻，有大庄园。童年屠格涅夫对农奴制度的残暴乖谬，愤懑不平，他回忆："在我生长的环境中，打人、拧人、拳头、耳光……简直是家常便饭，我对农奴制充满了憎恨"，立誓"我这一生，决不与农奴制妥协"。他由家庭教师授业，后全家迁居莫斯科，进莫斯科大学语文系，翌年转彼得堡大学文史系。1838年赴柏林大学主攻哲学和古典语文学，后又回彼得堡，得哲学硕士学位。

屠格涅夫大学时期的习作多为浪漫抒情诗，长诗《帕拉莎》发表后，获别林斯基好评，两人从此友谊深厚。1847年别林斯基在欧洲养病时，相偕遍游欧洲。人说别林斯基影响了屠格涅夫，我认为屠格涅夫也影响了别林斯基。

屠格涅夫与母亲关系很坏，不得接济，靠稿费生活，写了十来个剧本（写受苦的小人物）。母亡，得遗产，大富裕。

1852年果戈理逝世，他撰悼文，彼得堡当局不许发表，改寄《莫斯科新闻》，遂以"违反审查条例罪"被捕，不过听说只是关在家里，期间写出杰作《木木》（Mumu）。

沙皇对屠格涅夫反农奴制观点无法容忍（俄国的皇家与地主密切配合，国民党与地主却不"团结"，只知榨取捐税租粮）。《猎人笔记》（A Sportsman's Sketches）是屠格涅夫的力作，共二十五篇短篇，第一篇发表，批评家就喝彩，接着篇篇精彩。描写俄国中部农村景色、生活、人伦，对含垢忍辱、备受欺凌的农民寄予深切的同情。

中国文学不也写农村吗？以阶级斗争的观点写，极其概念化。屠格涅夫用的是人性的观点、人道的立场，至今还有高度的可读性，我很喜欢《猎人笔记》，以后还想再看一遍。

五十年代到七十年代是他的创作全盛期。

《罗亭》(*Rudin*)，第一部长篇，在座应该看一遍：凡好思想、善词令、脱离实际、缺乏毅力者，都叫做"罗亭"。我也曾被艺专的学生叫做"罗亭"，我心中暗笑，他们读不懂《罗亭》，不理解我，又辩不过我，拿这顶罗宋帽压过来，不过中国的知识分子和艺术学生，当年着实读了一点俄国书。

接着是《贵族之家》(*A Nest of the Gentry*)、《前夜》(*On the Eve*)、《父与子》(*Fathers and Sons*)、《烟》(*Smoke*)，最后是《处女地》(*Virgin Soil*)——这些中译本当时销路非常之好。大学文科院、艺术院校的宿舍里，满眼是这些小说的中译本——据说读屠格涅夫原文，修辞、文法、结构，极为精美，陀思妥耶夫斯基和托尔斯泰也比不上。即便在欧洲，如此工于文字技巧，也只少数几个。他和福楼拜是好友，两人都是文字的大魔术师。

他在西欧度过大半生，几乎每年回国（真让人羡慕）。最后一次是1880年参加莫斯科普希金铜像揭幕典礼，发表讲辞。下一位讲演者是陀思妥耶夫斯基，讲完后，屠格涅夫上前拥抱他，说：你才是真正的天才！

1883年在巴黎逝世（脊椎癌）。遵遗嘱，遗体运回彼得堡（俄罗斯人爱文学，送葬者上万人），葬在别林斯基墓旁。这才是真正的朋友，以后到俄罗斯找到别林斯基墓，旁边就是屠格涅夫了。

屠格涅夫密切反映了他的时代，而他的自我背景，上下两个层次都有。他的悲哀是形而上的，证见他的散文诗《大自然》。他梦见了"大自然"的化身，她在沉思，他便发问道："伟大的母亲，你一定在为人类的幸福思考吧？"大自然母亲道："我想怎样在跳蚤的后腿加一条筋，让它逃走时可以更快些。"

他有一篇极好的演讲《哈姆雷特与堂吉诃德》。他自己是哈姆雷特型，因此大力夸奖堂吉诃德型（像哈姆雷特那样深思，像堂吉诃德那样勇敢）。因为是伟大的创作家，他的文艺批评就特别中肯。

屠格涅夫是艺术家，是艺术的文学家。

费奥多尔·米哈伊洛维奇·陀思妥耶夫斯基（Fyodor Mikhailovich Dostoyevsky，1821—1881）。生于医生家庭，从小爱文学。遵父意学工程，毕业后专事写作。与涅克拉索夫（Nikolay Nekrasov）、别林斯基过往甚密，为"彼得拉舍夫斯基小组"的成员（Petrashevsky Circle，十九世纪四十年代进步知识分子反封建农奴制的团体）。

小说《穷人》（*Poor Folk*），继承普希金、果戈理传统，但他自己的风格全在其中。当时他初到彼得堡，无名，《穷人》一发表，诗人涅克拉索夫拉了别林斯基半夜敲门，对陀氏说："俄国又诞生了一个天才！"

我第一次读完《穷人》，也叫起来。要从近代的几位文学大人物中挑选值得探索的人物，必是陀思妥耶夫斯基。而当时真正理解他的人（指文学家）很少。别林斯基受不了他对人性剖析的无情。后来的高尔基以为陀氏是恶的天才，中国则由鲁迅为代表，认为陀氏是残忍的。

要去评价一个伟大的人物，你自己是怎样一个人物？这是致命的问题。

尼采，纪德，一看之下，就对陀氏拜倒。尼采说，陀氏是"在心理学上唯一可以教我的人"。越到近代，陀氏的研究者、崇拜者越多，而陀氏的世界，仍然大有研究的余地和处女地。自从"意识流"写法和其他种种写法出现，我都不以为然，不过是将人剖开，细看，说"这是心，这是肺"。深刻吗，新奇吗？爱情的深刻，必得解剖肾脏、生殖器，才算真正懂得爱情吗？上帝把心肺包起来，是故意的！

潜意识、无意识、性压抑、变态心理，什么什么情结，比起陀思妥耶夫斯基，哪里比得过！意识流那点手法，三分才气七分用。陀思妥耶夫斯基的大手笔，一味自然，那样奇怪曲折，出人意外，但都是自然的。这才是高超、深刻。

1849 年，陀氏被捕，判死刑。在刑场即将枪决的一瞬间，沙皇特赦，改判四年苦役，六年军役。罪名呢，一，朗读别林斯基致果戈理的信，内容是反农奴制度的。二，筹备秘密印刷所。三，参与彼得拉舍夫斯基小组。当时俄国左翼的论调，认为陀氏在这之前思想进步，苦役流放后，成了唯心主义，敌视革命，攻击车尔尼雪夫斯基（Chernyshevsky），中了沙皇的毒计，成了反动的说教者。

事情哪有这样简单。政治才是简单的，艺术家复杂得多哩！政治家非黑即白，艺术家即非黑又非白，我有句：

"艺术家另有上帝。"（或作"艺术另有摩西。"）这话送给陀氏，正合适。托尔斯泰是不会接受的，他认为艺术家只有上帝。

不要在陀氏的书中追究思想信仰、道德规范。文学的最高意义和最低意义，都是人想了解自己。这仅仅是人的癖好，不是什么崇高的事，是人的自觉、自识、自评。

讲开去，求知欲、好奇心、审美力，是人类最可宝贵的特质——"知"，宇宙是不可知的；"奇"，人以为奇，动物不以为奇；"美"，更是荒唐，梅兰竹菊，猴子毫无反应。

说回来，人类要自救，只有了解自己、认识他人，求知、好奇、审美，是必要的态度。艺术、人类，是意味着的关系，即本来艺术与人类没有关系，但人类如果要好，则与艺术可以有关系——这就是我所谓"意味着的关系"。

个别人，极少数人，他要自尊、自救，他爱了艺术，艺术便超升了他，给他快乐幸福。绝大多数人不想和艺术有什么关系——在中国尤其不相关——如此看陀思妥耶夫斯基，反动也罢，革命也罢，我不在乎。

我特别在乎喜欢的是他文笔粗糙（要还债呀，飞快地写，一脱稿就进厂印刷。他哪有屠格涅夫、托尔斯泰的优闲？），但真的艺术确实另有上帝。陀氏的粗糙是极高层次的美，真是望"粗"莫及，望"粗"兴叹。如汉家陵阙的石兽，如果打磨得光滑细洁，就一点也不好看了。尊重这粗糙，可以避免自己文笔光滑的庸俗。

我曾说："贫穷是一种浪漫。"这一点陀氏最拿手。被侮辱被损害的人心中，有神性之光，其实是陀氏心灵的投射。托尔斯泰最爱上帝，他的上帝是俄国农民的上帝，公共的上帝，陀氏的上帝是他自己的上帝，近乎艺术的上帝了。在世界可知的历史中，最打动我的两颗心，一是耶稣，二是陀氏。

尼采感动我的是他的头脑和脾气。

陀氏的小说一传到欧洲，大家惊呆了。相比之下，欧洲作家就显得是无情无义的花花公子。说来奇怪，中国人不理解陀氏，俄国人半理解不理解，苏联时期他被排入黑名单，高尔基出头批判他。所以欧洲之伟大，之可爱，在于懂得陀氏。俄罗斯出了陀氏，欧洲人为之惊叹，是十九世纪的美谈。

陀氏的读者在欧洲，情况有点像佛教，释迦牟尼后来在印度吃不开的，到了中国，佛教兴盛了。接受欧洲洗礼的中国人，会爱陀思妥耶夫斯基。欧洲一般的评论，认为陀氏"最能表现神秘的斯拉夫民族的灵魂"，这是狭义的。陀氏是世界性的，尼采、纪德不会把陀氏仅仅看做俄国式天才。

他的小说，本本都好：《穷人》、《双重人格》（*The Double*）、《女房东》（*The Landlady*）、《白夜》（*White Nights*）、《脆弱的心》（*A Weak Heart*）、《被侮辱与被损害者》（*Humiliated and Insulted*）、《地下室手记》（*Notes from Underground*）、《罪与罚》（*Crime and Punishment*）、《白痴》（*The Idiot*）、《少年》（*The Adolescent*）、《群魔》（*Demons*）、《卡拉马佐夫兄弟》（*The Brothers Karamazov*）。

文学家以他心灵的丰富描写人物，陀氏的小说，就是他心灵丰富。什么体验生活，与劳动人民同吃同住同劳动，结果写出书来，假、大、空。纪德说："艺术家是把内心的某一因素发展起来，借许多间接经验，从旁控制，使之丰富。"陀氏写《罪与罚》中的拉斯柯尔尼科夫（Raskolnikov），福楼拜写包法利夫人，托尔斯泰写安娜，都是这样。

所以福楼拜说："不要吵了！包法利夫人就是我。"

克鲁泡特金（Peter Kropotkin）认同陀氏的写法也是如此，但结论道："既然拉斯柯尔尼科夫就是陀氏，那么，像这样的人，是不会去谋杀一个老妇人的。"

看起来不失为观点，实则愚蠢。歌德说："世上一切的罪恶我都会去做的。"是的。艺术家都可能去做的，结果没有去做。做什么呢？做艺术。

少年维特死了，歌德活下来。

百年来，陀氏在欧洲的名誉持续上升。他的"理解场"在欧洲，其中，纪德最是竭尽心力，多次长篇讲演，出专集。他自己的《背德者》（*L'Immoraliste*）就是陀氏的影响。我读《背德者》，隐隐看到陀氏在背后指指点点，我乐极了：这就是文学的圣家族啊！

中国的文艺评论常常有这种论调，说"作者的矛盾的世界观限制了他的艺术才能"。请问，你们世界观正确，出了什么作品？谈世界观，你们不配。

最后，引纪德的话说："读陀思妥耶夫斯基，是一件终身大事。"

列夫·尼古拉耶维奇·托尔斯泰（Leo Nikolayevich Tolstoy）。生于 1828 年 9 月 9 日，父母亲都是古老而有名望的大贵族。十岁前父母双亡，而家道富厚。在《童年》、《少年》、《青年》这几本好书中做了详细的描写。这几本书写得真好！写他自己难看、害羞、正直、善良，写到哪里好到哪里。凭这几本书看，就是个大文学家。

1844 年进喀山大学东方语系，一年后转法律系。受法国启蒙运动思想的影响，反沙皇专制。1847 年退学回家，在自己的领地上尝试改革（假如我当时已经成年，很可能也会做这种傻事），结果农民不信他，也不接受（农民怕上小当，革命来了，上大当很起劲）。1851 年赴高加索当下级军官，在 1854—1855 年的克里米亚战争立功。《塞瓦斯托波尔故事集》（*Sevastapol Sketches*）就是那段经历，也为他累积了《战争与和平》的战争场面素材。

1857 年，1860 至 1861 年，两度游历欧洲，然而不喜，完全否定欧洲文明，对金钱地位的崇拜引他愤怒，这一怒，终生不平息，回国后又在自己的庄园办学校，做调解人，当陪审员，维护农民的利益（奇怪的是，他一生只爱农民，只见农民，不见人类），临死前还在想：农民是怎样死的？不过从电影上看，俄国农村、农民，确实可爱。

1862 年和索菲亚结婚，婚后大量写作。他的写作，一上来就风格独特，手法精纯。他写书，处处是艺术，可是他写《艺术论》(*What is Art*)，不知所云。

我少年时看书，求好又求全，五十年后，才能做到求好，不甚求全——但求全之心，不能没有，否则要降格，怎么办呢，有办法的，就是托尔斯泰那里求不到的，别家去求，一家家求过去，在陀思妥耶夫斯基那里求不到，屠格涅夫那里求。再有欠缺怎么办呢？还有一家，就是你自己——纪德有言："做到人群中不可更替的一员。"

1864 至 1869 年，去五年成《战争与和平》(*War and Peace*)。史诗型的巨著，一出版，屠格涅夫就将法文版寄福楼拜，福楼拜大赏，马上回信，说："这是天才之作，虽然有些章节还可以商酌，不过已经是太好了。"屠格涅夫大喜，覆信说："好了，好了，只要福楼拜先生说好，一切都好了。"

艺术家就该见好就叫！十九世纪有福了，天才间如此相互爱惜，真令人感怀，又一次证明"道德来自智慧"。

《战争与和平》的情节、场面，写得非常好；人物，我以为不够好。他写这种大构，粗中有细，从容不迫，顺手写来，极像文艺复兴的巨匠画壁画，大开大合，什么也难不倒他。其实全书七易其稿，都是夫人手抄，装起来整整一马车。

接下来1873至1877年，写成《安娜·卡列尼娜》(*Anna Karenina*)，人物就写得出色精当，故事和场景极其动人。列文 (Levin) 那些长篇思考和教义探讨是嫌累赘，但全书前前后后什么都是艺术，只好买账。

安娜身上渗透了托尔斯泰的魂灵。他把自心种种不可能实现的幽秘情愫，放在安娜身上。这件事，只好与托尔斯泰一对一面谈（或者和陀思妥耶夫斯基对谈），他会承认。旁人在，他就不承认了，还会关照：不足为外人道！

他的正面流露是列文，大谈社会改革的理想、宗教信仰的探索。因为尊重托尔斯泰，我认真看这些段落，不反感，不轻视。读书要有品德，不要跳过列文。

写完《安娜》，为便于孩子上学，托尔斯泰举家迁往莫斯科。调查贫民，探访监狱，更加紧哲学、宗教、道德、伦理的研究。可怜这位老先生学不进去，他一碰到哲学、伦理，就蠢了。最初读尼采，欣喜若狂，稍后，大骂尼采，整个儿否定了超人哲学。他的头脑里早就自有一套，别的思想塞不进去。不要紧，托尔斯泰再蠢也伟大。高尔基曾为了托尔斯泰的固执而受苦，心里叫道："你这老魔术家别作弄我这初出茅庐的小伙子。"还说，托尔斯泰与上帝的关系很暧昧，好比一个山洞里的两只熊，总要咬死一只。高尔基《回忆托尔斯泰》，写得极好，希望在座一读。

之后写《黑暗之光》(*The Power of Darkness*)、《伊凡·伊里奇之死》(*The Death of Ivan Ilyich*)、《哈吉·穆拉》(*Hadji Murad*)、《舞会之后》(*After the Ball*) 等中短篇，篇篇都好，《谢尔盖神父》(*Father Sergius*) 尤其好。最后的杰作，是《复活》(*Resurrection*)。

我十几岁时看，浮光掠影，三十几岁读，基本上懂了。最近又读一遍，实在写得好。笔力很重，转弯抹角的大结构，非常讲究，有点像魏碑。十足的小说，不准许拍电影、演舞台剧。福楼拜、哈代、狄更斯都会钦佩这本书。试以别的小说来比，都会显得轻佻、小聪明、小趣味。

《复活》特别重，老了读，最好。我还想静静看一遍。

托尔斯泰当时的国际地位非常高，一不高兴，直接写信给皇帝，劈头就说："你忏悔吧！"朝廷要办他，宪兵将军说"他的声望太大，俄罗斯监狱容不了他"，到底不敢动，但利用最高教会机关宣布托尔斯泰为"邪教徒、叛教者"，开除教籍，这时他快近八十岁了。

1910 年 10 月 28 日，他决定摆脱贵族生活，离家出走，中途受凉，得肺炎，死于阿斯塔波沃（Astapovo）车站，遗体不准葬于教会墓地，依照他的遗嘱，葬在故乡庄园，没有十字架，没有墓碑——伟大！

下面是我最近写的诗：

> 树林的远处
>
> 出现了骑马的宪兵
>
> 列夫·托尔斯泰的棺木
>
> 徐徐放下墓穴
>
> 几万人跪地，唱
>
> 永垂不朽
>
> 有谁用很不协调的高音
>
> 喊道：警察跪下
>
> 宪兵们纷纷落马一齐跪倒
>
> 开始撒土，唱
>
> 永垂不朽

十九世纪俄国文学续谈

一九九一年十一月十七日

我年青时，把高尔基看做高山大海，特别羡慕他的流浪生活。我生在一个牢一样的家庭，流浪？那简直羡慕得发昏。

写长篇，要靠强大的人格力量，极深厚的功底。哈代、陀思妥耶夫斯基、曹雪芹，哲学、史学、文学的修养，深刻啦！

象征主义是脱出民族传统意识的一种自由个人主义。对你们几乎没有影响。"十月革命一声炮响"，没有给中国带来象征主义。作为世界性流派，象征主义成就很大，至今有影响（中国近代艺术，缺了象征主义这一环节）。

前面得有古典浪漫，而后现实写实，才会有唯美象征。但中国也有人追求过唯美、象征。何其芳、李广田、卞之琳、冯至、闻一多、艾青。张闻天翻译过王尔德，楚图南翻译尼采。

假借中苏友谊，我们比台湾、甚至欧洲更接近俄国文学。这倒是优势。现在补上俄国象征、唯美一代的作品，那就是人生一乐，就是俄国文学的老资格的欣赏者。

俄国真所谓文学大国。从托尔斯泰、陀思妥耶夫斯基、屠格涅夫，所谓写实主义传统，到目前为止，还在不断作育俄国青年作家，他们还在发扬这个传统。

这个传统不会消失的，是会永恒的。但写实主义这说法不准确，姑且用之。

三大家同时，还有一位诗人，即涅克拉索夫（Nikolay Nekrasov, 1821—1878）。中国有译本，流行过，《严寒，通红的鼻子》、《谁在俄罗斯能过好日子》。风格特异，专写俄国农民的痛苦，同情农民，反农奴制。有说他是个复仇的忧伤的诗人。

早年生活贫困，"有三年，我没有一天不挨饿。"他说。

戏剧家奥斯特洛夫斯基（Alexander Ostrovsky, 1823—1886）。生于莫斯科，年轻时是个戏迷，口不离戏。曾任商事法庭（Commercial Court）书记，后以之为题材写喜剧，得罪商人，控告到沙皇尼古拉二世。名著有《家庭幸福》（*The Picture of Family Happiness*）、《破产》（*The Bankrupt*）、《他人之车不可坐》（*Stay in Your Own Sled*）。最有名是《贫非罪》（*Poverty is No Vice*）、《大雷雨》（*The Storm*）。

1949年后，大陆出过不少他的书，上演过他的戏，地位相当于托、陀、屠三位。

戏剧特点：故事不新奇，但情节环环扣紧，极适舞台。不写好人坏人俗套。他认为生活中好人坏人是混杂的，后来斯坦尼斯拉夫斯基（Stanislavski）也是这个传统。这是俄国文学的特质。

当时批评文学的项目，争论极盛，各走极端。争什么呢？
为人生而艺术，还是为艺术而艺术。

俄国文学以"为人生而艺术"为主调。前有别林斯基，后
有车尔尼雪夫斯基，力主为人生而艺术。

中国三十年代文坛大受影响，左翼在背后善加利用，一
直到1949年后成为意识形态控制。当时所谓人民性、民族性，
即来自俄国。四十年代，这些"斯基"的著作已大量翻译，现
在可以知道是左翼的计划、谋略，1949年后即大量上市。

现在的民主概念，和十九世纪别林斯基们的民主概念是不
一样的。东欧现在敲响的钟声，不是以前的钟声。

回到"为人生，为艺术"，这个问题极可笑。中国的所谓
反"为艺术而艺术"，主"为人生而艺术"，是既没有"为艺
术"，也没有"为人生"——是政治挂帅，为一个人，为独裁。

"为人生"，"为艺术"，两派都关进集中营，相见了，才叹
道："我们都太忠厚了。"

从人格论，别林斯基们是高尚的人，勤于思考，勇于行动，
但他们太重视实际效应，到后来的普列汉诺夫（Plekhanov）就
滑头了，不好对付了。

别林斯基、高尔基们，后来都反对陀思妥耶夫斯基。

陀思妥耶夫斯基无疑是比他们大得多多、高得多多，他才真是为人生而艺术，反而别林斯基和高尔基们对人生知道得太不够了，没有弄清人生是什么。

三位大师之后，俄国文学并不衰落。高尔基、契诃夫、柯罗连科、安德烈耶夫。

安东尼·契诃夫（Anton Chekhov, 1860—1904）。祖父是农奴，后赎身自由。父亲开小食品杂货铺。契诃夫兄弟幼年站柜台。后来父亲破产，举家迁莫斯科。契诃夫进莫斯科医科大学，一生行医，写作。早期写作为点稿费，多写幽默作品，近乎滑稽。

契诃夫作为一个人，非常有意思。谦和、文静、克制、优雅，通达人情。高尔基回忆契诃夫，写得好！

半夜了，天很冷，契诃夫打电话："请你来一下。""什么事？""我恋爱了。"高尔基去，哪里是恋爱，只是与他谈谈，走走，然后说："你可以回去了。"

他常教高尔基写作。怎样写作呢？契诃夫说："下雨了。"就这样写。

契诃夫始终方寸不乱。

高尔基与契诃夫的通信极好：

　　　　今天收到你寄给我的表，我真想上街拦住那些人，说："你们这些鬼，知道吗？契诃夫送给我一只表！"

多可爱！

契诃夫不是一个思想家。他知道俄国是不幸的，常在忧伤中，他对未来，一片茫然。如果问他，他大概说："总会好起来吧。"那潜台词是："否则怎么办呢。"

他和同代人比，有教养。当时俄罗斯有两种类型，要么是狂热的，战斗的，革命的，要么是悲观颓废的，悲观到要杀人、自杀。相较之下，有那么一个契诃夫，特别宝贵。

他说，短篇，莫泊桑已是王。不过，大狗叫，小狗也要叫——这点自知之明，也多么宝贵。

说到短篇，二十世纪远高于十九世纪。

契诃夫的短篇，写得太通俗。一定要说他的成就，现在冷静比较，比下去了。鲁迅说契诃夫的小说是"含泪的微笑"，中学水准。我以为，文学不需要含泪，也不需要微笑。

艺术是不哭，也不笑的。

马克西姆·高尔基（Maxim Gorky，1868—1936）。他在当时是个传奇人物，是个青年偶像，是个文学明星。

现在你们不以为然了。我年青时，把高尔基看做高山大海，特别羡慕他的流浪生活。我生在一个牢一样的家庭，流浪？那简直羡慕得发昏。文学家历来是书斋里出来的，哪有靠什么流浪，走遍俄罗斯，走成一个文学家！

直到我十二年劳改后，才不怕高尔基。所以话说回来，高尔基确实有教于我。

少年人应有强烈的羡慕，咬牙切齿的妒忌——这样才能使软性的抱负，变成硬性的。高尔基的三部曲：《童年》(*My Childhood*)、《在人间》(*In the World*)、《我的大学》(*My Universities*)，至今应该是青少年的教科书。

他早年困苦，成名也很快。首篇发表在柯罗连科（Vladimir Korolenko）任编辑的杂志上，后来出书，立即卖完。

他的天才、性格，适逢其时。1905年前后，俄国青年正在等候着这么一位天才。

他最好的是，以文坛新秀与托尔斯泰、契诃夫交往。他的优势是写先辈没有经历、也没有写过的东西。真要说到功力、思想、修养，他就不够了。他一写长篇就不行。

写长篇，要靠强大的人格力量，极深厚的功底。哈代、陀思妥耶夫斯基、曹雪芹，在哲学、史学、文学上的修养，深刻啦！

写长篇小说，不可轻举妄动。

说到头来，高尔基是一个不可替代的作家。他善于理解人，善于爱人。最好的作品，是对文学长辈与同代人的回忆，读了，也能理解他，爱他。

在生活中、现实中的道德行为，要做出自己的牺牲的。而文学艺术不是一种牺牲性的道德力量，这种力量越强，越能感人。俄国文学，真有伟大的道德力量。

比起来，德国人的耳朵和头脑特别灵，法国人的眼睛嘴唇特别灵（善美善爱）——俄国，俄国人，有一颗心，为了这心，我对俄国文学情有独钟。

大革命后，高尔基苦苦求情于列宁，放了许多文学家和知识分子。斯大林时代，他保住晚节，没有留下歌功颂德的文字，没有违背良心。

结论：契诃夫、高尔基，都是好人。在我心目中总归有他们的位置。

老朋友介绍过了。介绍新朋友还得从我读书时讲起。

1947 年前后，当时中国社会气氛，颇似 1905 年的俄国革命失败后那一段。那时我喜欢读的已不是高尔基，是安德烈耶夫。

列昂尼德·安德烈耶夫（Leonid Andreyev，1871—1919）。少年贫困。后一跃成名。首作出，高尔基大为赞扬。当时革命失败，青年人不再欣赏高尔基的慷慨激昂，喜欢安德烈耶夫的灰调子。作品：《往星》（To the Stars）、《黑面具》（Black Masks）。写死，写战争残酷，写人生无意义，写命运（年青人偏偏喜欢谈论死，谈论生命无意义）。

后来他也逃亡。

索洛古布（Fyodor Sologub，1863—1927）。也是悲观者，比安德烈耶夫还要激烈，诅咒死，也诅咒生，抒情诗凄美。

阿尔齐巴舍夫（Mikhail Artsybashev，1878—1927）。强烈的个人主义，无政府主义。

萨温科夫（Boris Savinkov，1879—1925）。一个个人主义、悲观主义的作家。代表作《灰色马》（*The Pale Horse*）。他还是一个暗杀者，入狱后越墙而死。

我做学生时，床头书架，竟都是这些人的书（1949 年后都禁为反动作家）。

他们虽非大部头作家，但他们都用了自己的诚恳、天性，去思考，表现，怀疑，悲观，甚至暗杀。俄国，一遇到事情就认真（秋瑾、徐锡麟带有这种色彩）。无政府主义产地是英法，在俄国大行其道。

当时兴起一种呼声，综合了为人生、为艺术的两种思潮，这时响起了尼采的声音："一切重新估价。"

在俄国，持这种完善的观点的发言人是梅列日科夫斯基（Dmitry Merezhkovsky，1865—1941）。大师型的文学家，写小说、诗、批评，思想上崇尚尼采。他的个人主义以文学艺术为指归。他的论文集名《论托尔斯泰和陀思妥耶夫斯基》。

我读过他的《诸神复活》（*The Romance of Leonardo Da Vinci*），写的是意大利文艺复兴。长期留在意大利，查资料，包括达·芬奇的私账。是历史小说，以芬奇为主线，书很惊人。当时在上海诸院校中颇为流传。

另一位女作家，是梅列日科夫斯基的妻子，季娜依达·吉皮乌斯（Zinaida Gippius）。称：

> 我是我的奇异的诗句的奴隶。

这是象征主义了。

俄国的象征主义兴起时，声势很猛，但已接近革命，灾难将降临这些个人主义者。他们反对现实主义的典型论，反对自然主义的生物解剖性表达，反对浪漫主义直白的抒情，他们主张以象征主义表达作品的思想。

源头是叔本华哲学。都有唯美主义、个人主义色彩。这是当时的世界性潮流。兰波，叶慈，都是。俄国略晚一步，但是都赶上了。

这些作家的个人风格性很强。巴尔蒙特（Konstantin Balmont）注意辞藻的优雅华美；勃罗索夫（Valery Bryusov）讲究形式结构的完整，有古典风；梅列日科夫斯基的诗，含意高雅深远；伊凡诺夫（Vyacheslav Ivanovich Ivanov）追随梅列日科夫斯基，文笔也极好，人称"带有婴儿口吻的苍老的风格"。

十九世纪末俄国文学多么兴旺——以上这些作家，都被中国砍掉了。

好景不长。十月革命后，人们的思想剧烈震动，很快，象征主义烟消云散。梅列日科夫斯基夫妇由高尔基求情，放出俄国。余人向政权投降。

象征主义是脱出民族传统意识的一种自由个人主义。对你们几乎没有影响。"十月革命一声炮响"，没有给中国带来象征主义。作为世界性流派，象征主义成就很大，至今有影响（中国近代艺术，缺了象征主义这一环节）。

象征主义诗人勃洛克（Alexander Blok，1880—1921）。有诗《十二个》（*The Twelve*）。出身彼得堡贵族家庭，受自由、科学、文学、艺术的家教。其妻是化学家门捷列夫之女。

写神秘虚幻的另一个世界。1905年后，他面向现实，回到俄罗斯和人民，离开象征主义。十月革命后，接受高尔基指教，投效革命，三十天成诗《十二个》，写得热情洋溢，是革命狂想曲。最后写到耶稣，把十二门徒换成十二个红军战士。结果被高尔基和马雅可夫斯基批评。

艺术上的技巧，有他宿命的归属性。安格尔画毛泽东？康定斯基设计列宁纪念碑？行不通。叫梵高画斯大林？马蒂斯画宋美龄？

当你已获得个人性技巧时，就要明白你的归属性。这样就可以事半功倍。

纵观俄国从茹科夫斯基到勃洛克，从十八世纪到二十世纪这一百二十年：古典浪漫的时代（当然是普希金），现实和写实的时代，象征和唯美的时代——和世界各国是同步的。但慢了一步，这是劣势。但在古典浪漫时期，因普希金、莱蒙托夫，而有了优势；到写实时代，出陀氏第一、托氏第二、屠氏第三，占尽优势，至今想来心跳不已、崇敬不已，至今见到俄国人，给他几分面子；象征和唯美主义，他们不及欧洲，没有尺寸大的人物。

中国，和世界不同步。中国不会浪漫、唯美，给唐宋人浪漫、唯美去了。写实倒是有过了，但鲁迅、茅盾、巴金，才不如陀氏、托氏高。鲁迅的诗和哲学的底子不够，写不成长篇。

前面得有古典浪漫，而后现实写实，才会有唯美象征。

但中国也有人追求过唯美、象征。何其芳、李广田、卞之琳、冯至、闻一多、艾青。张闻天翻译过王尔德，楚图南翻译尼采。

中国近代文学：琳琅满目，一篇荒凉。把俄国和中国比较，中国在世界之外。

最近消息传来，俄国文学拼命想复兴，翻老账，出老书，面包没有，书多得很（文学家，原来一定要哲学和诗的基础）。1949 年后，假借中苏友谊，我们比台湾、甚至欧洲更接近俄国文学。这倒是优势。现在补上俄国象征、唯美一代的作品，那就是人生一乐，就是俄国文学的老资格的欣赏者。

下次讲俄国二十世纪文学，那就要讲到马雅可夫斯基的未来主义和超现实主义。

"肖邦的爱国，层次高了。他怎么爱法？我代他表达：'我爱波兰，我更爱音乐。'"图为木心书房中的肖邦照片。

第五十二讲

十九世纪波兰文学、丹麦文学

一九九一年十二月一日

文学家，诗人，应该别有用心。文学家的制高点，远远高于政治家——这一点，中外古今从来弄不清，也没有人索性去讲一讲。

从前的所谓"哲理诗"，其实都是神的赞美，感恩，所以古代的哲理诗，我们现在是不能承认的。西方一切归于神，中国一切归于自然，我以为两边都落空。其实遇到哲理诗，可以先咳嗽一声，然后再去看。今后，有哲理诗来了，它一定不标榜自己的信仰、哲理，像个小孩不知道自己的天真。

真的写大主题，还是不能写古代，不能太隔。要写当代，至少上一代，陀思妥耶夫斯基写古代？完了。曹雪芹写唐宋？完了。艺术家的宿命，不能写太远的过去、太远的将来。要有"真实性"。艺术家要安于这种宿命。写当代，写出过去，意味着将来，就可永恒。

一个艺术家，从爱国出发，又回到爱国，还是比较一般的通俗的爱国——肖邦的爱国，层次高了。他怎么爱法？我代他表达："我爱波兰，我更爱音乐。"

近代文学批评家，勃兰兑斯可以排名第一。别人没有他博大精深。但要是有天才，不要做大批评家。总是不高超的。艺术是点，不是面，是塔尖，不是马路。大艺术家，大天才，只谈塔尖，不谈马路的。

讲起波兰，我们对波兰都特别好感，肖邦的琴声，尼采的祖国。一个灵秀的国家，又从来多灾多难。东接苏联，南邻捷克斯洛伐克，西接德国，北面是立陶宛，西北面临波罗的海，历来兵家之地，大家看重这块地方。

面积三十一万平方公里，平坦，初为王国，首都华沙。十八世纪，俄罗斯、普鲁士、奥地利三国灭波兰，此即肖邦亡国之痛。常听到"奥匈帝国"（Austria-Hungary）——匈牙利文称"奥斯马加"（Osztrák-Magyar）——乃是 1867 年，奥地利与匈牙利联合组成的。奥帝兼匈帝，共用军队，币制度量统一，各自行政，历五十一年，直到第一次世界大战爆开。十月革命后，波兰趁机独立，成共和国，后又被苏联控制，成盟国之一，直到目前才又独立。又穷又乱，想靠宗教复兴（波兰女子据说最好，刚强，温柔）。

波兰古代没有文学可言。所谓波兰文学，指十九世纪。此前只有：莱依（Miko aj Rej, 1505—1569），卡拉西基（Ignacy Krasicki, 1735—1801）。算老作家，不讲不好意思。

十九世纪正是奥匈帝国统治时期，混乱黑暗，波兰全被瓜分，文学却是黄金时期。这又扯到文学与时代的关系。战国、春秋、魏晋时期，文艺复兴……这些时期，偏偏文学、文艺最昌盛。

乱世，有天才降生，文艺就灿烂光华。这是我的论点，反历史唯物论。乱世激起人的深思，慷慨，激情。

乱世一定出文艺吗？也不。天才，可以的；乱世，不一定。

波兰文学的始祖，密茨凯维奇（Adam Mickiewicz，1798—1855）。一部《塔杜施先生》（*Pan Tadeusz*），有如普希金之于俄国。当时整个世界是浪漫主义，概不例外，波兰是略晚一步。

密茨凯维奇是浪漫主义领袖。出生时是波兰被瓜分的第三年。他说他在襁褓中已戴上镣铐。思想上受伏尔泰影响。

早期诗，不够有意思。"欢迎啊！自由的曙光！"我也能体会，写的人觉得这很重要——这种诗没人写，也不好。你老兄要写，那也好。多少诗人都有这个层面。

然而，文学家，诗人，应该别有用心。文学家的制高点，远远高于政治家——这一点，中外古今从来弄不清，也没有人索性去讲一讲——相反，其他文学家好像逃避现实，耽于享乐。文人爱国，救国，那样也好。密茨凯维奇的诗，后来成了波兰起义的战歌。

爱国文人以良心为武器，冲啊杀，鲁迅也以战士自命。

我有机会遇到密茨凯维奇，也不会劝他，只会让他当心安全，让他还是写他的。他后来入狱，流放到俄国彼得堡，最后流放到莫斯科，和普希金在一起。

这种流放，我们也得试试。

这时候，他的诗写得好起来了。爱情十四行。（鲁迅写起《朝花夕拾》来，这就好了，是艺术家，一份热发两份光。）

后来密茨凯维奇见解广阔了，和普希金一起到底有好处的（海涅、杜甫、辛弃疾，还是聪明，最后都写自己的东西）。

密茨凯维奇有长诗《康拉德·华伦诺德》（*Konrad Wallenrod*）。华沙当局为这诗向俄国警告，要抓他，他又逃，写了《塔杜施先生》，波兰贵族的生活，家世，反抗，战斗。鲁迅说，这部书使他永垂不朽。后来不写诗了，编刊物，当教授，参加战斗。后染时疫，死于君士坦丁堡。

与其说是诗人，不如说是英雄。这些诗，现在没人读。

斯沃瓦茨基（Juliusz Słowacki，1809—1849）。在国际上名声大于密茨凯维奇（在中国，只知道密氏）。讲究文字功夫。音节完美，想象丰富。他的观点，把文学看做艺术教育，有"诗人中的诗人"美称。作风近莎士比亚，擅写悲剧。史诗《贝尼奥夫斯基》（*Beniowski*），未完成，讨论种种宗教问题。对波兰的衰败表白出悲哀的深思，又转为热情，成许多诗。他有艺术家态度，写幻想，写恐怖，能直面人生。

克拉辛斯基（Zygmunt Krasiński，1812—1859）。喜欢思考，对人类历史大事都要追究。二十一岁有《非神的喜剧》（《神的喜剧》，即但丁大作，中国译成《神曲》）。他思考理想的完美和现实的卑鄙，推论民主与专制必冲突，预言了阶级斗争。他的想法是靠信仰，靠宗教，以此安慰波兰人。

从前的所谓"哲理诗"（philosophical poem），其实都是神的赞美，感恩，所以古代的哲理诗，我们现在是不能承认的。

西方一切归于神，中国一切归于自然，我以为两边都落空。其实遇到哲理诗，可以先咳嗽一声，然后再去看。今后，有哲理诗来了，它一定不标榜自己的信仰、哲理，像个小孩不知道自己的天真。

三位诗人，一位是英雄，一位是爱美的艺术家，一位是爱神的信徒——加起来就是波兰的浪漫主义。浪漫主义都有爱国、爱美、爱神这么三种特征。

还有其他作家，不必一一介绍了。

显克维奇（Henryk Sienkiewicz, 1846—1916）。主要得讲他。生于地主家庭，在田庄长大。后全家迁往华沙。大学时代即发表短篇小说，歌颂资产阶级务实上进的精神。对资本主义抱乐观态度。后去英法美游历，看到工业发展，也看到压迫，发表《旅美书简》（*Letters From a Journey*），骂美国，回来后成一系列短篇。

到十九世纪八十年代，波兰资本主义分化，贫富悬殊。当时沙皇和普鲁士王国在波兰禁波兰语，他苦苦探索，认为爱国热情和宗教信仰能救国，成三部小说：《火与剑》（*With Fire and Sword*）、《洪流》（*The Deluge*）、《伏沃迪约夫斯基先生》（*Fire in the Steppe*），世称"三部曲"，呼唤波兰人民团结一致抵抗外国。

后写中篇小说，也很长，什么《波瓦涅茨基一家》（*The Polaniecki Family*）、《毫无准则》（*Without Dogma*）。到 1890 年，发

表《你往何处去》(*Quo Vadis*)。写古罗马尼禄时代，写基督徒早期受迫害，运用历史材料，非常见功力。

福楼拜的《萨朗波》，梅列日科夫斯基的《诸神复活》，还有《你往何处去》，都是写历史的力作。写古人很难，可是很有快感，好像另做了一世人。

《你往何处去》值得一看。获1905年诺贝尔奖。手法写实，英雄美人智者暴君，大起大落。

真的写大主题，还是不能写古代，不能太隔。要写当代，至少上一代，陀思妥耶夫斯基写古代？完了。曹雪芹写唐宋？完了。艺术家的宿命，不能写太远的过去、太远的将来。要有"真实性"。艺术家要安于这种宿命。

写当代，写出过去，意味着将来，就可永恒。

显克维奇的笔力很强，功力深。这种浩浩荡荡的历史小说，和《三国演义》一样，我归入通俗文学。凡通俗文学，我把它当人生看，不当它艺术看，看得心平气和。

生活中遇到一个人，蛮有意思，又没有多大意思——通俗文学。这样就平心气和。

这就是为人之道，艺术之道。

一个艺术家，从爱国出发，又回到爱国，还是比较一般的通俗的爱国——肖邦的爱国，层次高了。他怎么爱法？我代他表达：

"我爱波兰，我更爱音乐。"

他到了波兰边境，最后还是回巴黎，用钢琴对祖国说话。我们将来回国，是去看"艺术"，不必大喊大叫。

十九世纪斯堪的纳维亚、北欧，丹麦、瑞典、冰岛、芬兰，欧洲西北，介于大西洋与波罗的海中间，有基阿连山脉纵横中央，东瑞典，西挪威。

丹麦十九世纪也是浪漫主义风气一时。领袖是欧伦施莱厄（Adam Oehlenschläger，1779—1850），受歌德、席勒影响。作风倾向怀古，悲剧，有"斯堪的纳维亚诗王"之称。

巴格森（Jens Baggesen，1764—1826），诗人。

伯特克（Ludvig Adolph Bødtcher，1793—1874），诗人。

英格曼（Bernhard Severin Ingemann，1789—1862），诗人。

还有很多，可见十九世纪他们的文学兴旺。到十九世纪中叶，忽然暗下去了。这么暗了一下——安徒生出来了！

评论家说："诗神分散给丹麦众多诗人，后来收回来，送给一个童话作家。"

安徒生（Hans Christian Andersen，1805—1875）。最早他介绍到中国来时，误为"英国安徒生"。早期他想演戏，学芭蕾，剪纸剪得非常好，他也写过小说——后来忽然想到写童话。

有深意。一个人到底适宜做什么？要靠他自己去选择。选择对了，大有作为，选择错了，完了。

三十而立，指的是选择对了。选择错了，是"三十而倒立"。

访师问友，是选择的开始。大选择中有小选择。画画，大选择，但毕加索选安格尔的路，错了。贝多芬选择哲学？完了。他的哲理思想不放在音乐上？完了。

天才，会选择。有过程，是斗争过程。舒曼（Shumann），父母不让学琴，他刻书桌为琴面，父母允。提香（Titian），四十岁前不画画。齐白石，六十岁后才找到路。梵高要是考上中央美院，会去学徐悲鸿。

如果安徒生演戏，跳舞，我们现在都不知道他是谁。剪纸，生意也不会好。忽然他写童话（瓦莱里，最善数学）。

安徒生童话的全盛时期，已经过去。要么再来，要么不再来了。影响长达七八十年！

两个来源：其一，古老传说，他改编。其二，全凭想象。

他最高的本领，是用小孩子的眼睛看世界：

老妇人的头被砍掉了，身体躺在那里。

不得了！这是他的写法。小孩子也看到这个——看到了，小孩却写不出来。

海涅很佩服他，写诗献给他，一起划船，做朋友。

豆荚里的豆，整整齐齐排着……他们觉得世界都是绿的。

好啊！

这种东西——小男孩，小女孩，锡兵——写到诗里去，不自然的，写到童话里，好极了，有了诗意。

小孩只交同龄的朋友，安徒生的童话，老少咸宜。几个月前我又读了一遍，还是觉得好。

你只要看看别人写的童话，格林、乔治·桑、歌德、王尔德，都写过童话——不如安徒生。他的童话是真的。

安徒生的秘诀？很难学到的。

有评曰：小孩是善恶不分的，野蛮的，胡来的，安徒生有这个东西。他用心肠写作。有金光，有美彩。一个饱经风霜、老谋深算的人，也爱安徒生——这个人全了。

现在小孩子看太空超人，妖魔鬼怪，不要安徒生了。不是安徒生的悲哀，是人类的悲哀。我看到玩电脑的小孩，心想：你们很不幸。

"历史地"看问题，安徒生越来越可贵。会读他，是享受。他还写过诗，游记，自传，都历历动人。

安徒生追悼会开到这里，下面要讲一个丹麦的好人。

格奥尔格·勃兰兑斯（Georg Brandes，1842—1927）。十九

世纪六十年代，欧洲新思潮风起云涌，把这种精神活力介绍给北欧的，是勃兰兑斯。他是大学者，在大学开讲"十九世纪文学之主潮"，起到唤醒群伦的作用，影响巨大，情况踊跃。大学校长把他开除，他跑到柏林。几年后，他播下的思想种子，在丹麦开花了，他成为丹麦最有权威的思想家、批评家。阅书太多了，像图书馆，可贵在对每个人都有中肯的批评。

《十九世纪文学之主潮》（*Main Currents in Nineteenth Century Literature*），共六大本，对莎士比亚、尼采、易卜生、拜伦、海涅，都写过专论，还写过《俄国印象记》、《法兰西印象记》、《人与作品》。

大人物。经历弥漫，观察精密，力量沉重。中国没有这样的人。鲁迅是战士，蔡元培是教育工作者。鲁迅的《中国小说史略》，评得很中肯。

当时丹麦大学生根本不知尼采，勃兰兑斯专门开讲尼采，立刻大放光彩。

注意一下：大陆的韩侍桁翻译过《十九世纪文学之主潮》，中山文化教育馆出。

近代文学批评家，勃兰兑斯可以排名第一。别人没有他博大精深。但要是有天才，不要做大批评家。总是不高超的。

艺术是点，不是面，是塔尖，不是马路。大艺术家，大天才，只谈塔尖，不谈马路的。

批评家是能人，好人，勃兰兑斯是大能人，大好人。

受到勃兰兑斯感召的作家，非常多，德拉克曼（Holger Drachmann），雅各布森（J. P. Jacobsen）。

他真的是一代宗师——中国既没有一代，也没有宗师。

但是丹麦的作家、批评家，还有很多。

一个天才的诞生，必然是战争。如果有人反对你，你应该说：“情况正常。”

本课笔记内页:"北欧在当时南欧影响之下,文学艺术很兴旺。"

第五十三讲

十九世纪挪威文学、瑞典文学

一九九二年元月五日

天才号码大了，要走出去。许多不肯离开老地方的作家，或到了国外写不出的作家，和易卜生比，我可名为"易不生"——不生蛋了。

我年轻时，常常听说有人妻出走——中国只有一个真的娜拉：秋瑾。革命，赴死。她是完成了的娜拉。其他娜拉都未完成，中国许多娜拉走过一条路：去延安。

"同情心"在中国人心中分量很重，其实就是人道主义，是仁慈，慈悲，分量很重的。世界上最重要的就是同情心。人要靠人爱，此外没有希望。人到教堂，或养猫狗，不过想从神，或从狗，得到一点爱的感觉。真正的同情，应该来自人，给予人。俄国文学的同情心，特别大。

与鲁迅同代的，郁达夫学卢梭，郭沫若学歌德，茅盾学左拉，巴金学罗曼·罗兰——学得怎样？

我在三十年代的茅盾书屋中见到这些北欧的译本，可见当时中国译者花了许多功夫，后来却看不到什么作用：延安、二流堂来的人，作品中有世界文学的影子吗？有中国传统文学的影子吗？假如唐宋之后，中国直接进入十九世纪，接受世界文学影响，那可精彩啦！

去年讲到最后的大章回是斯堪的纳维亚，其实就是北欧。北欧在当时南欧影响之下，文学艺术很兴旺。和南欧一起想，对欧洲文学的概念就完整了。

今天讲易卜生（Henrik Ibsen）、斯特林堡（August Strindberg）。

有个常识：挪威，十九世纪以前没有独立文学，是和丹麦联在一起的，浑然不分，直到十九世纪才有自己的文学运动、地位和杰作。

每种文化都有它的生老病死。十九世纪前的挪威文学还没有开花结果。挪威十九世纪文学可有三个时期：

前驱者时期，易卜生时期，新运动时期。

第一时期以三作家为代表。第一个是韦格朗（Henrik Wergeland，1808—1845）。诗人，革命家，爱国志士。作品特点：力量宏大，热情，热烈，人称"北方的卢梭"，三十七岁死，留下作品很多。

第二个是科莱特（Camilla Collett，1813—1895），是韦格朗的妹妹，提倡写实主义小说，是女权主义急先锋，哥哥三十七岁死，她却活到八十几岁。

当时写实、女权都才刚刚开始。

第三个是魏尔哈文（Johan Sebastian Welhaven，1807—1873）。文学批评家，传记作家，也是抒情诗人，他是个世界

678

主义者。

这三位前驱者都有成就，但都未达到世界性成就和声誉。以后总会去北欧，看到这些名字，心里凉凉的："我知道。"这才是旅游的乐趣。

前驱者的路是酝酿，是等待天才。

天才来了：易卜生（Henrik Ibsen, 1828—1906）。易卜生的出现，带来挪威文学的黄金时代。他是一个半世纪以来最伟大的戏剧家。

文学史、美术史，不过是天才的传记。

童年不幸。药店学徒，没进过学校。一切写作能力，全自学。《喀提林》（*Catiline*）是用无韵诗体写的悲剧。喀提林是罗马的叛逆者，易卜生把他写成革命英雄。

当时有人名波尔（Ole Bull），创办剧场，识易卜生，聘为顾问，报酬优，每年要他提供一个剧本（莎士比亚也有类似经历）。

药店学徒——剧院顾问——戏剧家。

他大部分生涯不在挪威。三十六岁离国，迁居意大利，此后遍游欧洲，大部分时间在德国。他很老了才回到国内，度过晚年。

天才号码大了，要走出去。许多不肯离开老地方的作家，或到了国外写不出的作家，和易卜生比，我可名为"易不生"——不生蛋了。

他的一生以诗歌开始的。写革命的诗歌，又以象征性的戏剧结束。剧本四个时期：一，浪漫主义的（六部）。二，转变到写实，但有浪漫有写实。三，写实的（六部）。四，象征的（六部）。

他的表现方法不执着于极端。梅特林克执着于象征，左拉一本自然主义，易卜生则是平允的，批判的，有想象，经过理性，达到自觉。这个态度，非常大气。

我反对"主义"。一个艺术家标榜一个主义，不论什么主义，态度非常小家气。

顾炎武说过一句话："一为文人，便无足观。"好像连他的笑容也能看到，如见其人，闻其声。

我扩大一下："文学、哲学，一人主义，便无足观。"

东坡闻米芾《宝月观赋》，曰："恨二十年相从，知元章不尽。"（《与米元章九首》之四）

这种信收到了，多开心！

易卜生早期的韵文，取材古代传说。当时挪威怀旧。不久时代变了，易卜生写成《皮尔·金特》（*Peer Gynt*）、《少年党》（*The League of Youth*）、《皇帝与高里留》（*Emperor and Galilean*）、《布兰德》（*Brand*）。易卜生自己认为《皇帝与高里留》最好，流传最广的是《皮尔·金特》，写挪威人的弱点：有才，自己不知怎么用（这是许多国的人都有的毛病），到处流浪，后来得到爱，被爱拯救。

我的定义：皮尔·金特是平民的浮士德。

不久，他放弃浪漫的诗的写法，去写现实生活，他之所以得世界声誉，靠这期间六部写实剧。

《社会栋梁》（*Pillars of Society*）写一德高望重的社会名流，后来大家发现他是个无耻之徒。《傀儡家庭》（*A Doll's House*），写娜拉，恋爱结婚，丈夫有经济困难，娜拉假冒签名，救了丈夫。丈夫知道后，看不起她，平时当她玩偶，娜拉渐知，出走。

好在对话，好在真实。主题更好，影响了欧洲和全世界。走后如何？各不相同。许多人还是回去了。你们时代不同，我年轻时，常常听说有人妻出走——中国只有一个真的娜拉：秋瑾。革命，赴死。她是完成了的娜拉。其他娜拉都未完成，中国许多娜拉走过一条路：去延安。

文学，这样地写，这样地影响，后来是这样的结果——也蛮有意思。现在上演，不会有太多观众了，但这个剧本还是好。

靠文学艺术来解决社会问题，开始就打错算盘。我从来不想靠笔济世救人。鲁迅，论文学改造国民性，完全失败。

可是鲁迅的文学，无疑是"五四"以来第一人。

易卜生又有《群鬼》（*Ghosts*）。写父亲生活放荡，儿子却是个有为青年，正在有为时，父传的梅毒发作，死了。

这些戏一上演，凡伪善的丈夫，堕落的父亲，无耻的名流，都恨他、骂他。易卜生不但不退，又写出一本《人民公敌》

(*An Enemy of the People*)。我非常喜欢这个剧本，在纽约看过演出，实在好。

主角斯多克芒（Stockmann）说："世界上最孤立的人是最强大的！"

接下来写《雁》（*The Wild Duck*），是理想主义者的不幸。又成《海姐》（*Hedda Gabler*），写一个女人的感情、命运、遭遇。不提问题，忠实描写。

很多批评认为易卜生热衷社会问题的提出和解答，我以为他本质上还是一个诗人。

到了晚年，他又去写纯粹诗意的想象的剧本。《海上夫人》（*The Lady from the Sea*）、《大匠》（*The Master Builder*）、《罗斯马庄》（*Rosmersholm*）、《小爱友夫》（*Little Eyolf*）、《博克曼》（*John Gabriel Borkman*），还有《当我们死人醒来时》（*When We Dead Awaken*）。注重心灵，神秘，象征的作风。

现代把他看成过时过气的，其实他是不朽的。他的社会剧不公式，不概念，是不过时的。

什么是现实呢？就是不公式、不概念化。所谓"体验生活"，这种方式本身就是概念的。

我不反对写实主义，我反对伪写实主义。徐悲鸿是伪古典伪写实。他的弟子既不懂古典，也不懂写实。

易卜生写对话极精炼，一句不多。他之前，挪威戏剧对话用丹麦话，到了易卜生，用挪威语。受他影响，瑞典出现斯特林堡，丹麦出现勃兰兑斯，德国霍夫曼斯塔尔（Hugo von Hofmannsthal），意大利贾科萨（Giuseppe Giacosa），英国，是萧伯纳（George Bernard Shaw）。

他有自己的舞台世界和独到之处。他担当了一个人性的可能。而且是大的可能，而且发挥到极致。

挪威还有比昂松（Bjørnstjerne Bjørnson，1832—1910）。他和易卜生同时代。易卜生离开剧场时，比昂松接下去。他与易卜生不同，牵涉很广，多方面，由浪漫、写实，进入象征（同时有唯美派，高蹈派）。

易卜生专心写剧本，也写诗，比昂松写戏剧，写小说、诗、政论，作品繁多，比起来，不如易卜生精审。

有才者，贪博，其实不如精。博而不精，很可笑的，这也可以用在爱情上。

比昂松最著名剧本《新结婚的一对》（*The Newly Married Couple*），写一个女子从少女到妻子的性格心情。小说多写北方挪威农民的生活。他的演说很多，以作家兼社会家，是名人，在各界出面，属人格影响大于作品影响的一类（中国的蔡元培，法国的卢梭，美国的爱默生，均属这类人）。

他个性火辣辣的，为祖国热情奔走，晚年被人称为"老熊"。他是第一个得到诺贝尔奖的挪威人，可见诺贝尔奖向来喜欢风云人物。

比昂松是属于挪威的，易卜生是属于世界的。

乔那士·李（Jonas Lie, 1833—1908）。名声仅次于比昂松、易卜生。童年生活在最北部的海岸，作品多写故乡。当律师，三十五岁才开始写作（大家，还不迟）。他在写实主义流行的时期，独写他的浪漫，但不写史诗，写挪威家庭的平静生活。人在巴黎，写故国。

新运动时期。经前两个时期，挪威文学不但独立，而且蓬勃发展。作家很多，大抵二流，对于挪威重要，对我们太隔。最杰出者，汉姆生（Knut Hamsun, 1859—1952）。译家认为他是易卜生、比昂松的后继者，个性很强，到处流浪。少年时到过美国，充满冒险经历。中国没有他的译本，据说是冷酷的描写，注重心灵，又有同情心，颇似俄罗斯。

"同情心"在中国人心中分量很重，其实就是人道主义，是仁慈、慈悲，分量很重的。世界上最重要的就是同情心。人要靠人爱，此外没有希望。人到教堂，或养猫狗，不过想从神，或从狗，得到一点爱的感觉。但真正的同情，应该来自人，给予人。俄国文学的同情心，特别大。

挪威作家中最近俄罗斯者，汉姆生。我特别看重他这点同情心。

半自传小说《饥饿者》（Hunger），写饥饿发狂的心理。又写《维多利亚》（*Victoria*），超现实的，是现代牧歌。汉姆生曾得诺贝尔奖。

瑞典当时小说多，剧本多，诗人多，但散文不及丹麦。到十九世纪末，受法国现实主义影响，又受到易卜生和勃兰兑斯影响，瑞典起来了，出奥古斯特·斯特林堡（August Strindberg，1849—1912）。

斯特林堡是个精力充沛、性情乖僻的人。易卜生初见他的照片，说：这个人将来比我更伟大（现在看，我认为易卜生还是比斯特林堡更伟大。他凭照片能出此判断，已经伟大）。

斯特林堡长相雄伟，像海盗王。易卜生同情妇女，斯特林堡极力反对女权运动，把男人失败归罪于女人。有小说《红房间》（*The Red Room*），短篇小说集《已婚的人》（*Getting Married*），都写这意思。

心态不太平衡，作品或好或差，有时粗率，有时好得无与伦比，但天性一直保持着：忠实的观察，大胆的表现。剧本《父亲》（*The Father*）、《朱丽小姐》（*Miss Julie*），都写男人因女人堕落。

家庭背景：杂货店。败落后，母亲沦为佣人，他的出生被视为多余者。十三岁，母亡，继母苛待他。早熟，深思，此后从事过各种职业，及长，开始写作。直到成为文学院人士，方始安定。

1879年，《红房间》出版，**揭露瑞典社会各个层面**，一举成名。1883年旅居瑞士，又因《已婚的人》讽刺妇女运动，被控亵渎罪，送回瑞典受审，所幸判决无罪。

结婚三次，皆不幸，一度精神失常。

他成剧本六十多种，戏剧性强烈，有股苦味。最有名的是《朱丽小姐》，写主人公爱上仆人，最后自杀。他写心灵与欲望的冲动，令人想起瓦格纳，也可说他是查拉图斯特拉在瑞典的使徒。他最爱读尼采。

有作品《通往大马士革之路》(*To Damascus*)，已开始手法打乱、时空交换的写法。主角唯一人，独白，叙说对世界的绝望，对爱情的恐惧。又有《梦剧》(*A Dream Play*)，写天神的女儿要下凡，嫁给律师，失望，又回天堂。

他是个悲观主义者。他总是要证明：那最宝贵的东西就是得不到的东西，人是制造痛苦的工匠。

小说一流。剧本最多。有自传体小说《仆人之子》(*The Son of a Servant*)，又有《在海边》(*By the Open Sea*)，写得刻画入微，元气淋漓。

"这一切都是尼采教我的。"他说。最后一部作品《黑旗》(*Black Banners*)，猛烈抨击权贵。他奋斗一生，令人感动而尊敬。他是由性格上接近尼采进而从思想上受到激励的。退远了看，易卜生和斯特林堡都是超人哲学。

人称斯特林堡是"暴风雪之王"。

在斯特林堡之前，没有独幕剧。他之后，独幕剧才正式确立为一艺术种类，如莫泊桑以后，短篇小说始成为短篇小说。

瑞典还有一位重要的女权运动家艾伦凯（Ellen Key，1849—1926）。她不是文学家，当初对中国影响很大，晚年写作《爱情与结婚》（*Love and Marriage*），提倡母爱、人伦。

还可提提海登斯坦（Verner von Heidenstam，1859—1940）。诗人，散文家，慕古，唯美。善写各时代各地域的美的追求，有唯美主义倾向，和当时瑞典的现实主义风气不合。

我在三十年代的茅盾书屋见到这些北欧的译本，可见当时中国译者花了许多功夫，后来却看不到什么作用：延安、二流堂来的人，作品中有世界文学的影子吗？有中国传统文学的影子吗？

假如唐宋之后，中国直接进入十九世纪，接受世界文学影响——那可精彩啦！可是空掉这么一大段。

一句话：唯有天才才能接受影响（只有健全的胃口才能消化影响）。敦煌、云冈，受到多少外来文化的影响！鲁迅之为鲁迅，他是受益于俄国文学的影响，写好了短篇小说。他的中国古典文学修养也一流。但他接受得有限，成就也有限。

与鲁迅同代的，郁达夫学卢梭，郭沫若学歌德，茅盾学左拉，巴金学罗曼·罗兰——学得怎样？

第一心不诚，第二才不足。

讲到斯堪的纳维亚文学，时时刻刻想到北欧如何受到南欧影响——北欧文学的高度出现了。

再说一遍：艺术家是敏于受影响的。

再添一句：受了影响而卓然独立的，是天才。

过去没有受过影响，现在补受也不迟。受了影响，不要怕自己不能独立。我曾模仿塞尚十年，和纪德交往二十年，信服尼采三十年，爱陀思妥耶夫斯基四十多年。凭这点死心塌地，我慢慢建立了自己。不要怕受影响。

"智者，是对一切都发生惊奇的人。"

十九世纪爱尔兰文学

一九九二年二月十六日

最高一层天才，是早熟而晚成——不早熟，不是天才，但天才一定
要晚成才好。有的是晚而不成。

大思想家最有意思的是他们的短句，而不是他们的体系。

我不是基督徒，不想进天国，人间已寂寞，天堂是没有沙的沙漠——
天堂里不是已经有很多人吗？但丁、浮士德……真要是面对面，多
不好意思——叶慈是希望耶稣来的。托尔斯泰和高尔基谈道：啊，
耶稣要是来了，俄国这班农民怎么好意思见他？

这些道理，我在《哥伦比亚的倒影》中表呈过了。可以说我是到了
海外才比较有深度地了解叶慈，以前在上海与李梦熊谈叶慈，很浅
薄的。

古典艺术顺服自然。二十世纪艺术，一句话：人工的艺术。我在
六十年代热衷于颂扬人工的艺术，七十年代忙于活命，没多想，
八十年代到美国，大开"人工"的眼界，就厌倦了，也看清自己天
性中存着古典主义的教养。但我赞赏古典，不是古典的浪子要回家。
我是浪子过家门，往里看看，说：从前我家真阔气。

十九世纪爱尔兰文学，号称文艺复兴。当然不比欧陆文艺复兴，但就爱尔兰言，摆脱大不列颠文学影响，可以说是。

爱尔兰民族名称，是凯尔特（Celtic），有自己的文化艺术，与英国有别（英格兰、苏格兰、威尔士三岛与北爱尔兰，合称大不列颠，爱尔兰是独立的）。十九世纪后，爱尔兰总想独立，到1921年成，内政自主，外交仍属大不列颠，首都在都柏林。

心灵诚恳，对超自然的力量，比别族强烈。基督教是主教，但有自己古老的异教的神。那些神都是小妖魔、小精灵，活在水泽森林边。人是可知的，神是不可知的，小妖魔、小精灵是中间传播者。

爱尔兰民族是世界上最具童心的民族（海涅也常写小妖魔、小精灵）。爱尔兰早期文学都以神怪为渊源，成了传统，古到基督纪元之前。古代传说可分三大系：一，神话系（Mythological Cycle）。二，红枝系（Red Branch Cycle）。三，芬尼亚系（Fenian Cycle）。

神话系，讲诸神冲突。故事纷乱，主角巨大，唯美形象，性格粗鲁轻率，不定型。比较原始。红枝系，也称英雄系，故事大抵发生在耶稣纪元七八世纪，情节优美，故事较有条理，有结构。芬尼亚系后于红枝系两百年，主要人物是芬·马克·孔海尔（Finn Mac Cumhail）与其子奥西恩（Ossian），他们既是武士，又是诗人，是一群芬尼亚武士的中心。这三系的传奇最初是韵文，后来加进散文。此为爱尔兰古代文学史。今天只讲十九世纪。

哥德史密斯 (Oliver Goldsmith)、伯克 (Edmund Burke)、王尔德 (Oscar Wilde)，这几位说是英国文学家，其实都是爱尔兰人。当时有派，称"少年爱尔兰"(Young Ireland)。当时还有德国人提"少年德国"，清末，梁启超曾提出"少年中国"。

初有曼甘 (James Clarence Mangan，1803—1849)，"少年"中以他天才最高，为"爱尔兰文艺复兴"(Celtic Revival) 的先驱者。小说家有埃奇沃思 (Maria Edgeworth) 写爱尔兰人的生活，又有李弗 (Charles Lever) 写少年浪子的故事。洛弗 (Samuel Lover) 写农民生活。

这几位小说家的特点，是描写仔细，这时代中产阶级最重要的作家叫格里芬 (Gerald Griffin，1803—1840)，专写中产阶级生活，诗也很可爱，尤其情诗。

因爱尔兰文艺复兴作家很多，被遗忘而当时重要的作家，只能略去。今天这堂课全部讲叶慈 (William Butler Yeats，1865—1939)。

中译很多：夏芝、叶芝、叶慈。爱尔兰文学最杰出的人物，当属叶慈。早年受斯宾塞 (Spenser)、雪莱影响。年少才气横溢，中年韬光养晦，晚年大放光明，长寿，影响广泛。

（在座中间，金高韬光，略微养晦——"韬光"，盖起光来，

"养晦"，装得很倒霉的样子。）

初写《奥辛的漫游》（*The Wanderings of Oisin*），进入创作期，成为象征爱尔兰精神的代表人物（不要为自己得不到风格而着急，要把性格磨练得锋锐。性格在，风格就在，性格越锋锐，风格越光彩）。

最高一层天才，是早熟而晚成——不早熟，不是天才，但天才一定要晚成才好。有的是晚而不成。林风眠，后来画的画不能看了。他的年龄超过叶慈，晚年却如此悲惨。他自己讲过："我晚年不好的，六十四岁要死。"结果没死，但六十几岁时，"文革"起来，入狱。

叶慈大部分诗写民间传说和信仰，有浓厚的爱国色彩。1895 年出《诗集》，是前中期的佳作，以山川风物、乡村农民的感想入诗。看他一生，早年称颂自然与人情之美，晚年倾向神秘主义。有诗集称《苇间风》（*The Wind Among the Reeds*），是代表作。此后的诗集比较深奥，一般称比较难懂。

出生在一个画家家庭，自己以写作为生。成名后曾出任国会议员和教育视察员。早期诗承十九世纪后期浪漫主义，充满世纪末的悲哀，有唯美主义倾向。他厌恶商业文明带来的骚乱，希望远离现实世界，到想象中的小岛去生活。《茵纳斯弗利岛》（*Lake Isle of Innisfree*），抒情诗集，写的是他以上的情怀。

叶慈是我少年期的偶像，一听名字，就神往，这种感觉我常有，许多人也有。这道理要深究下去，很有意思——人有前世的记忆（我最早看到的还是"夏芝"的译名，已觉得很好了）。

他的几个观点，我有同感。但讲下去，又要离开他了：

一，厌恶，乃至痛恨商业社会。

二，历史是个螺旋体。

三，两千年是个大年。

四，世界已保不住中心，已经来的，将要来的，是反文明。

以上，即使不算真知灼见，也比别的诗人高明得多。他将这些意思表现在诗里，不是体系性的哲学说理。诗不能注解，一注解，就煞风景。

含义过分隐晦，是一种失败。T. S. 艾略特的诗，太隐晦，太多注解。我写诗，从不肯注解。中国古诗，好用典故，我警惕，不愿落在这种美丽的典故里。我随时克制自己，一多用，就落俗套。如果用典，我很慎重。

五，贵族政治（因有财产，知书达理，才能产生高尚的统治者，是廉洁的，会保护艺术）。

六，人类历史是由"旋体"和"反旋体"两个圆锥体构成的，前者代表空间、客观、道德；后者代表美感、时间、主观。

七，世界末日将要到来，基督重临人间主持最后审判。

八，宇宙间存在一个"大记忆"，一切经验、知识都汇集"大记忆"中。

这样，我把叶慈的思想，从他的诗中提出来，列成八种观点，等会儿说。

（休息）闲聊：

六十年代我外甥女婿寄来英文版《叶慈全集》，我设计包书的封面，近黑的深绿色，李梦熊大喜，说我如此了解叶慈，持书去，中夜来电话，说丢了。我不相信，挂了电话，从此决裂。

借叶慈名义，整理整理我们自己的观点：

一，他反商业社会。商业社会是什么？人类开始，没有商业，只有物物交换，互补有无，两厢情愿，皆大欢喜，人际关系很单纯、很朴素。商品社会是人际关系的恶化。从前双方都是物的主人，欺诈性小。商人不是物主，是物与物之间的人物，他持货，货又成筹码，成货币。一件物品成了商品，反复转折，才到人手中，这样反复转折的过程，乃商业社会结构，养活了一大群不事生产的人。商人之间又勾结，又利用，形成世界大网，这大网就成资本主义的意识形态（读马克思《资本论》，很有味道的）。

商品社会的缘起，形成，到意识形态。到了意识形态，即成极权。商业广告，就好像社会主义国家到处都是标语口号，只是社会主义极权是硬性的，资本主义极权是软性的，但都是极权。但资社两边的利益目的不同，所以斗争，社会主义要权，资本主义要钱。根本不同，是"权"直接关系到统治者的人格生命，"钱"间接关系到统治者的人格生命，故后者略微好受一点。

暴君可以暴到死，还有家族接。西方总统要换，如不换，也必出暴君。但两种意识形态比较，纲目繁多，不是一两种可以说尽，我只是想说，商业社会，不是文化，也不是文明。

我们在美国，美国治国大计，是实用主义理论，最有名杜威，还有皮尔士（Charles Sanders Peirce）、詹姆斯（William James）——这种哲学是没有远见的庸人哲学。

什么是实用主义？认为真理是相对的，随时代变而变。见效，是真理，不见效，非真理。总之，要为我所用。我，第一性；真理，第二性。推论下去，是没有真理。真理，被架空了。

这个架构，是很迷人的。

所以纽约港口的大女人是"自由女神"，不是"真理女神"。实用主义，单从理论上不失为一种见解。在实际效果上讲，美国因此大富大强，可是世界却在坏下去。我从小鄙视好莱坞和美国生活方式，所以在痛恨商品文化上，我和叶慈一致（实际生活中我们有机会赚钱，还是要赚，赚到后，还是反商业文化）。

可怕的是，这已经形成了。形成了，就很难回去。所以西方很多人怀旧，怀念那种朴素的人际关系。

我最早的解释是：伊卡洛斯进了迷楼了。

思想上，我们还是要反对商业社会。你看纽约，谁不是商品？

二，历史发展螺旋体。这比喻很好。简单说，所谓"螺旋"，周而复始，又不在一个平面上，历史事件确实往往重复，又不是翻版。有人说历史是进化的，此说只能迷惑一班迷恋物质的凡夫俗子。进中国博物馆，光看陶器，一朝不如一朝，越古越好，越现代越不好。

到底何谓文明？爱因斯坦写给五千年后的信里，大意是说：二十世纪除了交通、通讯发达，余无可告美，希望以后的人类以我们的状况为耻辱，而能免于这种耻辱。

叶慈此说是诗人之说，说说也好。以我这"散文人"看，世界是没有定向、没有规律的。世界这只大船根本没有船长，有人毁坏，有人修补，但不问这船究竟航向哪里。可以预见，这船会爆炸，会沉没，沉没在宇宙里。

三，两千年大年。这说法有点意思。从巴比伦到耶稣，两千年，从那时到现在，又是两千年。此说完全是西方的算法，中国对不上。很多智者寄希望于新世纪，我是彻底的悲观主义者——二十一世纪不会出现什么奇迹，不会回到莫扎特，不会"第三波"（The Third Wave，第三次浪潮），但也不会完。商业社会是个帝君，共产主义败在帝君手中。

四，世界已失中心，将来反文明。后一句是对的，前一句只是讲讲。世界曾经有过中心吗？第一、第二世界，罗马、大唐，也只是一方之霸。真要说世界精神文化的中心，没有看见过。看历史，这中心不可能。没有救世主，不会有一致的方向。他讲的世界中心，大概是指基督教。

反文明，则早在反了。所有现代文明，只是新技术，新技术不产生任何真的文化艺术。科学技术的革新，不是精神文明的发展。

文化，是一个概念，文明，不是一个概念。现在，我觉得，文明、文化是一个含义，文明不能包括科学技术，科学技术高明，不等于文明高明。从前用刀杀人，现在用枪杀人，文明吗？更野蛮。

文明，应该是指精神道德的高度。

文化，应该是指心灵智慧的创造。

现象上看，科学技术的方便，非常文明似的。家用电器在中国成了人生奋斗目标，可是经济起飞不等于文化起飞。倒是相反，经济起飞，价值观颠倒了，大家唯利是图。而空气污染，生态破坏。所以叶慈的"反文明"不失为"预言"，证实了诗人所见不谬。这些道理，我在《哥伦比亚的倒影》中表呈过了。可以说我是到了海外才比较有深度地了解叶慈，以前在上海与李梦熊谈叶慈，很浅薄的。

五，贵族政治。我以为是政见，是理想主义的。叶慈生在十九世纪末，有这种政见，其实是在为贵族政治唱挽歌。贵族的没落消亡有二：自身衰落，王朝淘汰。

以中国清宫世袭而言，一代不如一代。法国皇朝，近亲通婚，渐出白痴，没落（普鲁斯特的《往事追迹录》，有所描写）。这是贵族自身的问题。而政治制度，当今早已大变。日、英等皇家都只是摆设，模特儿。

叶慈所谓贵族政治，是出于概念，一厢情愿。马克思以为工人阶级是当然的统治阶级，也是一厢情愿，出于概念。

我以为贵族政治不可能了。由艺术家来统治？有几个艺术家有政治头脑？物质上的贵族，不可能执政。精神上的贵族，也不会去执政，他有自己的境界。艺术家是无人保护的，不求人，自己好好生活。《易经》有言："不事王侯，高尚其事。"岂非贵族得很！

六，人类历史是"旋体"（gyre），比较形而上。那是一个数学词，叶慈分成正旋、反旋，究指何意，不详。我无法自作多情去解释。但他把道德／美感、时间／空间、主观／客观对立，我以为不是。"社会科学"一说，不成其为科学，我当初就不承认。

人类本身是不确定的易变体，人人不同，人在不同的环境中又要变。如此情形，如何以科学分析归纳为公式定律？

大思想家最有意思的是他们的短句，而不是他们的体系。

明白社会科学不成其为科学，再去观察分析人，倒每有真知灼见。

七，世界末日问题。西方一千年前就以为世界末日到，大为恐慌，因为十世纪时，民智未开，以为要来，结果不来，过了一千年，也不来。"耶稣重临"是比喻，不是事实。他来不来，与我无关。他的才智性情使我着迷。我不是基督徒，不想进天国，人间已寂寞，天堂是没有沙的沙漠——天堂里不是已经有很多人吗？但丁、浮士德……真要是面对面，多不好意思——叶慈是希望耶稣来的。托尔斯泰和高尔基谈道：啊，耶稣要是来了，俄国这班农民怎么好意思见他？

我的看法，是耶稣来了，还是从前的耶稣——人类却不是从前的人类了。所以耶稣还是不要来好。

零零碎碎的耶稣，不断会来的。

叶慈晚年趋神秘。但他的神秘，恐怕也不出乎奇迹出现的那个模式：假先知横行、毒龙喷火、大水灾、地震，然后基督降临。从诗的想象力来看叶慈的构想，还是老一套，不神秘。

我觉得高山大海没什么神秘的，山，许多大石头，海，许多水也。人和自然是个比例问题。我们捡一块石头，喝一口水，不会觉得神秘，高山大海不过如此，怎么神秘了呢？

细节上，我倒觉得动物、植物是神秘的。

我读叶慈的唯美，神秘诗，比较失望，不唯，不美。

八，宇宙中有大记忆。这是诗人本色，是一个不成其为理论的理论，可与柏拉图的"前世的记忆"、黑格尔的"宇宙的总念"，顾盼生姿。

我看叶慈此说是"蛋论"。宇宙是蛋白，叶慈说是蛋黄——我看宇宙是个混蛋。

说正经的。我以为宇宙的构成，是个记忆性的构成。或者说，宇宙的结构，类似人脑的记忆的结构。我不说宇宙是记忆的，也不说人的记忆是宇宙。哪一说高明？

这样子——叶慈的说法，是少年的说法，我的说法，是中年的说法，我们来期待一个老年的说法吧。

以上八点，也算我们对这位爱尔兰的诗人很优待。我和叶慈五十年交情。他说："我心智成熟，肉体衰退。"这种悲叹，每个人都有的，他说出来了。

中国婴儿生出来屁股上都有乌青，打出来的那种乌青，那是因为孩子不愿投胎在中国，外国小孩没有这种乌青的。

他说："一个老人不过是卑微之物，一件披在拐杖上的破衣裳。"（《航向拜占庭》）。

古典艺术顺服自然。二十世纪艺术，一句话：人工的艺术。我在六十年代热衷于颂扬人工的艺术，七十年代忙于活命，没多想，八十年代到美国，大开"人工"的眼界，就厌倦了，也看清自己天性中存着古典主义的教养。但我赞赏古典，不是古典的浪子要回家。我是浪子过家门，往里看看，说：从前我家真阔气。

"人工"这说法，很好，有益处。对于"人工"的理解、重视，对于艺术家是必要的锻炼。叶慈有先见。

也可以这样地即兴判断：自然是曲线的，人工是直线的。毕加索说，直线比曲线美。

我以为这样说好些：有时，直线比曲线美。

本课笔记内页:"在美国讲美国文学"、"他从艺术家的观点去重视良知问题(爱默生也如此),这就很好,很好。"

十九世纪美国文学

一九九二年二月二十三日

小说家不是上帝，上帝也不写小说。作家好像天然地有回答
读者的任务，真可怕。

我也学过这种写法。一般认为他的作品诙谐，警辟，我还
发现一个特点：他写得很秀美。这特点可贵。他像个老大粗，
忽然来这么秀美一下。

我同意他的意见：人体好就好在是肉。不必让肉体升华。所
谓灵，是指思想，思想不必被肉体拖住。让思想归思想，肉
体归肉体，这样生命才富丽。

我认为惠特曼真的称得上是自然的儿子。许多人自称是自然
的儿子，可他们自己多么不自然。《诗经》，自然的，唐宋诗词，
不自然了。

我到美国买的第一本书，是爱默生。张爱玲译的。我喜欢这
本书。

今天在美国讲美国文学——不是常听到"五月花"（Mayflower）吗？是轮船名，载英人开到新大陆，多数是清教徒。这船开到美国，美国文学就开始了。

什么是清教徒？英国国教教徒之一派，十六世纪后半，这派起而反对旧教，主张彻底改革教会。旧教中许多仪式他们看不惯，主张立教的根本，是简单纯净。

清教一起，受到迫害，于是逃。有逃到荷兰，有逃到美国。历史学者说，"五月花"一到美国，美国文学开始。

这说法可以修改。因船一到，只是带来文化，船上没有专业作家，没有文学天才，那还不是文学。当时是十七世纪（1620年），此后一直还是殖民世纪，至十八世纪，才始现文学，只是传扬宗教，十七、十八世纪的小说、散文、诗等等纯文学，美国还没有。

到十八世纪后半，1776年，美国宣布独立，文学才真正开始。第一篇不朽的文字，就是杰弗逊（Thomas Jefferson，1743—1826）写的《独立宣言》（*Declaration of Independence*）。雄辩，有魄力，气势很大，标榜的境界很高，至今是美国学子必读课本。

当时最大的人物是富兰克林。我不说他是文学家。

本杰明·富兰克林（Benjamin Franklin，1706—1790）。典型美国性格。他们不是从英国来么？却典型美国：出身穷，经历丰富，成大名。做过出版商，后从政，做公使，又是科学家，避雷针的发明者，放风筝，把电传下来——会做生意，会奋斗。

纽约中国街附近有个美国老商人，我看他做生意从善如流，爽快，聪明，就像富兰克林。

富兰克林的理论质实，见解允当，很能感染启发。尤其《自传》（*Autobiography*），可称不朽之作。我称他是美国式的性情中人。这种人，很可以谈谈。

这样我们进入十九世纪了。

英法德俄，是十九世纪的文学基地。而美国能仅次于以上四国，占一席之地。其实美国文学十九世纪还是属于欧洲的。十九世纪前，欧洲人的口头禅是"美国没有文学"，杰弗逊、富兰克林毕竟不是文学家，是杂家——直到欧文，专业的文学家有了。

华盛顿·欧文（Washington Irving，1783—1859）。美国有两个开国元勋，一是政治上开国的华盛顿，一个是文学上开国的华盛顿。萨克雷称他是"从新世界派来的文学公使"。

他的第一本书是《纽约史》（*A History of New York*）。第二本是《见闻札记》（*The Sketch Book*，又译《速写集》）。《见闻札记》是他成名之作，写得清妙。欧文的正统作品是《华盛顿传》，生动真切（华盛顿写华盛顿）。

他是美国文学创始人。他不是一个狭隘的爱国主义者，在英国、西班牙都住过好些时候。在英国写过《旅行述异》

（*Tales of a Traveller*），在西班牙写过两部小说，《攻克格拉纳达》（*Chronicles of the Conquest of Granada*）和《阿尔罕伯拉》（*Tales of the Alhambra*）。写得好，就被美国任命西班牙大使。

另一位同代作家库珀（James Fenimore Cooper，1789—1851）。脾气和欧文相反，欧文和善好脾气，库珀急躁，好斗。写作严肃，说故事高手，在海上经历奋斗，写来精彩。熟悉水手航海技术，写到海，得心应手，凡英文写海的作家，都以库珀为领袖。英人康拉德（Joseph Conrad）系写海专家，说库珀爱海，以最高的理解去看海，书中写出了"夕阳的色彩，星光的和静，晴天与暴风雨，海水的伟大的寂寞，看守着海的海岸的静默"。

库珀著名作品，一本叫做《海盗》（*The Pilot*），一本叫做《水巫》（*The Water Witch*）。

欧文与库珀，是把人生的外观的奇妙构成作品。后继的霍桑与爱伦·坡，描写人生的内部。

霍桑，爱伦·坡，这二人都是我们钦佩的。

纳撒尼尔·霍桑（Nathaniel Hawthorne，1804—1864）是新英格兰清教徒后代，他本人却不是清教徒。他从艺术家的观点去重视良知问题（爱默生也如此），这就很好，很好。所以他能把祖先不能说的人性内部的冲突，写成小说，以清教徒的心灵，而不是态度去了解人性，这是他的伟大处。

大学毕业后即以小说为生，文笔纯净，美国读者不了解，不爱读他，只有少数文学者爱他的才。爱默生就赏识他。

他说："我是美国文坛上最无名的。"说得倒也痛快。

然后写《红字》（*The Scarlet Letter*）。年四十六岁。一举成名，霍桑、出版商都吃惊。他说，这是一部"最没有阳光"的小说。只印五千份，印好后就拆了版。销光后，只得重排。

我说："这小说没有太阳光，却有月亮光。"

主角海丝特·白兰（Hester Prynne），丈夫外出，她与家乡一个少年恋爱生子。丈夫回家，知道了——衣服上有"奸妇"（Adulteress）的红字"A"，是她被判要终生戴着的。她始终不肯说出和谁通奸，自我放逐到荒地，苦干，为善，把孩子养大。她丈夫留在镇上工作。少年情人也在镇上，内心日益痛苦。白兰与他见面，说逃吧，他不肯，向公众承认，最后死在白兰臂上——他自己就是教士，受不了。

霍桑把宗教的不可见的道德力量，与情人间的心灵变化，写得非常紧张真实。许多人读后写信给霍桑，讲自己的诱惑、痛苦。

小说家不是上帝，上帝也不写小说。作家好像天然地有回答读者的任务，真可怕。

他可以说是美国文学史上第一个写悲剧的人。

可是第二部他写起神秘的东西，写奇谈怪论，写得好。

写古迹和神话，使美国文学也有了传奇。又写《奇迹书》(*A Wonder-Book for Girls and Boys*)、《林莽故事集》(*Tanglewood Tales*)，关于希腊神话。美国儿童接触希腊神话，得于霍桑的功劳。

他一部书一个样，每部书都成功，这是他的特点。

欧文、库珀、霍桑，都是生前成名，亲眼看到自己的声誉，生活也富裕。爱伦·坡却终生贫困，无名，才高于他们，却早夭。到他生诞百年，俄英欧各国都感谢坡的光辉照到了他们的文学。

埃德加·爱伦·坡 (Edgar Allan Poe, 1809—1849)。自学成才，在报馆打工。他洁身自好，很谨慎，对文学虔诚，不肯轻易下笔。世界文学史上记满潦倒贫困的文学家名字，他是少数伟大的名字之一。他穷，但深知自己的才华、伟大，他是真的贵族，高额头，一副苦脸，像猫头鹰，深沉。

出身艺人家庭，从小是孤儿，少年在英国受教育，二十岁发表诗。

他的主张、思想：纯艺术，纯诗，认为文学创作纯粹是主观思维的过程，小说要追求效果和气氛，反映现实是次要的。他的小说内容很颓废，但文学高度精炼。很怪诞，情调晦暗低沉，技巧醇熟，神秘色彩浓厚，形式精美。马拉美、波德莱尔都称他为精神上的领袖。现在很多文学理论都从他出。

世上有两位故意以侦探悬疑小说来探讨心理活动的，一是陀思妥耶夫斯基，一是爱伦·坡（比福尔摩斯的作者早得多，福尔摩斯的作者毕竟太通俗了）。

坡认为破案不重要，重要的是人在这情节中的心理性格变化。这在当时新极了，现在是普遍了。

作品《厄舍古屋的倒塌》（*The Fall of the House of Usher*）、《一桶酒的故事》（*The Cask of Amontillado*）、《红色死亡的假面舞会》（*The Masque of the Red Death*）。写变态心理，颓废，死亡心理。还写过《金甲虫》（*The Gold-Bug*）、《被盗的信件》（*The Purloined Letter*）。他是侦探小说的首创者。

论者谓他是梦幻的诗人，又非常理性，这二者并存，在文学史上少有。歌德等是二者兼而有之，而坡在这点特别尖锐化，特别现代。

我认为他不属于博大精深型，是梦幻神秘，又出之理性之笔，百年来无人超过他。

他是个文学强人，时代社会不喜欢他，他奋斗至死。我常说的"自我背景"，道德力量，他有，他死后的声誉总算弥补了他生前的厄运。

每年他的祭日，总有一个黑衣黑帽男人到他墓前持酒献花，十数年不断。

奇才有奇遇。

十九世纪前半美国小说家，除了欧文、库珀、霍桑、坡，还有一个女作家，当时比他们更轰动一时，作品《黑奴吁天录》（*Uncle Tom's Cabin*，又译《汤姆叔叔的小屋》）。她名叫斯托（Harriet Beecher Stowe，1811—1896）。托尔斯泰将这书列为"少数真正的艺术之一"，林肯称她"挑起解放黑奴一场大战"。

现在没人读了。不是艺术。托尔斯泰说了不算。

她用心良苦，值得尊敬。咱们人生上宽厚，艺术上势利。颠倒过来呢：人生上势利，艺术上宽厚。那完了！

后来出了好几位大作家和有才情的文人——马克·吐温、威廉·迪安·豪威尔斯、亨利·詹姆斯（中国也有，比如胡兰成。有才情的文人，张爱玲，女作家）。

马克·吐温（Mark Twain，1835—1910）是个深沉博大的美国人。豪威尔斯称他是美国文学的林肯。在美国作家中无人像他那样知识广博，熟知美国生活。他是西南人（中西部，南方），常住东部。由于做新闻记者，旅行过世界各地。这种职业最好。旅行后的通讯，出书《傻子的旅行》（*The Innocents Abroad*），也译作《海外的呆子》，我在"文革"时读。又有书《哈克贝里·费恩历险记》（*Adventures of Huckleberry Finn*），描写自然景色范围很广，趣味复杂，说是写给少年儿童看，其实可以给成人看。

以一个少年人看美国文化，说明美国没有文化。

大家比较熟悉的是《汤姆·索亚历险记》（*The Adventures of*

Tom Sawyer）。两书当时很流行，马克·吐温自认后者比前者好。我以为都不甚好。

《败坏了哈德莱堡的人》（*The Man That Corrupted Hadleyburg*），讲欺骗。又有《神秘的客人》（*Mysterious Stranger*），讽刺小说，有点像英国的斯威夫特，憎恶人类，狠狠讽刺。

豪威尔斯（William Dean Howells，1837—1920）是十九世纪后半叶美国文坛一代宗师。是他教导了马克·吐温，也奖掖了许多青年人。他的作品完整，完美，但平庸，缺乏气魄。他批评别人的书，有眼力，见解独到。

亨利·詹姆斯（Henry James，1843—1916）才是大作家。他除了自己生在美国，成年生活都在欧洲。他的知识只限于旅馆、博物馆、图书馆，却是个世界性作家。短篇小说著名。欧洲人都很敬重他。他多写生活在欧洲的美国人。

其余人略而不讲，除了欧·亨利（O. Henry，1862—1910）。短篇小说幽默滑稽，常能及人性秘密，构思奇特，结局出人意外，我也学过这种写法。一般认为他的作品诙谐，警辟，我还发现一个特点：他写得很秀美。这特点可贵。他像个大老粗，忽然来这么秀美一下。

我认为，前面这些作家都不算什么世界性大小说家。但有一个人，不得不拜倒他：赫尔曼·梅尔维尔（Herman Melville，

1819—1891）。他是大师级的。出身纽约，少丧父，家贫，做过职员、店员、水手、教师。水上生活对他的创作有决定性影响，许多小说写航海中的遭遇和人物。早期亦多写异国风土人情和对社会的见解。

直到他写出《白鲸》（*Moby Dick*），展开伟大壮丽的画面，有劲，阳刚——饭后两个好汉掰手腕，通宵不分上下，一批批公证人退走、休息，还不分上下，有劲啊！

很神秘，很有象征性。据说是捕鲸鱼的百科全书。还有杰克·伦敦，他和梅尔维尔是美国的大作家。

《白鲸》中的亚哈船长，所向无敌，遇到白鲸，不行了。回陆地后，想想算了，结婚了，婚礼夜，忽然想出海把白鲸宰了，凭他被白鲸咬剩的一条腿捕鲸，搏斗，后来人、鲸都死，白鲸身上插满标枪——白鲸之白，那是因为老了，发白了，象征性大！

他写时，并不当它是象征写的，这好。读来直接从生活来的，一点不概念，不是故意写的。

杰克·伦敦（Jack London，1876—1916），大家都知道，母亲是个女巫，从小很苦，成大名，最后自杀的。别墅被人烧掉，在旧金山发一小册子，遍请有才能的人食住，住到愿意离开的时候。

每天早饭后请人讲故事，晚上写出来。

《马丁·伊登》(*Martin Eden*)、《野性的呼唤》(*The Call of the Wild*)、《海狼》(*The Sea-Wolf*),好啊,伟大。

换换。美国的诗人。

革命时期,有一诗人叫弗瑞诺 (Philip Freneau,1752—1832),美国第一个诗人。作品有《印第安的坟墓》(*The Indian Burying Ground*)、《野生的忍冬》(*The Wild Honey Suckle*)。

第一个重要的诗人是布赖恩特 (William Cullen Bryant,1794—1878)。曾任纽约晚报编辑五十余年,一辈子做。是论文家,批评家,诗名最盛,技巧淳熟,风调清新,描写景物中寄托深思。曾翻译《奥德赛》。

诗人中,应推爱伦·坡为怪杰。诗集仅薄薄一本,即表现最优美的形式。最著名的诗是《乌鸦》(*The Raven*),暗示有力,富于色彩,刺激情绪,对法国象征主义特别有感应。以现代诗的成就讲,坡的成就未必太高,当时的象征、比喻,故意造作太多。

坡的散文、小说、评论,都充满诗意,这才是真正的诗人(李白写散文,苏东坡、欧阳修写散文,都诗意浓厚)。真正的诗人,在其他体裁上都是诗的。可见在文学中,诗毕竟是最高的形式。

美国最交运的诗人是朗费罗 (Henry Wadsworth Longfellow,1807—1882)。脾气和蔼,谦虚,甜甜的,凉凉的,我称他是"冰淇淋诗人"。曾封为桂冠诗人，我又要说了：是平民的桂冠诗人。美国的平民需要他。中国的贵族看不上他，钱锺书却研究他，钱锺书是这样的。

洛威尔（James Russell Lowell，1819—1891）。次要的，带过讲讲。自称受雪莱影响，歌颂自然，讽刺诗写得较好。

梅尔维尔、爱默生，也算诗人，都不重要。大诗人是惠特曼。

沃尔特·惠特曼（Walt Whitman，1819—1892）。代表作，也是全集：《草叶集》（Leaves of Grass）。中国有很好的译本，我曾很喜欢。散文诗（free verse），无旧诗的形式拘束，忽长忽短，充满诗意。歌自然，男人，女人，新兴的工业，等等。

又精美，又粗犷。十足是大地的，自我的，阳刚的。

我是先读尼采，再读惠特曼，好像高山峻岭上下来，到海中洗个痛快澡，好舒服。

他是非常人间的。当时美国正处于上升时期，初期工业时代是浪漫。他很穷，没人出他诗集。活着时无人承认他是大诗人——还是写，写得豪放："国家议会要开会，要我去参加，可我和一个青年约好，到时候，还是到海边去，和他躺在一条被单下。"

二十世纪初才声名大噪，现在又忘了他。

我认为惠特曼真的称得上是自然的儿子。许多人自称是自然的儿子，可他们自己多么不自然。《诗经》，自然的，唐宋诗词，不自然了。

他写的人体，美感，性感。

我同意他的意见：人体好就好在是肉。不必让肉体升华。所谓灵，是指思想，思想不必被肉体拖住。让思想归思想，肉体归肉体，这样生命才富丽。

并非惠特曼对我有影响——是我喜欢他。那些珠光宝气的桂冠诗人，我不喜欢。

他的诗读了令人神旺。

论文作家呢？爱默生（Ralph Waldo Emerson，1803—1882）。

我到美国买的第一本书，是爱默生。张爱玲译的。我喜欢这本书。

出身清教徒。自己不是牧师。"我爱耶稣。但叫我穿上黑袍去传道是不愿意的。"他说。

他不讲结构，说到哪里是哪里。但文句、思想，很可爱，很可贵。美国知识分子口中常常引他的句。

他非常会接受别人的思想，别人的警句美思，到他那儿即爱默生化了。谈话是没有结构的。他是个谈话的好手，常有可爱的句子，宝贵的思想。他说：

> 保持世界的力量在于一种道德良知的潜流。

梭罗（Henry David Thoreau，1817—1862）。是爱默生的朋友。爱默生有钱，梭罗穷，在爱默生家打工，爱默生尊敬他。读他写梭罗的传记，非常感动：他多么了解梭罗。在他笔下，梭罗是另外一种类型的自然之子。

> 一个死掉的孩子的鞋子，还要给他的弟弟穿，这个世界真悲哀。

这是梭罗的句子。

看他的相，还是一个知识分子。我喜欢最好是一身肌肉，可是坐在那儿写，全是知识。

一身好肉，里头是一颗黄金的心！

他有书《瓦尔登湖》（*Walden*），可以看的。他描写自然，同时写哲思。美国是不出哲学家的，但他倒真是认真在思想。他厌恶都市，到瓦尔登湖畔隐居两年，木屋，木梁，写此书，心很静。

> 迷路，先找路，找不到，不找了，任凭两只脚走，走回了家。

他写。

我到那湖看过，真失望。书是写得不错。

下次讲中国，回去看看。

本课笔记内页："他善棋，好鸦片。松江人，常住上海，在报馆做编辑，标准文人，妓院中的老客人，阅历丰富。"

十九世纪中国文学

一九九二年三月八日

从前的媒婆，不得了，我亲自见过……匆匆来去，走以后，空气都变了。打扮得干干净净，头发梳得一丝不乱，

从前考试，一定要考这。见功夫，很难，我曾有对句："钱塘有潮不闻声，雷峰无塔何题诗？"《燕山外史》，全以骈俪体写成。

我喜欢的一百零八将都给他弄死了。我很为万春太息。他笔力雄健，又善结构，为什么不去自己写小说题材，要去和《水浒》闹？可见才华不等于头脑——当然，头脑也不等于才华。

小时候吃过晚饭，佣人就在家里讲这些，讲到忘记时，"日行夜宿，日行夜宿……"但不肯翻书。翻书是坍台的。

所以我很怀念从前的民间社会，可惜不再来了。我也不过是享受到一点夕阳残照，那时年纪小，身在民间社会，不知福，现在追忆才恍然大悟，啊呀啊呀，那可不就是民间社会吗？

怎么会有一天在纽约与你们讲《七侠五义》？人生是很奇怪，没有一点好奇心是不行的。

十九世纪中国文学没有什么大天才。中国近代文学盛期，是在十八世纪，有《红楼梦》等等。十九世纪，是欧洲文学兴旺，但没有影响中国。西风还未东渐，也没有出大天才，不过文学的命脉总算没断。

戏曲，四个人有成就：黄燮清，周文泉，陈烺（灯光很亮很亮之意），余治。

黄燮清（1805—1864），字韵珊。著作《倚晴楼七种曲》。一，《茂陵弦》，写司马相如和卓文君的故事。茂陵，汉武帝陵，相如晚年居于此。二，《帝女花》，写明朝庄烈帝女长公主与周驸马的故事。三，《鹡鸰原》（鹡鸰，鸟名，《诗经》里有句"鹡鸰在原"，指兄弟友情），写曾友于故事。四，《凌波影》，写曹植遇到洛神事。五，《鸳鸯镜》，写谢玉清与李闲事。六，《桃谿雪》，写贞女吴绛雪事。七，《居官鉴》，写王文锡居官清正事。

其中，《茂陵弦》与《帝女花》写得最好。大抵雄伟气概不足，旖旎风韵有余。他是十九世纪中国剧坛的头牌。

周乐清（1785—1855），号文泉，曾任县官，出差上京，途中写成八种剧本，合称《补天石传奇》八种。一，《宴金台》，叙燕太子丹兴兵伐秦雪耻事。二，《定中原》，叙诸葛亮灭吴魏事。三，《河梁归》，叙李陵灭匈奴而归汉事。四，《琵琶语》，叙王昭君归汉事。五，《纫兰佩》，叙屈原复苏，用于楚怀王事。六，《碎金牌》，叙秦桧被诛，岳飞灭金事。七，《紞如鼓》，叙邓伯道复得子事。八，《波弋香》，叙苟奉倩夫妇终得偕老事（弋，指射飞禽）。

希腊悲剧是勇者的文学，中国这些东西是弱者的文学。大抵都是作者对历史事件和人物的空想，以虚构快人心，补偿历史的缺憾遗恨。以这种观点创作，决定了写不好的，近乎儿戏，反历史、反悲剧，使人更加软弱污浊。所谓"平反"，自古如此。"文革"后全国人民搞平反，争平反，大抵就是出于这种传统心态。

陈烺（1743—1827），作有《玉狮堂十种曲》，分前四种，后六种。前四种：一，《仙缘记》。二，《海虬记》。三，《蜀锦袍》。四，《燕子楼》。后六种：一，《同亭宴》。二，《回流记》。三，《海雪吟》。四，《负薪记》。五，《错姻缘》。六，《梅喜缘》。有多种是用《聊斋》故事写成剧本。以《燕子楼》最著名。

以上三人都是照明朝人的戏曲模式创作，成"昆曲"曲调。何谓昆曲？指以昆山的腔调唱出的戏曲。当时有北曲、南曲，一度南曲伴奏仅用弦索，唱北方的官腔。后改革者出，姓魏，加入笛、笙、琵琶等各种乐器。他活跃于昆山，昆山腔由他倡扬得名。他叫魏良辅。

京剧，西皮二黄，简称皮黄。

余治（1809—1874），以皮黄写剧，他在京剧史上很重要，是京剧的祖师辈人物。《庶几堂今乐》是皮黄世家少有的自己的剧本。原书近四十种，今传世二十八种，如《硃砂痣》等，今日还在上演。

再说小说。十九世纪虽说中国没出大小说家，但那时小说家倒是各有地盘，都写前人所未写。陈森写《品花宝鉴》，文康写《儿女英雄传》，韩邦庆写《海上花列传》。最有名是李汝珍的《镜花缘》，人物以女人为中心，比如写到媒婆。

从前的媒婆，不得了，我亲自见过……匆匆来去，走以后，空气都变了。打扮得干干净净，头发梳得一丝不乱。"烟是好久不抽了。"一会儿拿起一支烟了——"喔哟，忘了忘了！"

李汝珍、陈森、文康、韩邦庆，他们的好处，是都各垦各的处女地，不袭取前人一针一线。非常奇怪，很难分析原因。我猜他们其实并不自觉，而是当时环境、心情所使然。

比如，《镜花缘》写海外奇遇，《品花宝鉴》写戏剧界的同性恋，《儿女英雄传》写女侠客爱上公子，《海上花列传》写上海妓女。（略记当年梅兰芳的别名：畹华）

李汝珍（约1763—约1830），字松石。这人很怪，是个杂家。通音韵，懂看相、算命、风水、土遁（一秒钟内到上海）、星相等等。书法、棋道也有研究。如此聪明，不得志，晚年写小说，排遣寂寞，不久死，得年六十多岁。

一生的兴趣都放在《镜花缘》中了。一大段谈音韵，大段谈艺术，谈酒令、相术等等。历史背景放在初唐，时有徐敬业，讨伐武则天，败，将士散。有唐敖（书中主角）与徐有旧，唐妻弟林之洋，海外贩运，唐随行散闷求仙，路上遇到许多奇事。史料根据是《山海经》之类，加油添酱，成小说。唐敖后来上神山，成仙。再后来武则天开考招女状元，女杰又讨伐武则天等。

书不精粹，不一致，有深刻的讽刺，滑稽的描写。缺点是议论冗长，结构混乱，最差劲的是前半后半全然不呼应，前半诸才女文雅纤丽，后半忽然耍刀弄枪，破阵杀敌——荒唐。这是对小说的一般要求，不是求全责备，所以总归算不了艺术品。想象力倒蛮丰富的。

《儿女英雄传》写得较好，民间流传甚广。作者文康，道光初年至光绪初年在世。结构比《镜花缘》要缜密得多。写侠女何玉凤，假名十三妹，父被奸臣杀，要报仇，练成高强武艺，到处云游。在客栈遇安骥，美少年，有学问，被强盗困，十三妹救之。后来杀父奸臣为朝廷斩首，十三妹不必报仇，打算出家，为人劝阻，与安成婚。且有女张金凤，与安骥同落难者，由十三妹做媒，共成安骥金玉之妻。

完全是传奇，理想化，人物写得很生动。最好是"十三妹大闹能仁寺"，说书名段，妇孺皆知。缺点是宣传封建道德，优点是全靠北京话写，十分流利，仅次于《红楼梦》。

附带提一提《荡寇志》，作者俞万春（1794—1849）。他反

《水浒传》，专写一百零八位好汉的末路，非死即诛，情景凄怖，我看不下去，我喜欢的一百零八将都给他弄死了。我很为万春太息。他笔力雄健，又善结构，为什么不去自己写小说题材，要去和《水浒》闹？可见才华不等于头脑——当然，头脑也不等于才华。

这种小说，从前民间有的是，连男女佣人都知道，朗朗上口。

也要讲讲《燕山外史》，作者陈球（约1808年生，卒年不详）。他靠卖画为生，善写传奇，工骈俪（两马走，骈；两人并，俪。从前四六骈俪，"落霞与孤鹜齐飞，秋水共长天一色"是也。从前考试，一定要考这。见功夫，很难。我曾有对句："钱塘有潮不闻声，雷峰无塔何题诗？"）。《燕山外史》，全以骈俪体写成。

还有《平山冷燕》，作者不记得，也都是"才子佳人"小说，文字极工对仗，不免处处板涩，但影响了后来的鸳鸯蝴蝶派。

《品花宝鉴》，作者陈森（约1797—约1870），常州人，长住北京，熟于梨园内部情况。当时京城士大夫都是以狎伶为习，招来陪酒歌舞，直到清末才渐息。当时称男妓"相公"，原语是"像姑"，不雅，遂称"相公"。主角杜琴言，也同时是"女主角"。中国旧小说，仅此一部，写戏剧界中同性恋。我小时候偷看，莫名其妙，其中有伶人杜琴言者，我以为是女伶，其实是男子。后来看懂了，就失去兴趣了。

另一部《青楼梦》，作者俞达（？—1884），具名慕真山人。书成于光绪四年，也写妓女，可算妓女小说始祖。也可说是俞达的回忆录（光绪年间），专写妓院生活。

《海上花列传》写得高明，是写实主义的。中国近代小说，到了《海上花列传》，脱尽浮妄的旧习。当然，《金瓶梅》、《红楼梦》在前，按说不应该再落入"传奇"老套，但事实是，从《金瓶梅》、《红楼梦》到《海上花》的中间，又出了很多传奇。

作者韩邦庆（1856—1894），字子云，笔名"云间花也怜侬"（古文中"侬"指"我"，"云间"是松江旧名）。他擅棋，好鸦片。松江人，常住上海，在报馆做编辑，标准文人，是妓院中的老客人，阅历丰富。此书用上海方言，夹很多苏白，全国性推行困难。张爱玲非常喜欢，亲自翻译成国语。

结构不强，比较散漫，因是报人，为文多据社会新闻增加情节。好处是笔法生动，引人入胜，影响了几十年，一定要说怎样的文学价值，说不上。

讲到这些，发点感想：《品花宝鉴》、《海上花列传》，论题材，极好，作者又真实体验过来，才情也不错，就是达不到《红楼梦》的高度，因为作者是文人报人——奇怪的是，曹雪芹怎么有艺术家的自觉？

当时还流行《三侠五义》、《施公案》、《彭公案》等，讲述英雄好汉，写包公断奇案，破案要有警探。

《三侠五义》作者石玉昆，出了书，流行在1879年左右，一直流行到 1949 年解放。这一大读物，家喻户晓，后改成《七侠五义》。主角包拯，中国理想的清官，俗称包青天、包龙图。三侠是南侠展昭、北侠欧阳春、丁氏双侠丁兆兰与丁兆蕙。五义（五鼠）是指卢方、韩彰、徐庆、蒋平、白玉堂等人。这书结构完整，故事奇妙多变，文辞流利明白，比现在的警匪片、侦探片、武打片精彩得多了。

小时候吃过晚饭，佣人就在家里讲这些，讲到忘记时，"日行夜宿，日行夜宿……"但不肯翻书。翻书是坍台的。

所以我很怀念从前的民间社会，可惜不再来了。我也不过是享受到一点夕阳残照。那时年纪小，身在民间社会，不知福，现在追忆才恍然大悟，啊呀啊呀，那可不就是民间社会吗？

怎么会有一天在纽约给你们讲《七侠五义》？人生是很奇怪，没有一点好奇心是不行的。

《施公案》出在《三侠五义》之前，写得比较老实拙直，但当时也很流行，讲康熙时清官如何判案。"名臣断案，侠客锄奸"，这类书就是这八个字，最易吸引人。

很怀念从前的民间社会。

诗人在十九世纪很寂寞。不过，还是有精英分子——梅曾亮、张维屏、金和、黄遵宪、王闿运、龚自珍、何绍基、郑珍、莫友芝、李慈铭、曾国藩（曾，还有左宗棠，文章好极了）。

梅曾亮（1786—1856），字伯言，善古骈文，诗简练明白：

满意家书至，开缄又短章。

尚疑书纸背，反覆再端详。

没有什么大不了的，但他有他的意思（据说有个色鬼看到一裸女照片，将照片反过来）。

张维屏（1780—1859），字子树。有《听松庐诗钞》（他的诗，暂找不到，从略）。

龚自珍（1792—1841），号定盦。名句：

我劝天公重抖擞，不拘一格降人才。

才气纵横，磊落不群。当时一群年轻人非常喜欢他的诗。

黄金华发两飘萧，六九童心尚未消。

叱起海红帘底月，四厢花影怒于潮。

何绍基（1799—1873），字子贞。精于"小学"（语言文字之学，包括文字学、训诂学、音韵学）。诗崇拜苏东坡和黄山谷，有《东洲草堂诗钞》。

郑珍（1806—1864），字子尹。诗沉郁，严整，当时是大家：

前滩风雨来，后滩风雨过。

滩滩若长舌，我身为之唾。

曾国藩（1811—1872），字伯涵，号涤生，湘潭人。乡村起兵，平洪秀全得名。一代文人保护者。有《曾文正公诗集》。编过《十八家诗钞》。

金和（1818—1885），字弓叔。和郑珍并称两大家，诗风沉痛惨淡。

黄遵宪（1848—1905），字公度，广东人。有《人境庐诗草》。名句：

我手写我心，古岂能拘牵？

即今流俗语，我若登简编。

五千年后人，惊为古斑斓。

王闿运（1833—1916），字壬秋，湖南湘潭人。做过民国国史馆馆长。诗风直追魏晋。齐白石曾拜他为师。他日记中写：今日齐木匠来，文尚成章，诗学薛蟠体。

李慈铭（1830—1894），字㤅伯（㤅，气也，同声）。与王闿运同为骈文大家。

再讲散文。当时"古文派"是继承"桐城派"的余绪，曾国藩气派大，境界高，也不能脱尽桐城派。所谓桐城派，不过是文学上某一种文章作法。姚鼐（鼐，大到可以供牛住的鼎）为其理论完成者。他主张写文章简单整齐严格，反对华而不实，是清文学正宗，上来自韩愈文风，又溯宗诸子百家。桐城派传了两代。此后古文家受影响。

另有不属古文派（桐城）又不属骈文派的，有包世臣（龚自珍也算）、谭嗣同、俞樾（俞曲园，是俞振飞的族辈，所以俞很神气）。

谭嗣同有书《仁学》，为戊戌政变被害六君子之一，锐意振新，言论大胆，力主"改革开放"。

本课笔记内页："鲁迅没有担当这些，热心于枝枝节节，说得再好，还是枝枝节节。"

十九世纪日本文学

一九九二年三月二十二日

写景，要闲，要寂，要淡。我所写的短句早已超出规定，嬉笑怒骂都有，可谓俳句的异化，但我守住不出三句的规矩。

看日本，真是眼花缭乱，一目了然——或时而眼花缭乱，时而一目了然。

能创造影响的，是一个天才，能接受影响的，也是一个天才。"影响"是天才之间的事。你没有天才，就没有你的事。（笑：孩子几岁了？喜欢吃什么？爱吃就多吃点……歇着，别累了……慢慢会好的。）尽管受影响，几乎不用脱掉影响。

没有评论家，苦在哪里呢？是直到现在，不是谁好谁坏的问题，而是什么是好什么是不好的问题，都没有弄懂。

中国文学有一天要复兴，两种天才一定要出现——创作的天才，批评的天才。能不能兼？可以，但必须是天才。其实全世界都在等待。各国都缺少这样两种天才。

近代，十九到二十世纪，日本文学很兴旺。东亚，只有日本人得诺贝尔奖。好处是明治维新以后，确实是一浪高过一浪。

按说他们的文化历史，不过是唐家废墟；从中国移植过去的，弄成平假名、片假名，就是拿中文的正楷字和草书的一部分，作为日本字的"字母"。日本展览中的所谓"壳場"，即小卖部，将"卖"（賣）误成"壳"。

他们的明治维新比我们早，全面，彻底，又输给中国许多新名称、新字词——是文化的反弹，反弹的文化。无论家庭装束、园林艺术、道具器物，你一看，这不是中国的么？已经是"日本"的了。

自从平安朝后，日本文学转入平淡。平安朝，以平安京（京都）为都城的历史时代。接下来是镰仓朝、室町朝。这两朝文学命运掌握在武士和僧侣手中，要对武士歌功颂德，或宣扬佛家的避世，停滞在一个没落的阶段。冬去春来，到江户时代（1603—1867），日本文艺又兴旺了。

江户文学是全面复兴的，有和歌、俳句、小说、戏剧，纷纷兴起。歌坛（和歌）有香川景树（1768—1843）作为代表人物。俳坛有松尾芭蕉（1644—1694）——日本姓氏，指生于何处，或所居之处的特点，如田中、松尾、香川等，后二字自取。子，中文称男子，日本人称女子——小说，有井原西鹤、山东京传、曲亭马琴，戏曲有近松门左卫门。

支配江户时代文学的思想，是儒家的伦理学说。

松尾芭蕉，在日本到处可以看到他的俳句，也有诗。他的笔号桃青，是个旅行诗人。他的俳句是有闲寂的趣味。

俳句的规矩，是十七字组成一句短诗：第一句五字，第二句七字，第三句又是五字。公认是用来写景的。后来五字一句，也成俳，二句也成，三句也成，但不能有四句。

写景，要闲，要寂，要淡。我所写的短句早已超出规定，嬉笑怒骂都有，可谓俳句的异化，但我守住不出三句的规矩。

果然，再多，就失了俳风。下面是例子和我的翻译：

古池や蛙飛びこむ水の音

青蛙，跳进古池的声音

我译：古池，青蛙跳进，水之音

枯枝に烏のとまりたるや秋の暮

乌栖在枯枝上，秋色已暮了

我译：枯枝上栖着乌，秋已暮了

年暮ぬ笠きて草鞋はきながら

戴着斗笠，穿着草鞋，不知年之暮

我译：不知年之暮，斗笠，芒鞋

"青蛙，跳进古池的声音"这句，世界有名。

还有"十年后，那个咳嗽着回来的男人"，石川啄木（1886—1912）句。

芭蕉是俳句大师，学生很多，如榎本其角（1661—1707）、服部岚雪（1654—1709）、森川许六（1656—1715）。

江户文学的特点是平民文学的兴起，散文流行，民间喜爱的叙事性散文，写得像小说一样。

"浮世草纸"，即写实小说（"浮世"是佛家言，意为人生）。始创者井原西鹤（1642—1693），独具慧眼，知人心秘密、市井罪恶，作《好色一代男》，大受欢迎，乃作《二代男》、《三代男》、《好色一代女》、《男色大鉴》，后来遭官方禁止，改作武道和历史小说。他的思想特色是平民的、物质的、讥讽的、精细的、本能满足的。

井原西鹤之后，"草纸"的内容与形式渐变，封面表纸赤者称"赤本"，黑者称"黑本"，黄封面称"黄表纸"。"赤本"夹谈妖怪，"黑本"杂以实物录，"黄表纸"则讽刺、滑稽。

另有"读本"，以劝善惩恶为宗旨。"洒落本"，以花街柳巷为题材。"人情本"，比"洒落本"更专精于巷谈野语。

江户时代的最大特产，叫"净瑠璃"，创始者即近松门左卫门。"净瑠璃"，即诗剧。

近松门左卫门（1653—1725），写了一百多种，被比为日本的莎士比亚。他的诗剧分"时代物"（即历史剧）、"世话物"（即社会剧）、"心中物"（情死剧）、"折衷物"（有史，有社会，混合写）。因为写得多，有人以近松比拟莎士比亚。日本哪里出得了莎士比亚？

江户时代，小说、诗、戏剧都有很大进步。所谓江户，就是东京旧称，古代是武藏国的一部分。

看日本，真是眼花缭乱，一目了然——或时而眼花缭乱，时而一目了然。

接下来是明治、大正时代。所谓明治维新，是个持久的运动，始自明治朝。明治和大正时代是日本文学最进步的时期。日本从那时起可算真正有了自己的文学。

此时能继承江户文学，又能努力向外发展。芭蕉、西鹤、近松，都后继有人。

文学有两类：一是独自完成，但不影响别人。一是独自完成，却给予别人、后人影响，滋养后人的艺术。两类各有好处。莎士比亚，不断影响别人；屈原之后，成所谓骚体；塞尚自我完成，不知影响多少人；曹雪芹，也是一个源头，张爱玲学了一点点，就有滋味。

能创造影响的，是一个天才，能接受影响的，也是一个天才。"影响"是天才之间的事。你没有天才，就没有你的事。

（笑：孩子几岁了？喜欢吃什么？爱吃就多吃点……歇着，别累了……慢慢会好的……）

尽管受影响，几乎不用脱掉影响。

明治维新十年以前的文学小说，都是吃了前朝的残羹冷菜，好在命脉不断。看中国，断层不断，不止一次，是三次断层。

一是"五四"的文言与白话之争。文言转白话，是时代使然，但转得太急，两派都太意气用事，用吵架方式、革命方式，弄到"五四"以后，不懂古文了。

二是启蒙与抗日救亡的矛盾。西方影响正要继续进来，抗日救亡，就完全不顾文化教育。蔡元培终于也疲倦了。

三是革命和愚民。文学艺术在极权下成了丫头，一边歌功颂德，一边长期愚民。

这是中国近代的文化悲剧。现在中国有转机，出现不少小奇迹，希望有中奇迹、大奇迹。

明治时代以来文学进步的原因，大致如下：

一，日本朝野各界锐意改革。

二，欧美文化思潮入境。

三，民众生活积极进步。

四，日中战争，日俄战争，他们胜了。

736

五，人才频出。

上一阶段的江户末期文学，已颓废，山穷水尽，明治、大正时期是个不能不振作起来的新局，也可说是死里求生（我们中国现在也面临这样一个情况，"文革"末期，山穷水尽，不能不振作）。政治、经济、文化、教育，明治时期整体性地求改革，而且几乎全部西化、欧化。

日本当时接触西欧文化，也很肤浅。德川幕府时期，是从荷兰得知一点欧洲文化。明治以来，欧风美雨源源而来，衣、食、住、行，日本人都喜欢，都用。我们从日本电影上看到，他们学得蛮入流，有模有样（其实中国二三十年代，租界洋场上的人也是有模有样的）。

最初流进日本的，以英美文化为主，然后是法德的。明治文学的黎明期，有寝馈于英国文学的坪内逍遥（1859—1935），有对德国文学造诣很深的森鸥外（1862—1922），又有崇拜法兰西的中江兆民（1847—1901），倾倒于俄罗斯的长谷川辰之助（1864—1909，笔名二叶亭四迷），这样各有所宗，各唱各调。日本文学左右逢世界之源，就蓬勃发达了。

中国"五四"也是这样的好景观，人才更多于日本，翻译也很热闹，但经不起后来政治的一刀切，一篇讲话，什么都完。

文学家中有写小说的，写长诗的，写俳句的，写戏剧的，而各品类中之佼佼者，多达二三十人，可见阵容之大。尤其可贵的是出了十多位评论家！

"五四"以来，中国够分量的评论家一个也没有啊！出了一个战士，鲁迅先生，出了一个教育家，蔡元培先生。没有评论家，苦在哪里呢？是直到现在，不是谁好谁坏的问题，而是什么是好什么是不好的问题，都没有弄懂。

鲁迅没有担当这些，热心于枝枝节节，说得再好，还是枝枝节节。让鲁迅评论，他也担当不起来。丹麦的勃兰兑斯把近代欧洲文学统统读过，统统来写，写成《十九世纪文学之主潮》套书。鲁迅在文学上缺乏自己的理论，也缺乏世界性的艺术观。谈绘画，谈到木刻为止。对音乐，鲁迅从来不谈。

中国要文艺复兴，批评家一定要先出来，一个两个批评家不够的。中国文学有一天要复兴，两种天才一定要出现——创作的天才，批评的天才。

能不能兼？可以，但必须是天才。

其实全世界都在等待。各国都缺少这样两种天才。

明治文学进程分五个时期：

一，第一期前半是黑暗期。初，内乱频起，新与旧、保守与进步的斗争很激烈，大家顾不到创作。第一期后半是准备期，民众势力抬头，国乱稍平，翻译工作竞起，新思想成长。

二，日本近代文学的黎明期。坪内逍遥主张现实主义。理论研究成三派：砚友社，民友社，早稻田派。

三，文风转变期。由写实转为观念，日本的观念小说有点近乎象征和神秘主义，宜于知识分子读，不久又过时了，转为

738

社会小说和家庭小说。

四，转为自然主义。这个"自然"与法国的"自然主义"不同，是指不造作，听其自然，但也有像法国自然主义的注重细节描写的特点。此时，许多评论家出现。

五，新理想主义代替了自然主义，更丰富，更复杂。

从这历程来看，一步一个脚印。到第五期，艺术与社会的关系加强了，至此可分三派：

人道派，以武者小路实笃（1885—1976）为中心，出杂志《白桦》，又称白桦派。

享乐派，以永井荷风（1879—1959）为代表。

唯美派，以谷崎润一郎（1886—1965）为代表。

依习惯，都称这几位文学家名字的前两字。

还有许多作家跨越十九世纪到二十世纪，如芥川龙之介（1892—1927），我以为是最杰出的，这要到讲日本现代文学时再说——还有川端康成、三岛由纪夫——芥川是个真正全盘接受西方文化的人，中国没有这样的人。他到过中国，和清末文人接触过。

他的散文和短篇小说，写得极好，电影《罗生门》就根据他的两篇小说合并改编。他真正称得上世界公民。日本文学以芥川为最高，后他因严重的神经衰弱自杀。上述三者，都是自杀的。"人生真不如一行波德莱尔的诗。"即是他的句子。

以人最可爱，是芥川，以日本性格论，是三岛、川端，最成熟。

本课笔记内页："《道德经》，宜深读。《离骚》，宜浅读。《道德经》若浅读，就会讲谋略，老奸巨猾，深读，会炼成思想上的内家功夫。"

二十世纪初期世界文学

一九九二年四月五日

不要因为莎士比亚而不看易卜生，也不要因为易卜生忘了莎士比亚。永恒是长长的一连串现实，现实是短短的一小段永恒。应该放在什么位置上，谓之"精深"，在妥当的位置上放得很多，谓之"博大"。

世界上的书可分两大类，一类宜深读，一类宜浅读。宜浅读的书如果深读，那就已给它陷住了，控制了。尼采的书宜深读，你浅读，骄傲，自大狂，深读，读出一个自己来。

《道德经》若浅读，就会讲谋略，老奸巨猾，深读，会炼成思想上的内家功夫。《离骚》若深读，就爱国、殉情、殉国，浅读，则唯美，好得很。《韩非子》，也易浅读。

我也想写党的颂诗，可是一触这主题，才气马上横溢不出来。你看，这种题目一不许悲哀，二不许怀疑，三不许说俏皮话，四不许别出心裁……那完了。世界青年联欢节时，我也写过诗："我爱我的祖国，我也爱别人的祖国。"这就完了。

胡适当时在《新青年》上发表《文学改良刍议》，中国的新文化、新文学，才算一浪一浪过来。这样一个过程——从《官场现形记》到《人间词话》——没有渐变，一下子跳到新文学，中国的文学改革，先天不足，各方面不成熟，思想不渗透，文字也夹生。

本来计划讲到十九世纪，大家挽留，讲下去。

讲了三年了，把前面的古代、中古、近代讲下来，现在要讲到我们活着的世纪了。我总感慨，十九世纪的文学是个盛世，到十九世纪末，有世纪末之感。大家没有感受到这个。现在看，这是人类的自作多情。"世纪末"，是无法划清的。文学是千丝万缕的人文关系，不是世纪的转换斩得断的。

决定二十世纪特征的，是1914年的欧战和1917年的俄国革命。这是近代人性破裂的两大基因。欧战是欧洲自渎性的，自己难为自己。革命是一种被蹂躏的残害，对人性而言。这个观点说来话长，现在不讲，以后要写专文，论现代人性怎么被破坏的。

前几年讲古代，中世纪，近代，是分国家、挨秩序、经地域介绍过来的，以增听者常识——通俗地说，凡事当前，要有感觉、有观点；斯文地说，发挥艺术家的神、智、器、识。

据平时课余闲谈，知道大家和以往不同了。课未完，常识已多了不少，神闲不少，气定不少。

要改一改讲法：按题目，分流派讲。没有前面这些常识，不能这样讲。不按题分派讲，常识再多也没用，那么中途来听又不来听的人，是人一走，我这儿茶还未凉。

二十世纪文学巡礼，先讲英国。

除哈代、吉卜林，就要讲康拉德（Joseph Conrad, 1857—

1924）。康拉德极富原创性，作品整练有力。他是波兰人。父母早死，舅抚养大，所幸有好家庭教师，十七岁从马赛登船，从此二十年在海上生活。1886 年入英国籍。航海经历丰富。三十八岁开始发表第一部小说，小说名《阿尔马约的愚蠢》(*Almayer's Folly*)。1897 年出小说《纳希修斯的黑奴》(*The Nigger of the 'Narcissus'*)，序文中说出他对现代小说的见解。

初重形式句法，后期疏宕起来（放松了）。不含教训，不主张革命，纯以生动有力见长。写海，感觉整个海浮现在面前。初多写东方故事，后来有小说《诺士特洛摹》(*Nostromo*)，是他最成功的作品。故事复杂，人物众多，写成功失败，爱与恨，是近代生活的大观。又有《秘密委员》(*Secret Agent*)、《在西方眼光下》(*Under Western Eyes*)、《机会》(*Chance*) 等小说，都是欧洲生活描写。又写《得胜》(*Victory*)、《得救》(*The Rescue*)，据说《得救》最完美。

对自然界赞美，我以为还属有神论。

赫伯特·乔治·威尔斯 (H. G. Wells, 1866—1946)。出身布尔乔亚，谋生求学都做过大奋斗，从事过新闻业。1895 年首次发表他的传奇（《时间机器》，*The Time Machine*）。他的小说都是幻想的，现在看过时了。倒是他写的《世界史纲》(*The Outline of History*, 1920)，我读来兴味盎然，译本很好。

约翰·高尔斯华绥 (John Galsworthy, 1867—1933)。一般都知道他是小说家，其实他的戏剧更能代表他。他是很有主见的人。著作有《法利西岛》（*The Island Pharisees*）、《村屋》（*The Country House*）。

柯南·道尔（Arthur Conan Doyle，1859—1930）。《福尔摩斯》，大家都知道。不能算文学家的，但名气太大了。

萧伯纳（George Bernard Shaw，1856—1950）。戏剧家、评论家，又是个热心的社会主义者。为人富于机智，才思纵横。创作《华伦夫人的职业》（*Mrs. Warren's Profession*）、《坎迪达》（*Candida*）、《武器与人》（*Arms and the Man*）。1925 年获诺贝尔奖。

他说自己是个典型的爱尔兰人，是"生来的孤儿"（指精神和心灵）。赞美他的人，说他每一句都是原创的，反对他的人，也承认他的才能。

当年随母亲到伦敦，先在电话公司干。后写作，也参加过革命工作，到海德公园演说，起劲读马克思。

说来抱歉，我一听到萧伯纳就不佩服（正如我一上来就讨厌甘地）。很简单：既是思想家，何必去找马？不是我有慧眼，而是诚实地看事情。宗教、自然，只要诚实地去看，都好。

明于析物力，陋于知人心，这是马克思理论的要害。

这些人（萧伯纳）不论才华如何高超，口才如何雄辩（不论道德理想如何高超），我不取。

萧伯纳、高尔斯华绥等，都是批判社会的，文学上受了易卜生的影响。如何定位？

不要因为莎士比亚而不看易卜生，也不要因为易卜生忘了莎士比亚。永恒是长长的一连串现实，现实是短短的一小段永恒。应该放在什么位置上，谓之"精深"，在妥当的位置上放得很多，谓之"博大"。

美国文学。

杰克·伦敦（Jack London，1876—1916）。上次讲过，要补充。这位天才，真的凭直觉，达到极高的知识水准，很可贵。他是十足用肌肉来思想——他是既崇拜尼采，又崇拜马克思。要平衡尼采和马克思，这人只有死。

美国人对杰克已经很淡漠。这是悲哀的。我为他不平。美国人忘了杰克，德国人忘了雷马克（Erich Maria Remarque）。

我特别推崇他的《海狼》、《野性的呼唤》。写得很好，很壮烈。阳刚的美，可望不可即。艺术家是飞蛾，扑向美的火，烧死。托马斯·曼的《威尼斯之死》，是阴柔的。杰克的是阳刚的。

为了避开伤感，我放弃了好多题材。

辛克莱·刘易斯（Sinclair Lewis，1885—1951）。老写平凡的所谓"邻家故事"，开一代风气。美国是西方第一个主张平民化的。美国的富翁也平民气十足。好莱坞的广义，也是平民式的。

法国文学。

当时特别有名的是罗曼·罗兰（Romain Rolland, 1866—1944）。他无疑是个热心正派的绅士，我少时受他的影响，如果今天还受他影响，我一事无成。一，罗兰将艺术、艺术家极度概念化。二，他的道德力量是极度迂腐的。

世界上的书可分两大类，一类宜深读，一类宜浅读。

宜浅读的书如果深读，那就已给它陷住了，控制了。尼采的书宜深读，你浅读，骄傲，自大狂，深读，读出一个自己来。罗兰的书宜浅读，你若深读，即迷失在伟大的空想中。

帕斯卡谈到蒙田，还说蒙田谈到自己太多了。

罗兰的所谓轰轰烈烈，其实就是婆婆妈妈。理想主义，其实是一种伤感情调。

法兰西忘掉了《约翰·克里斯朵夫》。罗兰的理想主义，是英雄主义。英雄主义自卡莱尔来，但罗兰的英雄主义是迂腐的、无用的。

傅雷的英雄主义，第一个回合就不战了，倒下去了。这里是对事不对人，他死，毕竟是勇气。

《道德经》，宜深读。《离骚》，宜浅读。《道德经》若浅读，就会讲谋略，老奸巨猾，深读，会炼成思想上的内家功夫。

《离骚》若深读，就爱国、殉情、殉国，浅读，则唯美，好得很。

《韩非子》，也宜浅读。

此时法国出了个柏格森（Henri Bergson，1859—1941）。出身犹太家庭，以《时间和自由意志论》（*Time and Free Will*）出名。他的哲学，简单说，就是直觉哲学、生命哲学、创造哲学。意思是从时间的本质上，打破心与物的二元论，建立一元的形而上学。今天不细讲。这种学说，正符合青年们的心理需要，分清物与心的界限，活力至上。

在欧战前成名的法国大作家还有很多，如克洛岱尔（Paul Claudel，1868—1955），为中国熟知。他在上海、福建做过外交官。欧战发生后，许多作家狂热从军（战后统计，九百多位作家死于战事），只有少数人冷静、自守。

战前，立体派诗人很活跃（从绘画的立体派过来），有阿波利奈尔（Guillaume Apollinaire）、雅各布（Max Jacob）、萨尔蒙（André Salmon）。

他们是立体派中坚，他们有他们的道理：过去的艺术是模仿，现在要创造。阿波利奈尔有名言：当人要模仿步行时，创造了车轮，而车轮不是一条腿。超现实主义是这样出现的。

这固然是高明的诡辩，但我要和他吵：向来的艺术，并非真是只在模拟，他们也超写实，是隐的超写实，现在不过是显的超写实。因为纯粹的写实从来没有成为艺术。

他是出奇兵，我要正规军，大军压境。

我以为，未来派是立体派与达达派之间的介体。未来派主将马里内蒂（Filippo Tommaso Marinetti），主张以机械代替恋爱。我也不反驳，只要问：马里内蒂先生，你自己做得到吗？

立体、未来、达达，这三派势力实在不小。

德国文学。

苏德尔曼（Hermann Sudermann）、豪普特曼（Gerhart Hauptmann）是老作家。新作家有恩斯特（Paul Ernst）、威特金特（Weidkind），他们主张新古典主义。凯泽、哈森克里夫（Walter Hasenclever）他们提倡表现主义。

表现主义始自德国，文学、绘画，都有影响。文学宣言说："我们人的精神，不但是吸收印象，这种精神反映这微妙的自然，要融化外在印象，以自我表达之。"

凯泽（Georg Kaiser，1878—1945），写过《加莱的义民》（*Die Bürger von Calais*），罗丹有同名雕塑。英法交战，法军败，为英军包围。忽来使者，只要加莱城出六人死，可大赦全城市民。加莱市开参议会，一军官认为可耻，对英法皆可耻，号召大家宁死不受此辱。另一参议员艾斯太修（Eustache）主张接受，自愿成六死者之一，保全全城。大家感动，另有六人报名，共七人。艾斯太修说，明天到广场集合，最后来的人就不必去了。翌晨，六人早到广场，唯艾斯太修未到。不久，人抬其尸而来，终见艾斯太修必死的决心。英王感动，又适得太子，不杀六人，大赦全城。艾斯太修永远为法人、英人尊敬纪念。

俄国文学。

1917年后，俄文坛完全改样。老作家或停笔，或流亡。新作家汹涌而来：赫列勃尼科夫（Velimir Khlebnikov）、马雅可夫斯基（Vladimir Mayakovsky）。马雅可夫斯基十三四岁入党，才气横溢。后来为保全党的颜面，装成失恋而自杀。他的形象、天才，是一流，可是没有艺术品。

我也想写党的颂诗，可是一触这主题，才气马上横溢不出来。你看，这种题目一不许悲哀，二不许怀疑，三不许说俏皮话，四不许别出心裁……那完了。世界青年联欢节时，我也写过诗：

"我爱我的祖国，我也爱别人的祖国。"

这就完了。

大革命前后的散文，都受莱美沙夫（Aleksey Remizov）影响。小说到战后才渐渐恢复。皮涅克（Boris Pilnyak, 1894—1938）是当时最受欢迎的作家，有小说《赤裸之年》(*The Naked Year*)，短篇也很好。还有巴别尔（Isaak Babel, 1894—1940），是革命后小说家中最成功的，初写几百字的极短篇小说，但其中有刺人的力量。

意大利文学。

二十世纪初是邓南遮（Gabriele d'Annunzio, 1863—1938）

的天下，但帕皮尼（Giovanni Papini，1881—1956）写过《耶稣传》（*Storia di Cristo*），震动全欧。他的心态很勇敢，不信传统的偶像，以人的角度写耶稣。中国曾有好译本，读时如面真的耶稣。

帕皮尼是高贵纯洁的绝望者，贫苦孤独，作品温厚细腻，摸下去，才知他的底牌——他最爱尼采。他爱尼采，又写耶稣。

大美学家克罗齐（Benedetto Croce，1866—1952），代表作《美学原理》（*Breviario di estetica*），影响了欧洲批评界。

西班牙文学。

伊巴涅斯（Vicente Blasco Ibáñez，1867—1928）。有中文译本《启示录四骑士》（*Los cuatro jinetes del apocalipsis*），《血与沙》（*Sangre y arena*），写斗牛士。

贝纳文特（Jacinto Benavente，1866—1954）。先学法律，后写小说，抒情诗，又写戏剧，和易卜生、萧伯纳是一路的，对西班牙社会痛加讽刺。

下面通盘带一带——

犹太文坛也很有起色。多以意第绪文（Yiddish）写。我只想谈宾斯基（David Pinski，1872—1959）。大戏剧家，思想近于安德烈耶夫，非常绝望。

匈牙利文学。摩尔（Mór Jókai，1825—1904），小说家，被

称为匈牙利的司各特。

当时裴多菲（Sándor Petőfi，1823—1849）是个民众景仰的英雄，在战场上失踪，不知所终。中国有一位孙用翻译过他的诗集，优美，天然流露。

保加利亚文学。伐佐夫（Ivan Vazov，1850—1921）。人称，由于伐佐夫，世界文学不得不向保加利亚看一看。

最后谈到中国。二十世纪初期的中国还是很落后。相对世界文学可提的，只有一李宝嘉（1867—1906）写的《官场现形记》、《文明小史》，还不懂小说写法，结构松散，尚能表现真实，倾动一时。吴沃尧（1866—1910），写《二十年目睹之怪现状》，也是揭发时弊。

他们是欧洲大文豪的同代人，还晚于他们。

还有《老残游记》，作者刘鹗（1857—1909）。《孽海花》，作者曾朴（1872—1935），字孟朴，别号东亚病夫（从前别号很多而怪：天虚我生、不肖生、半老书生等）。《老残游记》写江湖医生老残的经历，文笔不错，可你说它是文学，又不像。《孽海花》作者很有学问，通一点西洋文艺，译过法国小说《肉与死》。

西风慢慢吹过来，吹到曾孟朴，有点感觉。

当时无人写戏曲，研究戏曲的人却很多。王国维写过《曲录》，吴梅（1884—1939）写有《顾曲麈谈》（麈，音主，意指大鹿的尾巴，状如拂尘；鹿行，追随前鹿之大尾）、《词余讲义》。

王国维（1877—1927），字静安，浙江海宁人，可算是二十世纪初唯一的中国批评家。他已读过叔本华、尼采，他的《人间词话》，可以读读。他是第一个发现《红楼梦》是悲观主义的。中肯的。

其他词人、诗人，也有一大批，多被人忘了。诗人，有郑孝胥、陈三立、陈衍、沈曾植，都是崇宋诗的。词人，有朱祖谋、况周颐、冯煦、曹元忠、王国维。

翻译家，有林纾（1852—1924）、严复（1854—1921）。林纾，有功是有功，译文不知所云。他是听人念，然后组成中文。

提倡新学，有康有为（1858—1927）、梁启超（1873—1929）、章炳麟（1869—1936，号太炎）。章说是提倡新学，但不翻译，他是大国学家。

胡适（1891—1962）当时在《新青年》上发表《文学改良刍议》，中国的新文化、新文学，才算一浪一浪过来。

这样一个过程——从《官场现形记》到《人间词话》——没有渐变，一下子跳到新文学，中国的文学改革，先天不足，各方面不成熟，思想不渗透，文字也夹生。

李宝嘉，根本不懂西方文化。孟朴、王国维，稍知表皮。康、梁是实用的，借西方改革中国政治，并非真的要西化。章太炎的最高理想，是用道家的方法论解释佛家的目的论，这境界，他以为高得不能再高了。他对外国牌香烟嗜之若命，西方哲学，他不理睬的。

中国现代文学之所以弄不好，实在是先天不足，再加上后天失调。

"五四"，劲是足的，生命力是强的。抗战后，就没有文艺了。再往后，文艺忘了本。1949年后，歌功颂德，反右，反胡风，"五四"一点元气，完全斫伤。近十年，恶补了一阵，对西方现代文艺，生吞活剥。

这都是后天失调。港台自由，文艺也乏善可陈。不全是政治问题，总之先天失调，这是中国国运。

讲讲苏曼殊（1884—1918）。

《题拜伦集》

秋风海上已黄昏，独向遗篇吊拜伦。

词客飘蓬君与我，可能异域为招魂。

《本事诗·乌舍凌波肌似雪》

春雨楼头尺八箫，何时归看浙江潮？

芒鞋破钵无人识，踏过樱花第几桥？

《東法忍》

来醉金茎露，胭脂画牡丹。
落花深一尺，不用带蒲团。

结论——没有结论的结论——既然这是国运，可能会否极泰来。我看不到了。你们也许看得到。昨夜我想到陆游二句：

王师北定中原日，家祭无忘告乃翁。

等你们告诉我。我们以后回国，是绝望者的播种。

在纽约，木心从古董市选来各种镜框，亲手用颜料涂饰做旧，乐此不疲，然后嵌入文学家肖像，放在他的书房里。图为陀思妥耶夫斯基像。

木心书房里的尼采像。

木心书房里的托尔斯泰像。

左页上图：伍尔芙夫人。下左：波德莱尔。下右：莎士比亚。本页上图：普希金羽毛笔自画像。下图：晚年纪德。

民国版书影。那时瓦莱里译作梵乐希，契诃夫译为柴霍甫。

民国版书影。上图是郑振铎《文学大纲》内页。下左为国人编写的《雪莱生活》。下右为马宗融译屠格涅夫《春潮》。

这条小小的窗棂，是木心故家唯一的遗物，七八十年前，一个乌镇的男孩在家里开始阅读文学，想象世界。1995年秋，我私访乌镇东栅财神湾孙家花园，在废弃的旧居窗格掰下这段朽木，带回纽约，交给木心。此后，直到他逝世，这段窗檽就放在他的书桌上。

第五十九讲

二十世纪现代派文学

一九九二年四月十九日

是佛家思想的欧化——而且说了一半。他讲的是佛家讲的"人间苦",另一半,清静、超脱,叔本华不讲,讲下去,就成宗教。他的哲学,不讲救世一套。

都不要相信哪个哲学家讲出了终极真理。人就怕去求真理——找到了,就已经不是真理了。

他说理智不能认识世界,我看直觉也不能认识世界。或者说,理智认识理智的部分,直觉认识直觉的部分。

讲到现在,是个关头。我们面对现代,有所为,"为"什么?有所不为,"不为"什么?我自己还没有创作出什么,我的文学,身处死地,但我不甘心,还是要求生。诸位来听课,应该说,也是为了求生。

艺术家唯一可靠的是直觉。可是莫扎特的直觉,只有莫扎特有。

附带说说:中国有没有现代派和后现代派?有,但等于没有。都是浅尝者。最有功的是翻译。李广田、卞之琳、盛澄华,译笔都好极。

菜吃到这里，跟我们特别有关系了。

中国有译名，称"先锋派"。讲清楚：现代派、先锋派，不是单一的流派，是许多反传统文学的种种流派的总称。

当十九世纪快结束时，世界各国知识分子对现实都不满，精神苦闷、消沉、悲哀，所谓世纪末的悲哀。中老年知识分子退回内心，守住自我（最后一块阵地），通称个人主义。年青知识分子喜欢标新立异，倾向"安那其主义"（Anarchism，即无政府主义）。巴金、许杰，在当时都属这一类。

无政府主义——主张回到最原始的状态，无政府、无军队，单凭道德良心生活——行不通的。他们有的就暗杀政府人员（推到早一点，老子、庄子，无政府主义）。

现代派文学是在这样的时代特征下产生的。

最早出现的流派，即上次讲过的象征主义。波德莱尔的《恶之花》被称为象征主义的奠基石。他本人不这么想，是后人评价的。

第一次世界大战（正确讲是"欧战"）发生前后，直到二十世纪二十年代，各种派别先后出现，形成高潮，有后象征主义、超现实主义、意识流小说、未来主义等等。

一批有世界性影响的作家：爱尔兰的乔伊斯（James Joyce）、奥地利的卡夫卡（Franz Kafka）、法国的普鲁斯特（Marcel Proust）、比利时的梅特林克（Maurice Maeterlinck）。诗人有英国的叶慈（W. B. Yeats）、艾略特（T. S. Eliot），意大利的庞德（Ezra Pound）。

到了三四十年代，因为反法西斯，文学又出现转入现实主义的流派。苏联、西欧，都出了许多小说家，有的入党，有的放弃个人主义。

但那时的现代派文学，在第二次世界大战前后，暂时沉寂。法国阿拉贡（Louis Aragon），美国法斯特（Howard Fast），都加入共产党，罗兰、纪德，也亲共。

二战后，悲观气息又起，存在主义应运而生。

存在主义风行一时后，现代文学再度风起云涌，可称后现代文学。有萨特、加缪（Albert Camus）代表法国存在主义，是存在主义的创始人和主将。

以法国的尤奈斯库（Eugène Ionesco）、爱尔兰的贝克特（Samuel Beckett）、美国的阿尔比（Edward Albee）代表荒诞派戏剧，法国的罗布－格里耶（Alain Robbe-Grillet）代表新小说派，海勒（Joseph Heller）、冯尼戈特（Kurt Vonnegut）代表美国黑色幽默派，奥斯本（John Osborne）代表美国"愤怒的一代"（Angry Young Men）。

他们大都和存在主义哲学有关联，艺术上各有标榜，各有特色。

现代派在思想内容上有何特点？鼓吹非理性主义。

什么是理性主义？从苏格拉底到启蒙运动，到十九世纪末，很长一条理性主义道路，后有直觉主义起来对抗。

这一来，和传统文学大大不同了。欧洲从希腊、文艺复兴到十九世纪，都是提倡理性，多是现实主义的。现代派反这个东西。

二战前，现代派文学受的是叔本华、尼采、柏格森哲学影响。二战后现代派文学，受的是存在主义哲学影响。

我一直讲存在主义并无新意，是大战后青年人没有心思去细读叔本华、尼采、柏格森的原典，存在主义是前三者思想的通俗化、平民化，抄近路，正好合了战后青年的胃口。

咱们还是谈谈存在主义老祖宗：叔本华、尼采、柏格森三人的哲学。

叔本华（Schopenhauer），认为生存意志（或称生命意志、生活意志）是万物之源，理性是管不住的，宇宙意志，即人的意志，就是我的意志，世界就是"我的意志"。意志，是不尽的欲望，厌倦，欲望没有尽头，人的一生充满痛苦。

是佛家思想的欧化——而且说了一半。他讲的是佛家讲的"人间苦"，另一半，清静、超脱，叔本华不讲，讲下去，就成宗教。他的哲学，不讲救世一套。

不能不承认，叔本华哲学讲清了一个东西。

柏格森（Bergson）认为，生命的冲动是宇宙万物的主宰。

物种形成进化是这种冲动的派生物。理性无法了解这世界，科学知识是理智的概念，人造的符号，不能翻译宇宙本质，只有凭直觉达到主体客体无差别的境界。

这对所有现代艺术起了深刻广大的影响。

要注意，都是反对古代的论调。都不要相信哪个哲学家讲出了终极真理。人就怕去求真理——找到了，就已经不是真理了。

尼采（Nietzsche），早期是叔本华的信徒。后来反对叔本华，悟到叔本华的生命意志不符他的想法——权力意志。

由此产生超人哲学——人从猴变，已看不起猴。现在人不行，就要超人。他认为要超人、强人来统治这个世界上的弱者、平民。可谁是超人？强人？法西斯利用他，他知道了，不会喜欢法西斯的。

他提出"艺术就是艺术"（这接近真理）。此前，艺术被说成各种东西。他又说："艺术高于一切。"这又说得好。

是很大的一刀砍下来。

以艺术的原理来看这个世界，你想，如果世界像交响乐一样，多好！其实冥冥之中，艺术一直在保护人类——如果这世界没有这艺术，能想象吗？

还有一个人不能忘掉：弗洛伊德（Freud）。他的"潜意识说"，对艺术有莫大的影响。是艺术家内在的潜意识的外化。以性解释一切。

接下去就是存在主义。他们宣称：先有主观意识，再有客观存在。认为世界是荒谬的，人生是痛苦的，我反抗，故我存在。福楼拜说：唯心、唯物，都是出言不逊。

影响现代艺术的四位大哲学家。两位是贵族性的：叔本华和尼采。他们影响的人，在二十世纪寥寥可数，但都是大师级的艺术家，数得着的，都是位置最高的。

两位是平民性的：柏格森和弗洛伊德。深得人心，影响广泛。

叔本华没有原创性，是佛教的欧化，尼采是贵族中的贵族，可以好好研究下去。

柏格森是现代野蛮人。弗洛伊德的影响，在二十世纪是全方位的（包括各种色情业）。论影响，弗洛伊德最大，尼采最小——应该是这样，也是我们这个世纪的悲哀。

现代派文学的思想来源表过了，其文学特征：

一，强调表现自我，不重视环境描写，把个人内心活动作为写作的重心。人的情绪、联想、幻觉这些微妙变化，是现代派作者的拿手戏。人的异化，人的非人，是他们感兴趣的。是寻找自我的文学。

英雄，伟人，不见了。人物都是卑零的、微末的、畸形的、游离于社会之外的陌生人。

我从前也写这些小人物，我的感觉是这些小人物身上还有点人味，写英雄伟人，太肉麻。

二，以前传统的写实主义，典型环境典型人物这套把戏被抛弃了。现代文学的人物都是模糊的，形象支离破碎的。也有书做成活页的、不装订的，可以随看。

我认为好多现代派作品是滥用自由。没有一种技法是必然成功的。

三，象征手法。表现派、荒诞派作家也都用象征手法。以直觉、感应、偏爱来运用象征手法。以具体形象表现抽象概念，物质形象表达微妙幽谧的思想感情。现代派的用感觉表达思想，是认为思想可以还原为感觉，是柏格森那里来的。

他们反对"典型说"的现实主义，又反对浪漫主义直接表达感情。这种说法，是可以赞成的。

还有所谓"意象主义"，可成一派。但和象征主义有分不开的关系。

四，意识流。这是现代派作家普遍采用的。这意识流，可以说完全是新的，适合表达主观的内心世界，又开发了潜意识的结构和深度。

我用意识流的方法写散文——意识流小说已经给人写得很成功了。第一个用，用得最成功的，是普鲁斯特——序言写得非常成功，但序就是散文。

五，荒诞。也是手段、方法，把现实事物夸大到极度怪异、不可能。可说是大规模的漫画，是处心积虑的幽默。

六十年代我曾写过一个剧本：一男一女结婚，亲友送许多家具，婚后，又总是拣便宜的家具买进。三幕之后，台上全是家具，丈夫回家，门口叫一声，妻子从台角曲曲折折绕转弯身好半天才能投入丈夫的怀抱。最后一幕，把所有家具都卖了，剩一棵圣诞树。

以上，大致五种，还不全面。

接下去讲"后现代派"。

二次大战后，欧洲人的精神、灵魂，处处是废墟、创伤，感到前途渺茫，情绪低沉。听说德国大学生战前好读尼采，战后好读老子——老子毕竟挠不到德国青年的痒，存在主义乘虚而起。

认为自我的存在，才存在，自我高于一切。群众是愚蠢的。最大的恐惧就是死亡——人存在，就是等待死亡。爱尔兰作家贝克特（Samuel Beckett）的剧作《啊，美好的日子》，开幕时一个老妇在台上，半截身子已埋在黄土中，但仍然按照习惯，每天梳头、洗脸、刷牙，嘴里说："啊，美好的日子。"

黑色幽默揭露黑暗、愤怒，但又知道没有希望。

我们现在所处的时间、地点，是非常有幸的：现代过去了，后现代乏了——我们到了痛定思痛、闹定思闹的时候。我们的立足点不是痛，不是闹，而是"思"。

叔本华的"人生无常，欲望不能满足"，没有多大新意。古印度、波斯、中国的诗文，早已讲得透彻，而且东方人以自己的方式得到快乐。欲望固然是野马，而高超的骑手，驰骋如意。叔本华本人就很长寿。

尼采高超，不可估量，今天还有余地——但毕竟还是常识。别人没有这点常识，所以他高超：光凭关于"艺术"这两句话。不过这两句话，在我看来是"粗话"，不必对粗人说的。尼采是入世的，所以他疯狂。庄子佯狂，但他是出世的。佯狂是为自保，尼采不知自保。

他真正的伟大，是"一切重新估价"。

他观察、思辨的博大精深，无人可比。可是人不知他的真相。他总是从最原始的角度来看世界，想世界。

二十世纪不配受尼采影响。以后的世纪，恐怕也不会受他影响。但是总有这么一个两个艺术家，飞得很高，毕生实践"艺术高于一切"。

柏格森所谓"生命冲动"是宇宙万物的主宰，词义上是错误的。宇宙是无机物构成的，其中只有极少极少一部分有机物是含生命的，才扯得上"冲动"。这样，柏格森的理论效应就缩得很小很小了。

他说理智不能认识世界，我看直觉也不能认识世界。或者说，理智认识理智的部分，直觉认识直觉的部分。

世界是可以形容的吗？物质、生命，这是人在说。

人能创造、能应用的，只限于符号，除了我们才懂得的一些符号，我们什么也没有。科学的符号不能反映世界本质，哲学符号、艺术符号，能反映世界的本质吗？

直觉也不能反映世界——但直觉创造艺术。

音乐全靠直觉，可以使所谓主客体达到无差别的境界。

他对现代艺术影响是大。但没有柏格森，现代艺术也会这样的。在柏格森之前，艺术家凭生命冲动凭神秘直觉已经工作了几千年了。他的生命冲动说，是哲学的"马后炮"。

生命冲动说相对于宇宙，是以极小的"卵"击极大的"石"。

但艺术家唯一可靠的是直觉。可是莫扎特的直觉，只有莫扎特有。

弗洛伊德对大家都有好处，对心理学、医学、文学、娱乐圈有好处，对警察局破案，也有好处。他的性学说，以偏概全，又要解释一切。只这么一说，好；说一切，不好。

（休息。聊到占卜、求签、算命，惜未记）

后现代来势汹汹。我是规规矩矩思想门第出身——从希腊一路过来——十五六岁时初听到现代派，心里吃慌，但紧跟着，后现代来了（我们知道时，在西方都是过时了的）。

整个世界文学史，是一浪推一浪，浪漫反古典，现实反浪漫，但那时比较客气，你中有我，我中有你。歌德，古典、浪漫都有。现代派，是大反特反，离谱，破坏作用很大。

世纪末，现代派已经破灭。再反下去，要么置之死地而后生，要么永劫不复。

讲到现在，是个关头。我们面对现代，有所为，"为"什么？有所不为，"不为"什么？

我自己还没有创作出什么，我的文学，身处死地，但我不甘心，还是要求生。诸位来听课，应该说，也是为了求生。

我们处的时代其实非常好——四十多年和平，冷战结束，共产破产。当然，做人最好是十九世纪，既然生在二十世纪，还是八九十年代最好。

我要是活在二十世纪三十年代，不好。至少驳不倒唯物辩证法，会和鲁迅先生吵，不会像现在这样看得穿。

当时尘埃没有落定。八九十年代，可以窗明几净，坐下来说，坐下来写。

波德莱尔说：现在是沉醉的时候。我说：现在是思想的时候。

"现代派"是哪一天诞生的？半世纪来评家争论不休。

以庞德观点，凡二十世纪以后，都算现代。

威尔逊（Edmund Wilson），把 1870 年定为现代派的诞生。

美国批评家康诺里，认为是十九世纪八十年代。

裴德尔认为合理的时代是始自 1900 年。

也有比较诗意的说法，是说堂吉诃德骑着瘦马出来时，"现代"开始了。

我以为意思不大。文学不是战争，没有开战日。

勃兰兑斯说应算始于1890年，我以为比较中肯。波德莱尔《恶之花》发表，是1857年（以上是讲现代派的初生）。

也有关于现代派的下限：

美国有说1970年，现代派文学终结了。而克洛德·西蒙1985年得诺贝尔奖后，法国又搞起新小说派来，还没有完。拉美的马奎斯（大陆译马尔克斯）1982年得诺贝尔奖。

我看这下限未可预知，还能有一百年余波。

现代派已有大成者：普鲁斯特、乔伊斯、伍尔芙夫人。

我内心的口号是：不做大成者，要做先驱者。一入流派，就不足观。所谓时髦，就是上当的意思。

以上云云，是简单介绍，不是详细分析。

附带说说：中国有没有现代派和后现代派？有，但等于没有。都是浅尝者。

二十年代，出洋留学风气很盛，特别是到法国。有一个叫李金发的，不但读象征派的诗，且将波德莱尔、魏尔伦称作"我的名誉老师"。1925年在《语丝》上发表一首《弃妇》，又出版诗集《微雨》、《食客与凶年》、《为幸福而歌》，自称象征主义。我读过，幼稚的。

冯乃超、王独清、穆木天、胡也频（1931年和柔石一起被国民党处决），都是现代派，很年轻，才华有限，对西方文化领会很浅。

三十年代后，有施蛰存、杜衡合编《现代》月刊，又有戴望舒、梁宗岱等创《新诗》月刊。少年时代我很兴奋地看他们的刊物，总觉得译作好，他们写得不好。

徐志摩也很卖力。冯至，还标榜受里尔克影响。比较像样的是何其芳。三十年代初出《预言》，他自称受瓦莱里影响。他的文字比较流利，唯美，用点小象征（比八十年代后的现代诗人好，大气）。他后来去延安，成了党官。他研究过艾略特。

他们追求西方现代诗，是投机，后来参加革命，也是如此。最有功的是翻译。李广田、卞之琳、盛澄华，译笔都好极。

讲这么点旧事，常识。

再转入正题：

唯有把叔本华、尼采、柏格森、弗洛伊德这四位近代的思想先驱，反反复复弄懂，才可能有所超越。

中国当代有两件事可做：

一，忠实、精美地翻译出版原著，不要加按语。

二，堂堂正正开展学术研究，赞尼采，就极力赞扬，反对尼采，就极力反对，都讲出来。

本课笔记内页："从前我的学生，谈的都是文学。'文革'后，撑不住了。
为什么？""各用各的精明技巧呈现心灵的流动性、矛盾性、可变性。"

影响二十世纪文学的哲学家（一）

一九九二年五月三日

我们要原谅每个哲学家的结结巴巴。

是啊，你看希腊雕刻，听巴赫、莫扎特，全是直觉，什么话也无法说，你有什么好说? 还有对美人的直觉。读小说，虽然有种种详尽的描写，但你认识一个人物，也是直觉。禅宗的悟，本也是天才的事，许多人也学禅，硬参，苦死啦，苦得有人变了疯子，有人做了骗子。

哲学有它的可悲性，一定要靠文字语言。文字、语言，能够达意吗? 如果文字语言不能达，哲学的"意"就比文字语言更深刻吗? 我以为，有时候文字语言高于意义。

几乎每个哲学家都要落到自己的陷阱中，拿一个观点去解释一切，就豁边了。我有比喻：思想是个杠杆，它需要一个支力点。思想求的支力点就是各种主义，靠这些主义为支点，思想家的杠杆翘了翘——世界如故。

从前我的学生，谈的都是文学。"文革"后，撑不住了。为什么？想起来了——我没有同他们讲哲学。没有哲学底子，做人没有一个根基，他们顶不住，我顶住了，就是这道理。

亨利·柏格森（Henri Bergson，1859—1941）。出身巴黎高层次知识家庭，犹太人，文学、数学俱高超。高中即展露才华。巴黎高等师范学院毕业后，一直在巴黎任中学教师（马拉美终身中学教师，舒伯特小学教师）。1897 年，升任法兰西学院讲师，1900 年，任教授，开讲希腊罗马哲学课程，发表一批重要的哲学著作，并来美讲学，初步架构了他的哲学体系。

1923 年被推介为哲学学会主席。1927 年得诺贝尔文学奖（六十八岁），誉其"丰富而生气勃勃的思想，表达手法的卓越"。

1937 年写遗嘱，全面回顾他的生命和哲学。主要著作：《时间与自由意志》（*Essai sur les données immédiates de la conscience*）、《物质与记忆》（*Matière et mémoire*）、《形而上学导论》（*Introduction à la Métaphysique*）、《创造的进化》（*L'Évolution créatrice*）、《道德和宗教的两个来源》（*Les Deux sources de la morale et de la religion*）。

文笔非常好，读下去有味道，结构严谨，风格汪洋恣肆，被称为欧洲散文的典范。和尼采比，不一样，尼采完全是诗，是艺术的。柏格森还是个哲学家，但通文学。

直觉主义——直觉主义和反理性主义，互为表里。直觉主义，即可谓反理性主义，反理性主义，包含了直觉主义——是柏格森哲学的认识论的本质、特征，也是他方法论的基础。

一，人的理性不能认识世界，也不能认识真理。感觉、判断、概括、演绎、归纳等等，都不能认识世界，也不能表达真理。一切理性的求知活动都是采用静止、僵化、不变的概念去接触流动变化的生活冲动。感觉、判断等等是人造符号创造出来的，不能揭示实在事物的本形和本意，至多提供实在事物的投影。

这是完全反马列的，反唯物主义的。

二，超感觉的直觉，是认识世界、把握真理的唯一方法。直觉——超越理智、超越世界表象的一种内心体验，使主观和客观成为无差别的境界。"所谓直觉，是理智的交融，使人们置身于对象之内，以便与其中独特的、从而无法表达的东西相符合。"这是他对直觉的定义。

我们要原谅每个哲学家的结结巴巴。

三，直觉的三大特征：

A，直觉的认识对象，不同于理性的认识对象。理性停留在事物的表面、局部、外圈，都是相对的，而直觉可以达到事物的绝对的领域，即是发生冲动的，不停变化、运动、绵延的领域。直觉"能朝向事物的内在生命的真实运动"，解释生命的内在本质，探讨宇宙万物的奥秘。

B，就进行的方式看，理智是靠感觉思维和实践而进行的。直觉是凭意志的努力，使人的心灵"违背自身，一反它平常的思想所习惯的方向"，超越感性、理性和实践的过程，这只能借力于自身的天才。换言之，直觉是天才人物的特质、特权。

C，以直觉的目的而论，不同于理智为实践而用。直觉排除任何实际功能，为直觉而直觉，是空灵、唯美、享乐的。

中国的庄子、老子，都是凭直觉创造他们的哲学。莫扎特、肖邦都是凭直觉作曲。释迦牟尼、耶稣，也是靠直觉传道。

柏格森的哲学，是为了天才写的，是为艺术家写的。天才创作了作品，其他天才和非天才一起享受。

在《时间与自由意志》中，柏格森提出了"生命哲学"（Philosophy of Life）的纲领，他认为：绵延（Duration）、基本的自我、真正的时间、生命的冲动（Élan vital），这些因素构成了世界的基础和本质。

在这些因素中，最要紧的是弄懂这个"自我"。

他认为，"自我"是由"我们通过深刻反省"而达到的。这种反省使我们掌握内心状态，并使我们把内心状态视为鲜活的、变化着的东西。而在这基本的"自我"以外的东西——即所谓日常生活、客观世界——只是"自我"的鬼影。这样，"自我"岂非就是世界的来源，而且一直会绵延下去。

所以，"自我"的绵延，绵延的"自我"，两者等同，这便是最基本的存在。

柏格森之前，一般认为"自我"是一种精神实体。柏格森认为"自我"是纯情绪性的，是"自我"延绵本身，是心理体验本身。

他否定传统说法，认为"自我"运动是循逻辑的，他认为"自我"是绝对自由的，与逻辑是相互排斥的。为强迫"自我"纳入逻辑，等于取消"自我"。

如此说来，"自我"只有质，没有量，无法认识，语言也失效（佛、道，都讲这东西，到了禅，就"不讲"了）。

再则，"自我"是不间断的，无法切割的，因此语言失效，一着语言文字，心理体验的流程就会僵死，因而歪曲了"自我"。

这在西方很新，中国都有过，道家、释家、魏晋玄学，只是描述得文雅一点。

柏格森的时空观：

他说：在我之外，什么都没有——在运动着，这就够了。

很接近《易经》。《易经》就是"动"的理论。"经"，在古文中与"迳"、"径"相通。

唯物论非常恨这东西。他们的目的论太强。列宁看到爱因斯坦出现，很烦恼，问是否有人能驳倒他。

自我绵延不具有物质性的功能。他说："没有已经造成的事物，没有自我保持状态，只有正在变化的状态。"

"如果我们把'倾向'看做一种开始了的方向变化，那么一切实在都是'倾向'。"

他不认为运动变化有什么主体。运动也没有物质属性。他说，运动是精神的属性，是一种心理上的综合，而不占有空间的过程。运动是绵延，而非广度，是性质，而非数量。

他认为时间不是一维的，无所谓倒退、顺进，无所谓过去、未来。故黑格尔说，宇宙是由概念预设的，世界不过是其演绎。

柏格森的美学观：

他没有专门的美学著作，他以哲学影响西方艺术家。在审美意识和审美对象的关系上，他认为只有直觉是沟通、构成审美对象与审美意识的纽带。掌握生命现象和精神实质，靠直觉。分析综合、演绎归纳，都不能把握美，发现美。

是啊，你看希腊雕刻，听巴赫、莫扎特，全是直觉，什么话也无法说，你有什么好说？还有对美人的直觉。读小说，虽然有种种详尽的描写，但你认识一个人物，也是直觉。

禅宗的悟，本也是天才的事，许多人也学禅，硬参，苦死啦，苦得有人变了疯子，有人做了骗子。

在座多数是画家，越是上乘的画，越重直觉。说起来，绘画凭视觉，看一张画的整体感，则全靠直觉。伦勃朗，塞尚，远远望去就是伦勃朗，就是塞尚，这不是直觉吗？

"以直觉把握美"，对后来的艺术家影响莫大。

我以为柏格森是"为艺术家而思考的哲学家"。

在美的本质上，他否定美有客观的属性，认为自我、生命冲动，是万物本源，体现最高的美。所以，他的美学也可谓之"生命美学"。

774

现代艺术表现多层次的心理结构，表现原始的生命之流，在内心中碰撞、冲突、激荡、升腾、逆转，各用各的精明技巧呈现心灵的流动性、矛盾性、可变性，还表现灾难性、孤独感、毁灭感。

柏格森的生命哲学，有一点不好懂——他讲得不够透辟。他说：

> 生命，是心理的东西。

哲学有它的可悲性，一定要靠文字语言。文字、语言，能够达意吗？如果文字语言不能达，哲学的"意"就比文字语言更深刻吗？我以为，有时候文字语言高于意义。

可译：生命，是心理之物。

或者：生命，是心理之象。

或者：生命，是心理的现象。

他又说：意识，或毋宁说是超意识，是生命之流。

我译成：与其说意识是生命之流，不如说，超意识是生命之流。

"绵延意味着意识，由于我们以绵延的时间来描写事物，所以我们在事物深处加添了某些意识的成分。"

用艺术家之间的平等关系看哲学家，比较能了解柏格森的这段话。他这样写法，委婉动人。

　　他总是把绵延与生命等同。他结论说："这就是在时间中流动的我们的人格，也就是绵延的自我。"

　　自我，绵延，产生生命，生命派生世界万物。神秘的，在于"自我"、"绵延"这两说。

　　他的兴趣不在自我的形成与由来，避开。他认为生命冲动即是人的自我绵延，也就是世界的客观基础。

　　他认为人是生物进化最有成效的产物，人的本质就是世界本质，构成派生万物的神秘力量。

　　前述我都同意，这一点，我不能与他妥协，即生命哲学这一点，我不以为然。

　　我认为宇宙和生命是两个构成。宇宙是无机物构成的，无所谓生命冲动。人类、动物、植物，是有机物组成的，有所谓生命冲动。

　　生命在宇宙中是偶然的，是反宇宙的。其倾向是毁灭自己，不是进化，是恶化。

　　所以，康德说：对于宇宙的没有目的，感到恐怖。

　　他说，生命派生万物是千差万别的，大概可分两种基本类型、倾向：

　　生命冲动的自然运动。

　　生命冲动的自然运动的逆转。

前者是直接向上喷发的，产生一切生命形式；后者是往下掉的，产生一切无生命的物质。这两者又是对立的，又是渗透的，一致的。生命冲动有三个特点：

任意的，冲动的，盲目的。

几乎每个哲学家都要落到自己的陷阱中，拿一个观点去解释一切，就豁边了。

我有比喻：

思想是个杠杆，它需要一个支力点。思想求的支力点就是各种主义，靠这些主义为支点，思想家的杠杆翘了翘——世界如故。

我以为这种支力点是不存在的。

我最有兴趣的还是柏格森的直觉论和唯天才论。

弗洛伊德（Sigmund Freud, 1856—1939）。大心理学家，也是精神病医生，精神分析学派的创造者。生于奥地利，父母犹太人。四岁迁居维也纳，童年由父亲教课。天赋高，后转入维也纳医学院学医。得博士学位。

他有好友名布洛伊尔（Josef Breuer），教授，也是医学家，为一位女病人治疗歇斯底里，用催眠术医好。弗洛伊德得启示，想到人的意识背后另有潜在的强烈意识，乃创立自己学说。他认为人类分三种意识：

意识，前意识，潜意识。

例如，治好精神病人，要让病人自由联想，挖出潜意识里压下去的不能满足的欲望，这欲望不能满足，遂发疯。他指的这层潜意识，主要是指性意识。

当一欲望抑制到自己都不觉得时，就可能导向发疯。

催眠，是让你解脱，控制住意识，潜意识的动机、欲望于是上升，得到满足，病愈。

1895 年，他和布洛伊尔合出一书《歇斯底里的研究》（*Studien über Hysterie*），奠定精神分析学的基础。

他又自我分析，发现自己恋母，嫉妒父亲，遂发明"俄狄浦斯情结"（Oedipus complex），即恋母情结。

他的朋友不同意此说，分开。弗洛伊德遂与另一朋友佛里斯（Willhelm Fliess）共同研究，以通信方式（传说弗洛伊德是同性恋、阳痿者）。

凡伟大者，得到一个奇妙的角度，见人所未见。

十九世纪九十年代，犹太人在欧洲已受到迫害，他坚持研究出《梦的解析》（*Die Traumdeutung*），时 1900 年。此书是精神分析学的代表作。可当时遭到冷遇，只印六百本，卖了八年才卖完。但世纪初，他名满天下。1923 年患口腔癌，三十年代法西斯起，他逃到英国。1939 年死于英国。

另有书《精神分析引论》、《精神分析引论新编》、《精神分析学》。

他认为：精神过程都是无意识的。有意识的精神过程不过是孤立的动作。

有意识是孤立的，无意识是本质。意识，只是冰山的一角。意识是能认识自己、认识环境的一部分。潜意识是人自己不了解的，内心隐蔽的深藏的一部分。

精神病源，往往都是性冲动。正是那些性冲动，是人类最高艺术的动力，"其贡献是再高估也不为过的"。

潜意识与性本能是相关的。（歌德说："世界一切罪恶的事我都可以去做，但我没有去做。"）潜意识在大的厅，意识在客厅，中间有看守者，凡涌进客厅者，前意识也，然后成为意识。

每种意识，最初都是无意识。无意识是第一性的，意识反而是第二性的。

分析毛，也要着眼他的潜意识——他的意识，是党、国家、人民、马列。

从功能上讲，无意识固然丰富、深广，但意识毕竟是人的心理状态的最高形式。那位看门人，我称之为"技术官僚"。

三部分人格的结构：

本我（id），是人的本能。包括生存本能和死亡本能，是生物的冲动。属潜意识范畴，也是人的原始力量的来源。按快感原则，人的一切活动都是要满足原始欲望。破坏性、侵略性、自杀、强奸、打架，都是死亡本能，不受理性道德的束缚，如听任发展，社会大乱。

自我（ego），是人格结构的表层，是现实性的本能。婴儿只有本我，慢慢长成自我，本能始终想到快乐，教育使本能只好接受原则。自我精明能干，调节本我，本我是被自我管着的。

超我（superego），是指道德化了的自我，高了一层。本我循快乐原则，自我循现实原则，超我循道德原则。本我是"要不要"，自我是"能不能"，超我是"该不该"。

有了超我，我们才和动物有了区别——动物多是本我，及一部分自我。

（笑）"义犬救主"的"犬"，有点"超我"。

他说，超我有两种。一是良心，一是自我理想。良心，是世世代代道德积累沉淀下来，几乎成本能，自我理想，是我要成为怎样一个人。

梦的解析。

一，梦是一种精神活动。动机往往是寻求满足的愿望。

二，梦是潜意识的自我表现，自我、超我稍稍休息时，本我放出来了——但超我、自我还是看管着，人很少能在梦中真正快乐过、满足过。

天才的潜意识和性欲特别强——天才的自我超我，也要特别强。

三，梦是极度歪曲的潜意识的表现，如不是，让潜意识统统放出来，那岂非现实生活还不如梦好？

四，不论好梦、坏梦，对人都是有好处的。梦中美景往往超过现实，如心称意的做梦远远超过现实。

弗洛伊德认为梦与精神病有相似之点，梦，精神病，都是潜意识得不到满足的现象。

我的结论：意识，是人性的，潜意识，是魔性的。

本课笔记内页："而最大的活力，是潜意识和性本能。""我以为更好的说法，是我们悲伤，是因为哭，因为哭，我们更悲伤。"

第六十一讲

影响二十世纪文学的哲学家（二）

一九九二年五月二十三日

平心而论，意识流，宜写短篇小说，更宜写散文。

我们在现实中不能满足的，在梦中未必能得到满足。在生活中可以用智慧等等解决许多问题，而在梦中却往往愚蠢。

现代派小说一上来就嘲骂前辈的文学"不真实"、"不自然"。一百年过去了，现代派小说水落石出，相比前辈，他们更不真实、不自然。所谓真实、自然，是达不到的，文学，最多只能弄到接近真实，近乎自然。

艺术家分类，像抽屉，把人物从不同抽屉里拿出来——但是要分析人物，不要分析抽屉。

这两例，我以为举得很坏。说严重一点，是诬陷了两位文学人物。《俄狄浦斯》剧主角明明不知道他杀的是父亲。该剧所强调的是希腊悲剧的主题"命运"。《哈姆雷特》的一个主题，是思维太发达，行为太软弱，To be or not to be。弗洛伊德有两重错误：一，为说明他的理论，强拉文学名著附会。二，他对两文学主角的想法，是卑污的。

恋母、恋父，是有的。但无伦之爱与情欲之爱，毕竟不同的。一切爱都以性欲为基础，也不对。人类有很多种感情。儿子爱母亲，是一种孺慕，大人对小孩的爱，是慈爱。

他们，心理学家们，是把鱼拿到桌上来观察。我们，艺术家，是从水中观察。论情操，艺术家宗教情操最高，论哲学思考，艺术家思考得最深，论心理分析，艺术家的心理分析最透。

弗洛伊德认为人的精神机制和人格结构，可分意识、前意识、潜意识——而最大的活力，是潜意识和性本能。"梦是愿望的达成"，这种愿望和潜意识相关。"精神病是潜意识受到压抑所致"——潜意识和性本能，也是文学艺术创作的原动力。

弗洛伊德说："所有梦都是以个人为中心的。"

很对。在梦里也没有附庸于别人的事。现实生活中大不如此。现实生活中以自己为中心的情形是极少的。为什么？

不必求解答。作为一个有趣的现象即可。

他认为，文学艺术就是白日做梦。

现代派作家尤其着重自我，经常描写人的性本能，发掘人性的奥秘，喜写梦魇、幻觉、意识流、暗示、象征、自由联想。例如乔伊斯的《尤利西斯》（*Ulysses*）写性本能和变态心理。其中写女主角半睡半醒，历四十页，没有标点。试举一例：

> 一刻钟以后在这个早得很的时刻中国人应该起身梳理他们的发辫了很快修女们又该打起早祷的钟声来了她们倒不会有人打扰她们的睡眠除了一二个晚间还做祷告的古怪牧师以外隔壁那个闹钟鸡一叫就会大闹起来……

现代派就是装疯卖傻，让那些比他们更疯更傻的人叫好。做爱高潮可以维持两天？我不相信。

女人穿裙子，那裙子两里长，又怎样？

法国普鲁斯特是意识流，他的《往事追迹录》，原文约一百五十万字，全是主人公一圈套一圈的记忆，被认为是意识流的开山作。

意识流，仅仅是一种写作法（我认为），不是新发明，不能拿这个来反对二十世纪以前的非意识流小说。

二十世纪意识流的几位代表作家，我认为没有一个达到成熟完美。

意识流是个间歇的现象，不能扩大为整个人生。

意识流说到头是弄巧，所以很容易成拙。

人主要还是以意识构成的。乔伊斯、伍尔芙夫人……我看他们从非意识流转向意识流，又从意识流转向非意识流，总觉得他们很狼狈。

平心而论，意识流，宜写短篇小说，更宜写散文。

《往事追迹录》的引子《睡眠与记忆》，就写得好极了。伍尔芙夫人《一间自己的屋子》（*A Room of One's Own*），也是很好的散文。

现代派小说一上来就嘲骂前辈的文学"不真实"、"不自然"。一百年过去了，现代派小说水落石出，相比前辈，他们更不真实、不自然。

所谓真实、自然，是达不到的，文学，最多只能弄到接近真实，近乎自然。

我有个小小的野心：看看谁用得更素净、大家气、朴素自然。

近代诸小说都脱不开弗洛伊德影响。什么是弗洛伊德的文艺观？文艺，是人的本能冲动的净化和升华。他举二例，先是希腊悲剧家索福克勒斯的代表作《俄狄浦斯王》，后是《哈姆雷特》——完全可以讨论。

他说：人在儿童时代，第一个性冲动对象是母亲，因此恨父亲。俄狄浦斯弑父，是童年愿望的达成。而引起共鸣，是因为我们也有同样的情结。弗洛伊德此说为著名的"俄狄浦斯情结"。

哈姆雷特能做种种事，却对弑父娶母的王无可奈何，因他内心也想弑父。弗洛伊德说哈姆雷特比叔叔好不了多少。

弗洛伊德又说，所有女孩都恋父，恨母。

这两例，我以为举得很坏。说严重一点，是诬陷了两位文学人物。

《俄狄浦斯》剧主角明明不知道他杀的是父亲。该剧所强调的是希腊悲剧的主题"命运"。《哈姆雷特》的一个主题，是思维太发达，行为太软弱，To be or not to be。

弗洛伊德有两重错误：一，为说明他的理论，强拉文学名著附会。二，他对两文学主角的想法，是卑污的。

可是世上小人多，弗洛伊德的学说大为流行。二十世纪实在是个平民的恶俗的世纪，谁把神圣伟大的东西拉下去，搞臭，大家就鼓掌。

恋母、恋父，是有的。但无伦之爱与情欲之爱，毕竟不同的。一切爱都以性欲为基础，也不对。人类有很多种感情。儿子爱母亲，是一种孺慕，大人对小孩的爱，是慈爱。

当然，最强烈的爱必含性欲，但最高贵的爱完全不涉性欲。古代"朋友"间的义气，虽死不辞，弗洛伊德该如何解释？

做学术探讨，还得顺着弗洛伊德说讨论下去。弗洛伊德艺术是"本能宣泄说"，这是大家可以同意的。也可说是"苦闷的象征"。司马迁也有类似说。

弗洛伊德之艺术是白日梦，对吗？对，也不对。

我们平时不能满足的，在梦里哪里能得到满足——可能中国人还不如外国人吧？我说，我们在现实中不能满足的，在梦中未必能得到满足。在生活中可以用智慧等等解决许多问题，而在梦中却往往愚蠢。

我更同意瓦莱里的说法：艺术和梦正相反。

我以为人生和梦都是不可停留的，因此人生之虚空和梦是一样。生活中的官能感觉，比梦中强得多了。梦里比较不灵敏，生活中比较灵敏。梦里的我是胆小自卑，没有主见的。

以上，我以为。

弗洛伊德说：一切艺术以自我为中心。

这也不是新说。

人的一切活动都以自我为中心，区别是：有间接的，有直接的。王自我中心，太监非自我中心。但太监得王宠，事王，最后是间接的利我。在家里，太监是自我中心的。

直接的自我中心是目的，间接的自我中心是手段。

文艺家在作品中表现自我，是理所当然的，在于表现方法千差万别。

"自我中心说"，弗洛伊德无甚创见。

弗洛伊德说艺术家与神经病相差无几。可是神经病走的是不归路，艺术家是要回到现实的。

我以为艺术家和神经病不同。现实主义的艺术家，比一般人更参透现实。

而一个艺术家如果疯了，不可能创造乐曲、文章。

西方的求知精神令人惊叹，也令人讨厌。他们好像侦探，一刻不停盯着你。弗洛伊德想摸艺术家的老底，说要追踪到艺术家的童年——童年时好游戏，百般设法游戏，得到快乐。艺术家的创作也如此，只是比小孩更认真云云。

这太大题小做了。

小孩玩耍，如酒神，玩过就玩过了。而艺术家是精神性的，伟大的。小孩都玩，将来有几个成为艺术家？大艺术家？

儿童时代的苦恼，长大以后找到象征了，就成艺术家。

我以为弗洛伊德是生物的心理学派。"不幸的童年可以造就作家"（海明威语）是属人文的心理学派。

我们自己来做，不必麻烦弗洛伊德这样的专业心理学家。

弗洛伊德把幻想分两类：野性的，性欲的。不满足，即发生精神官能症。

我不以为然。艺术家的幻想，就是幻想，是精神活动，不是欲求。艺术家幸福满足时，也幻想。

弗洛伊德太平民气。

阿尔弗雷德·阿德勒（Alfred Adler，1870—1937）。奥地利精神病学家，弗洛伊德的信徒，后建立自己的学说，称"个人心理学"。

其说分三点：一，人格的整体性统一，不主张把人分割成本我、自我、超我。二，统一的人格以及各种精神活动，都有明确的目标，因此人才能和社会环境相适应。这精神目标，是要取得"优越"，人把取得"优越"作为总目标。这有点道理的。三，人对"优越性"的渴望，是因为人有自卑感。自卑感发源于儿童时期（因幼小，无知，要靠人生存长大），这种自卑的补偿作用就是对优越的渴望。如渴望拥有支配权、富有等等。

儿童越自卑，越不如意，志向、渴望越大，追求越忠实。

后来，他修正这观点，把个人优越目的改成社会奋斗。这改得不必要。个人优越和社会奋斗不矛盾。

他说，每个人都想摆脱自卑感，获得优越感，自卑感太甚，就发神经病。

作为弗洛伊德的补充，阿德勒的学说很好。

卡尔·古斯塔夫·荣格（Carl Gustav Jung，1875—1961）。瑞士的精神病学家。发展修正弗洛伊德说，建立了"分析心理学"。

他也认为人有潜意识，但不将之看成全是性冲动和犯罪欲。他在弗洛伊德说的"自我"之外，加出一个"自身"（self）的概念，自我包括在自身之中。自我是我的意识的主体，自身是我的总体的主体。

人与人之间差别很多，大致有两种基本倾向，成为定势：一个定势指向人的内部世界，一个指向人的外部世界，内倾、外向也。

基本正确。但构成人的不可能全是内倾或外倾，一时内，一时外，思想、知识、经验，会改变人的倾向性。

希腊罗马的大演说家，有的私下非常怕羞木讷的。

这是我对荣格的一点补充。另一补充，是两种倾向的人彼此有吸引力——性格丰富的人，到处有吸引力。

他又肯定心理机能共四种：思维、情感、感觉、直觉。然后再把内倾外倾、与上述四种心理相结合，分成八种类型：如内倾思维型、直觉型、情感型、感觉型。又如外倾思维型、情感型、感觉型、直觉型。

如男性多外倾思维型，女性多内倾情感型。政客、商人之类，多外倾直觉型，艺术家多内倾直觉型，等等。

荣格生在现代，现代心理学多以他的理论为说，故名气很大。弗洛伊德学说，运用到艺术上来，是有点显著效果。而荣格的学说比较合小布尔乔亚胃口，对艺术家就大大不够了。艺术家分类，像抽屉，把人物从不同抽屉里拿出来——但是要分析人物，不要分析抽屉。

威廉·詹姆斯（William James，1842—1910）。美国著名心理学家，称"机能派心理学"。也是美国实用主义哲学的奠基人之一。

有必要讲讲"实用主义"。美国建国方针、生活形态，全是实用主义立足点，世界也都在美国这个强大的翅膀下。

也称唯用主义、实际主义。"实践上有效果，即真理。"

美国的皮尔士（Charles Sanders Peirce）、杜威，英国的席勒（F. C. S. Schiller），都是实用主义哲学家。他们共同的观点，认为真理是相对的，变动的，凡适合时代环境者，即真理。从前的"真理"说，是至高无上的，绝对的，永恒的，客观的。

实用主义其实取消了真理，是平民哲学、商人哲学、市侩哲学。

机能派心理学，也即实用主义哲学之一支。"存在即有用。"

一，詹姆斯认为心理学属于自然科学范畴，是关于心理活动的现象及其条件的科学。

二，作为心理学研究的意识，不是可以判断的，而是像锁链、列车、河流，谈到意识，只能说意识流。他说：意识总是对它的对象的某些部分发生兴趣，而把其他部分加以排斥（通俗解：意识选择它的对象），近于文学说法。

三，提出三种研究心理学的方法：A，内省法，观察自身报告所发现者。B，实验法。C，比较法。

四，三种论：A，本能论。B，习惯论。C，情绪论。

本能是冲动，它与习惯的关系是：绝大多数的本能是为了引起习惯的缘故才被赋予的。凡是有天赋倾向的习惯，可谓本能，而情绪不是客观世界引起的，而是身体内部的变化和表情引起的。我们悲伤，是因为我们哭了；我们发怒，是因为我们打人了；我们怕，是因为发抖了。

我以为更好的说法，是我们悲伤，是因为哭，因为哭，我们更悲伤。

他们，心理学家们，是把鱼拿到桌上来观察。我们，艺术家，是从水中观察。

论情操，艺术家宗教情操最高，论哲学思考，艺术家思考得最深，论心理分析，艺术家的心理分析最透。

"'上帝死了'——不过和'唯心唯物出言不逊'一样。"图为晚年尼采照片,他疯了后,又活将近十年。讲课期间,木心复印了这张图片,分送大家。

第六十二讲

象征主义

一九九二年六月六日

尼采预言"超人"会降生——这是一场梦。还属于进化论。我以为超人不会诞生的。个别艺术家作为超人,早就诞生了——早就死亡了。他们不会造福人类,和人类不相干的。

我的思想系统、人生观在哪里?你们在我书里是找不到的。我知道,去弄那些东西是要上当的。我与尼采的关系,像庄周与蝴蝶的关系。他是我精神上的情人。现在这情人老了。正好五十年。

"瞧! 这个人"这句话,只能讲耶稣,耶稣这个镜头不能抢,只能一次。只有耶稣能讲"成了"——尼采是"疯了"。我们呢?"完了"。

诗近于歌,是诗的童稚往事,诗之求韵,和音乐比,小儿科。歌与诗靠得越近,越年轻。音乐,根本没有诗之所谓"平上去入",音乐上的长调短调和文学上的用法大不一样。音乐是有声的诗,诗有音乐感,可以做做,音乐与诗,可以神交,不可"性交"。

对照之下,文字,是宿命要入言诠。马拉美为了营造气氛,写得很累,德彪西写得很流畅。文字不要去模仿音乐。文字至多是快跑、慢跑、纵跳、缓步、凝止,音乐是飞翔的。但音乐没有两只脚,停不下来——一停就死。

讲十九世纪时，已讲过，粗讲，现在细讲。因为现代派文学的源头，都从象征主义来。

大家想听尼采（Friedrich Nietzsche），先讲一段尼采。上次讲叔本华、尼采、柏格森、弗洛伊德四位，我把叔本华、尼采归为贵族，柏格森、弗洛伊德为平民。

爱因斯坦书房墙上，一直挂着尼采的肖像———一个物理学家，家里挂着悲观主义者的肖像，心明眼亮。

马列主义、唯物主义，刚愎自用。那点东西，悲观不起。

要解放自己，叔本华、尼采、柏格森、弗洛伊德，是对症下药的，吃下去有好处。

作为一个现代人，如果忽视尼采，不会有什么价值。

我来美国最大的快事，是当今优秀的思想家、作家、艺术家，都从尼采那里来——博尔赫斯（Jorge Luis Borges）、阿多诺（Theodor W. Adorno）、昆德拉（Milan Kundera）、安瑟·基佛（画家），等等。

然而尼采很难讲。

从学术研究角度看尼采：悲剧起源、酒神精神、日神精神、上帝死了、"人样的、太人样的"——就是这些东西。曾是我少年时的荫福，也是靠这东西一步步自立起来——但后来我对这些论点越来越淡化。

"悲剧"起源，还是希腊人的，他们不说而已。

"酒神精神"也是希腊人的，但希腊人对酒神和阿波罗神，是平衡的。尼采强调而已。如用酒神精神原则构成国家民族人文系统，当然好——但属于理想主义，绝对不可能的。酒神精神是少数天才的事。

"人样的、太人样的"——很简单，现在人类是太不像人样了。人类这概念都快没有了——先是人类人类了……人类太人类了……现在是人类太不人类。尼采希望人类超越自己，照中国人说法，人类世风日下，今不如昔。

尼采预言"超人"会降生——这是一场梦。还属于进化论。我以为超人不会诞生的。个别艺术家作为超人，早就诞生了——早就死亡了。他们不会造福人类，和人类不相干的。

再拆一个尼采的西洋镜——权力意志。这是对自由意志的反抗。没有权力意志的。所谓自由意志，就是宇宙的无情。人类在对宇宙的抗争中，一上来就失败，是有情人对无情人的对话。说到底，自由意志（宇宙）不可抗拒。所谓权力意志，只是说到无话可说、硬要说下去的话。

"上帝死了"——不过和"唯心唯物出言不逊"一样。上帝活过吗？

尼采作为哲学家，如上。我以为他的价值，在于他作为思想家：他的警句、散文、杂感——要这样去读他。

我的思想系统、人生观在哪里？你们在我书里是找不到的。我知道，去弄那些东西是要上当的。我与尼采的关系，像庄周与蝴蝶的关系。他是我精神上的情人。现在这情人老了。正好五十年。

许多人说话，不诚恳。尼采诚恳。

他疯了。本可再写十年二十年。他唱的是"宣叙调"——这是宿命的，有些口号，只能由宣叙调唱。他不是哲学家，他不知道。他是思想家。我们只能做一个善于思想的艺术家。不善思想的艺术家，将那点思想害了艺术。

尼采的《瞧！这个人》（*Ecce Home*），其实已经疯了。凡应由自己说的让人说了去，是傻子；凡应由别人说的自己来说，是疯子。

"瞧！这个人"这句话，只能讲耶稣，耶稣这个镜头不能抢，只能一次。只有耶稣能讲"成了"——尼采是"疯了"。我们呢？"完了"。

"象征主义"（Symbolism）是近百年来西方现代文学影响最广、波及面最大的潮流。可分前期与后期的象征主义。

这个称谓最早出现在 1886 年。9 月 18 日，长住法国的希腊诗人让·莫雷亚斯（Jean Moréas）在《费加罗报》发表《象征主义宣言》（*Le Symbolisme*），主张用"象征主义"这个词形容当时的新文学。这个词，他以希腊文 *symbolon* 出之。希腊文中，*symbolon* 原指木板或陶器分成两半，友人各取一半，重逢后出示，表示信物。几经演绎，这个词被定义为"凡表达某种概念的，即象征"，和"比喻"不同。

法国诗人勒内·吉尔（René Ghil）出版《言词研究》（*Traité du Verbe*）一书，马拉美（Stéphane Mallarmé）作了序言，试图系统肯定波德莱尔诗中出现的新倾向、新成就，用了"象征主义"一词。

波德莱尔（Charles Baudelaire）的《恶之花》（*Les Fleurs du mal*，1857），被公认为象征主义开山之作。

前期象征主义可分三阶段：

第一期在波德莱尔之前，可称为萌芽期。法国诗人贝尔特朗（Aloysius Bertrand）、奈瓦尔（Gérard de Nerval）、洛特雷阿蒙（Comte de Lautréamont），加上美国诗人爱伦·坡，均为代表。他们的诗和诗论，对波德莱尔及此后诗人有影响，但还不能称为象征主义。

第二期是波德莱尔时期。他是鼻祖，这期可称为先锋期。

第三期是兰波、魏尔伦、马拉美。他们是正统的前期象征主义。前期象征主义至此出现全面的高潮，淹没了趋向没落的颓废派，也和正在流行的巴纳斯派（即高蹈派）相抗衡。

十九世纪末，象征主义向西欧、北美传播，出现后象征主义。当时法国前期象征主义已没落，莫雷亚斯离开象征主义，兰波、马拉美相继死亡。后期象征主义在东方、俄国、亚洲，也蔓延。

这前后两期，是全西方的文学思潮，可与十九世纪浪漫主义大潮流相比。

象征主义的艺术特征，和现实主义的根本区别，一是外在的，一是内在的。它和浪漫主义大异其趣。浪漫主义直抒，象征主义隐晦、映射。

象征主义也反对实证主义和自然主义，重视直观的认识和艺术的想象作用；反对高蹈派的造型美（黄金、鲜花、大理石），强调音乐性，浓厚的神秘色彩，有独特的美的定义；冲破传统诗歌的禁区，扩大诗的题材范围。

波德莱尔自己说：

> 整个可见的世界，不过形象和符号的库藏。这些形象和符号，该由诗人的幻想来给他位置和价值。

也即诗人的幻想力消化改造这些符号形象。

艺术不是模仿，是提炼和创造。

到了瓦莱里，无视外在现实，注重内在真实，比波德莱尔更为内心，写感情和理性、灵魂和肉体、生与死。

到了 T.S. 艾略特，提出寻找主观感情、思想的客观对应物，让书中人物自己说话，诗人退开。

现在看来，波德莱尔、瓦莱里、艾略特等，都很偏激，要反外在。因为他们要反对浪漫主义、反对现实主义、反对自然主义。

浪漫主义太滥情，现实主义不重灵性，自然主义太重细节——说句公道话，象征主义确实有话要说，有理可争，有事可做。这三位诗人有理论，有作品（相貌也都很好），诗人兼批评家的，是他们。

象征主义反对以孔德（Auguste Comte，法国人）为代表的实证主义（他是研究社会学的祖师，晚年思想趋向神秘），也反对左拉为代表的自然主义。

象征主义以为现实世界后面，隐藏着理念世界；实证主义、自然主义，始终停留在事物表面，不能深入理念世界。

但象征主义实践这些理念时——我来通俗地批判一下——一举一动都要象征，多么小家气。推广来说，我反对任何主义，一提主义，就是闹别扭。

《恶之花》是写得成功，但用狭隘的象征主义一说，很煞风景。不要搞一个主义，拿这主义去批评人家，然后自己跌进去。

诗人、批评家不好兼，容易自设陷阱。自具批评精神，诗写得更精彩，就好了。

说教者，夸张虚情假意，重视模仿，一遇到象征主义，就遇到大敌。自然风景、人的活动，都不会出现在象征主义作品中。他们要使意念有摸得到的形状，但形状属于从属地位，只是可感知而已，表明与意念有相似性。

俄国勃留索夫（Valery Bryusov）说：象征主义用语义深刻的手法来表现。

这些说法都可以认同，但拿来做信条，兢兢死守，反自绝生机。凡标榜鲜明、教条分明的主义，完得特别快，特别惨。

他们明白日常生活中肤浅的感受，他们并不要求读者理解，他们说些什么，要似懂非懂，略有了悟——我们现在看，一目了然，我看太孩子气——女孩子气——是高明的文艺腔，有了腔，文艺也不会太高明。

马拉美的一套，后来到乔伊斯就太过分。

后来，诗人想从音乐里回收他们的财产——音乐是听的，文学是看的，我以为两回事。诗近于歌，是诗的童稚往事，诗之求韵，和音乐比，小儿科。歌与诗靠得越近，越年轻。音乐，根本没有诗之所谓"平上去人"，音乐上的长调短调和文学上的用法大不一样。

音乐是有声的诗，诗有音乐感，可以做做，音乐与诗，可以神交，不可"性交"。

浪漫主义时期，音乐家追求诗意、音乐诗、标题音乐等等。象征主义时期，诗人反过来追求音乐性，面子也不要了。到了后期，更强调音乐性，艾略特的诗出现"四重奏"的格式，诗人真是忘了本。希腊诸神，管音乐和诗的神是分开的。

音乐、诗，两边都要保持自尊。

歌词，合音乐可以，当诗念，不行。可以当众朗诵的诗，是粗坯。文字不是读、唱给人听的，文字就是给人看的。

我有意识地写只给看、不给读、不给唱的诗。看诗时，心中自有音韵，切不可读出声。诗人加冕之夜，很寂静。

读诗时，心中有似音乐非音乐的涌动，即可。

（休息）念自撰对子两幅，颇好笑，惜未记。

象征主义的主旨和本质。

波德莱尔认为，美是这么一种东西：它带有热忱、愁思，有点模糊不清，引起人的揣摩测想。

马拉美认为：高蹈派直接表现对象，等于把诗的乐趣去掉四分之三。象征主义有神秘性，一点一点把对象暗示出来，用以表现心灵状态，反之也一样，先选定对象，经过一系列猜度，把某种心灵状态表现出来。

我们看马拉美《牧神的午后》（*L'après-midi d'un faune*），写牧神"潘"似睡非睡，进行着和仙女们若有若无的交欢，环境朦胧，认为美是无法捉摸的。德彪西也以音乐写过同一题材，比马拉美成功。

对照之下，文字，是宿命要人言诠。

马拉美为了营造气氛，写得很累，德彪西写得很流畅。

文字不要去模仿音乐。文字至多是快跑、慢跑、纵跳、缓步、凝止，音乐是飞翔的。但音乐没有两只脚，停不下来——一停就死。

后期象征主义，简单说，就是诗人们不再以朦胧为能事，而是想表现超人类。梅特林克（Maeterlinck）说：

> 人生的真正意义，不在我所感知的世界里，而在于目不能见、耳不能闻、超乎感觉之外的神秘之国中。

叶慈晚年一心沉入宗教。

以前我充满渴望，以为象征主义会产生什么奇迹，可读到他们的代表作，致命地失望——反复读，反复失望——象征主义到这个时候象征不动了。他们要追求真善美，追求不到，硬把善和美分开。

兰波说：

> 有一天，我把"美"放到膝盖上，她使我感到痛苦，我于是凌辱了她。

当然，波德莱尔、兰波，都曾经出于对旧世界、旧道德的反叛，作惊人语，但在行为上，在生活中，已经有恶的倾向，接受恶的诱惑。

人类恼羞成怒。

马拉美一辈子做中学老师。追求纯艺术。

象征主义势力很大，现代、后现代都从那里来。

浪漫主义，毕竟是古典主义的浪子。

我以为，文学上现实主义成就最大。当然，欧洲人出身古典主义，但没有逃出，而是把老家翻新了（自然主义等都属于现实主义）。

象征主义是小儿子，认为现实主义太迂，浪漫主义太傻，但他们从弄权出发，又回到宗教，算什么？

此后种种主义，都是自己标榜的。只有两个主义不是自己标榜的，而是后人称呼的：古典主义，现实主义——莎士比亚，托尔斯泰，哈代，陀思妥耶夫斯基，巴尔扎克。这些人没有提出、标榜什么主义。

心中有个象征主义的"数"，对答就能如流，而且看到什么新潮流，足够应付。

Symbol，是木板、陶器。我们下凡，人人都分到上帝给的这块板，却失落了——怎么办呢，自己造那块板，然后找上帝手中那块板。很难，但可以找找。

"伍尔芙说，莎士比亚、托尔斯泰，
都是双性人，比常人不知丰富多少。"
图为木心书房中的伍尔芙夫人照片。

第六十三讲

意识流

一九九二年六月二十一日

我个人的经验:开始学写,无头绪。后来,几天,就通了。1959 年国庆十周年时,我在家自己写意识流的东西。不用在小说上,用散文。

意识流的远祖,就是内心分析和个人独白。它有它的老祖宗。乔叟《坎特伯雷故事集》中写过一个"巴斯妇人的独白"。莎士比亚写过《麦克白》中的独白。司汤达写过独白与对话的比较。托尔斯泰写安娜自杀前的内心独白。所以意识流是水到渠成,不出意识流也不可能。陀思妥耶夫斯基,远远高过意识流诸家的成就。他是抗拒模仿的。毛毛糙糙,厉害,学不了。

现代作家,自己应该又是伯乐,又是千里马。伯乐是意识,潜意识是千里马。一个伟大的小说家应是潜意识特别旺盛、丰富,而意识又特别高超、精密,他是伯乐骑在千里马上。

"智者,是对一切都发生惊奇的人"。放纵你的好奇的行为,享受官能之乐,对一切要抱着豁达大度,对世界万物抱着"无可无不可"的态度。都有兴趣,但别迷恋。一句话:明哲而痴心。再一句话:痴心而保持明哲。

他们的小说不是矫枉过正,而是矫正过枉,是算尽机关太聪明,反误了小说性命,写得太苦,读得太苦,双重何苦。

乔伊斯说:"流亡,就是我的美学。"这句话,我在一篇短文中写道:"'流亡,这是我的美学',我不如乔伊斯阔气。我说,美学,是我的流亡。"

讲意识流小说，先解释"意识流"是什么意思：

继象征主义以后，十九世纪末、二十世纪初兴起的一个重要的文学流派，盛行于二十世纪二十到四十年代，二十年中遍及欧美各国，对二次大战后许多文学现代派都有影响，到现在还有影响。

谁第一个用意识流手法？不可查考。查考出来也没有意义。这是一种时代的艺术风气，不少艺术家不自觉、半自觉地用这种手法。

当然，叔本华、柏格森、弗洛伊德的哲学起了启迪作用。

象征主义通向意识流，顺理成章，很适宜作为意识流的一个起点。象征主义到后期，注重心理分析，一重心理分析，自然就通向意识流。

意识流出现在象征主义之前，不可思议，之后，就显得非常自然。不过前几派都有信条、纲领、宣言，意识流是默默地流。

普鲁斯特、乔伊斯、伍尔芙夫人，都是意识流小说的杰出代表。

以前讲的浪漫主义、象征主义，都有点硬来，信条、纲领、宣言，都用上。意识流不结盟、不标榜，发展得很自然、很健全，大家一声不响地写。

上来三个人，三个都是大师，成就可观，在世界范围悄悄形成气候，同时，他们自己开花，自己结果。作品写成后，才提出理论。现在看，要谈意识流小说，还是普鲁斯特、乔伊斯、伍尔芙夫人。

意识流，是从心理学的术语借过来的。是美国实用主义哲学家威廉·詹姆斯（William James）在《论内省心理学所忽略的几个问题》一书中，第一次提出"意识流"（Stream of consciousness）这个说法后又在另一本书中重提。他说：

> 意识流并非片段的联接，而是流动的，用一条河来比喻意识的流动，是最适合了。

> 意识既是流动的，你可以去注意其中你有兴趣的，挑出来，构成你自己的世界。

> 所谓客观的，不以人的意志为转移的那种东西是不存在的。每个人认为是"事物"的东西，是从意识中随便划分出来的。

后来，柏格森提出"心理时间论"。他认为我们平常所认为的时间，是依时刻秩序延伸，是宽度、长度，是数量概念，而"心理时间则是各个时间相互渗透，表示了时间的强度是个质的概念，我们越深入意识的概念，这心理时间的概念越强"。

他还强调："真实"，存在于人们意识不可分割的波动之中。他劝告作家深入人的意识，随着心理波动去把握真实。

詹姆斯提出的意识流，弗洛伊德予以肯定，又补充："意识流由下意识决定的，下意识的核心是性。"

这成为欧洲的狂热的讨论。

劳伦斯说："意识流是詹姆斯不朽的表达方法。"

心理学家和作家对话了。在写作上的具体方法，就是写"心理时间"。

意识流小说的理论基础很雄厚。最重要的是，意识流小说一上来就出了大师。

当时普鲁斯特已发表《往事追迹录》，大轰动。接着，电影、戏剧、诗歌，都形成意识流手法。

四个代表人物：法国的普鲁斯特，爱尔兰的乔伊斯，英国的伍尔芙夫人，美国的福克纳。作为流派，存在二十年。

我个人的经验：开始学写，无头绪。后来，几天，就通了。1959年国庆十周年时，我在家自己写意识流的东西。不用在小说上，用散文。

普鲁斯特《睡眠与记忆》，伍尔芙夫人《一间自己的屋子》，写得好极了，就是散文。

意识流是不是个新发明？十九世纪前没人用过吗？

意识流的远祖，就是内心分析和个人独白。它有它的老祖宗。从乔叟到托尔斯泰，就有。乔叟《坎特伯雷故事集》（*The Canterbury Tales*）中写过一个《巴斯妇人的独白》（"The Wife of Bath"）。莎士比亚写过《麦克白》中的独白。司汤达写过独白与对话的比较。托尔斯泰写安娜自杀前的内心独白。

所以意识流是水到渠成，不出意识流也不可能。

陀思妥耶夫斯基，远远高过意识流诸家的成就。他是抗拒模仿的。毛毛糙糙，厉害，学不了。

意识流的哲学背景：

这类哲学家分布于法、英、美。比如英国的洛克、柏克莱、休谟，属经验主义哲学，影响了伍尔芙夫人。整体来说，柏格森学说的影响最大。柏格森认为，理论科学都无法把握实在，唯直觉和非理性的内心经验才能够，理性认识事物的外表，直觉认识事物的内核。直觉，要借助于天才。

普鲁斯特中学时就研究柏格森的哲学。《往事追迹录》的观点与柏格森哲学一致。

到了亨利·詹姆斯，第一个提出意识流小说方法，被认为是意识流创作理论的先驱。他有三个论点：真实论，有机整体论，叙述角度论。

詹姆斯直接影响到乔伊斯、伍尔芙夫人、福克纳。伍尔芙夫人的《海浪》（The Waves），以六个人物的不同视角，用内心独白，断续勾勒出彼此从儿时到暮年的一生。福克纳写《喧哗与骚动》，以四个人物的观点讲述同一个故事。

亨利·詹姆斯有文章《论小说的艺术》（The Art of Fiction, 1884），把"真实感"列为最重要的追求目标，说如果小说没有真实性，其他优点等于零。

真实必然有无数形式，小说究竟应该写何种形式？他先指责传统小说结构破坏了真实感，反对旧小说的程式化、因循。他说：

> 艺术的领域，是全部生活，全部感觉，所以艺术是全部经验。

我以为不然。艺术不可能全息、全范围地表现生活。他说的还是反映论。但他毕竟是小说家，他还说：

> 经验是各种印象构成的，所以印象就是经验。

> 印象首先构成小说的价值，印象的深浅决定小说的强弱。

一个心理上的原因，在我想象中是个画意盎然的东西，这可使你去从事一种提香式的努力。

康拉德称亨利·詹姆斯是"一个描写优美良知的史学家"。

关于"有机整体论"。

詹姆斯认为小说是独立自足的有机结构，和社会、历史、作者本人不相干。其中的思想感情，是素材进入作品被艺术化、形式化之后的结果，已不是艺术家原来的思想感情，已自在，以连续不断的整体发生自己的作用。

他要求小说作者充实小说内在规律，不要以主观的因循的观念干扰作品。

大致可以。但我也有意见。中国有许多小说创作是以主观公式破坏了小说，是负面效果。他太强调了小说的本体性，小说好像是妖魔、狐狸精，好像小说高于小说家。

对小说家和小说爱好者，这一说，还是太粗浅。

小说与作者的关系，正可用上意识和潜意识的说法。提笔之前，是意识为主，下笔后，潜意识慢慢起作用，活动起来。我认为在这过程中，还是意识驾驭潜意识。现代作家的意识很强，能以之擒纵潜意识。现代作家，自己应该又是伯乐，又是千里马。伯乐是意识，潜意识是千里马。一个伟大的小说家应是潜意识特别旺盛、丰富，而意识又特别高超、精密，他是伯乐骑在千里马上。

伍尔芙说，莎士比亚、托尔斯泰，都是双性人，比常人不知丰富多少。

托尔斯泰长篇《战争与和平》曾有七稿之多，放纵潜意识跑马，最后仍以意识控制定稿。

梦和艺术是两回事。疯子和艺术家是两种人。

梦是散乱的、不自觉的，艺术是完整的、自觉的。疯子是破坏的，天才是创造的。艺术家的意识及潜意识要特别平衡。

意识要加强，增加知识，经历，逻辑，善于推理，训练记忆——如何训练潜意识？

扩大兴趣范围，"智者，是对一切都发生惊奇的人"。放纵你的好奇的行为，享受官能之乐，对一切要抱着豁达大度，对世界万物抱着"无可无不可"的态度。都有兴趣，但别迷恋。

一句话：明哲而痴心。

再一句话：痴心而保持明哲。

还有一张底牌：意识是神性的，潜意识是魔性的，两者相加，即人性。

尼采疯狂，就是一个没有喝过酒的酒神。

我好艺术，曾轻视科学，但后来想到现代文明、文化，科学、艺术各为一翅，不能缺一，所以花了十多年功夫补天文、物理科学等事。

感谢前辈的愚蠢给我留下许多处女地。前人的愚蠢，是后人的聪明。

音乐绘画是自己创造语言，文字呢，本身就是语言。所以文学弄得不好，就是一个疤，一个疤。

关于"叙述角度论"。

詹姆斯说：过去的一切小说采用的是全知角度，对小说中人物活动全都了如指掌，全知全觉。但在真实生活中，我们从不可能全知全觉。

如果放弃这一套，用一个叙述者的角度，往往更真实；或借书中人物的角度，去度其他人物。

我认为传统小说取全知角度，果然是个缺点，但不致命，还看写得好不好。艺术本来就不同于真实，全知角度写得不好，就是蹩脚的侦探，失败的媒婆。詹姆斯的"叙述角度说"，使小说家明智。我爱用第一人称，就不是全知角度，我用回忆录体写小说。

但全知角度不能全部放弃。要用得好，写大场面，战争，还是得用全知角度。

以上詹姆斯三论，不失为现代小说的知人之明和自知之明，批判了传统，开创了现代。

以下讲普鲁斯特的论点（他们好在小说写出后才提论点）：他提出"主观真实论"，把现实分为二类型：

一，简单的、表面的、同一的、客观的。

二，复杂的、内在的、特殊的、主观的。

如一个餐厅，一个花园，对大家来说都是一样的，外表的，客观的。又如一件事，各人的印象、各人感受不同。在普鲁斯特看来，第二类的现实才是基本的，真实的。进一步说，这主观真实原本存在于每个人身上，作家不是将之创造，而是翻译出来。

作家的功能、职责，是充当这么一个翻译家。

我认为"简单的真实"是无意的、无机的存在；复杂的真实是有意的、有机的、有情的存在。

作家不仅是主观的、自己的翻译家，还是得创作。作家有个文字关。一切符号都是不真实的，文字是符号中的符号。但艺术不是为了"真实"——顶多只是追求一点"真实感"，用这点"感"来辅助美感。人的天性喜欢美，因为美代表永恒。

普鲁斯特纠缠在真实或不真实、外观或内观，但这里有个前提："真实"不可能，"真实感"可能。

梦中做爱，真实感不够，要真的做——比较真实，目的是辅助美感。人天性要永恒。冰雕，要化的；石雕、铜雕，永恒了——可还是要毁灭的。

普鲁斯特的时间观念。

他认为，人在空间里占的位置是有限的，但在时间中的位置却是无限的。从前的、记忆中的印象永在，和现在的时间可以重叠。

当时这观点很新。现在是老生常谈（时间、空间，给台湾文学讲臭了，台湾的空间，就是一个岛，台湾的时间，就是没有唐、宋、元、明、清）。

我这样分：感觉上的时间，感觉上的空间。

记忆中的事物，有当时的时间性，但还是属于记忆的范畴，不是时间的范畴。

由于普鲁斯特对时间的解释有偏执，所以小说中许多篇章别扭。他们的小说不是矫枉过正，而是矫正过枉，是算尽机关太聪明，反误了小说性命，写得太苦，读得太苦，双重何苦。

乔伊斯还写美学论。他说：

　　正当的艺术应该导致心灵的静止。

　　美感情绪是静止的，它抓住人的心灵，高居于欲望和厌恶之上。

　　艺术家把自己非人化了。

艺术中的非个人化、非人格化——他反对主观人格，避免其介入小说。这在福楼拜已做到了。这说法如针对浪漫主义——说得好。但乔治·桑对福楼拜说："你隐藏着你的心，可你心里的爱、厌恶，谁读不出来？"

乔伊斯说："流亡，就是我的美学。"

这句话，我在一篇短文中写道：

"'流亡，这是我的美学'，我不如乔伊斯阔气。我说，美学，是我的流亡。"

未来主义

一九九二年十月四日

谈主义,是一种现代病。试看古人,从雅典到文艺复兴,都不标榜主义。因为主义总是一种偏见,甚至是强词夺理,终归是自我扩张,排斥异己。

这是一种貌似深刻的浅薄——他们本质上都属于极权主义的。马雅可夫斯基是左的极权,马里内蒂是右倾极权。果然,他后来发表《未来主义与法西斯主义》,二战后积极参加法西斯党活动,为墨索里尼效力。法西斯党掌权后,马里内蒂出任科学院院士,意大利作家协会主席。

不要刻意造作,要放松。别死心眼,别找到一个形式就不得了。别的形式、风格,在等着你呢。

我是只看艺术,时代不时代,根本不在乎。什么"划时代"啦,"时代重镇"啦,让人家去讲吧。一句话:时代超强的作家,他赢了,只赢了一个时代。对千秋万代来说,他输了。

他(阿波利奈尔)是点燃了自己的火,烧了别人的饭。这是我的评价。那么糟糕的未来主义理论,在绘画的立体主义那么好,那么成功。

一个夏天过去了。今天我们讲"未来主义"。未来主义在二十世纪文学、艺术中都曾风行一时。产生在哪里？意大利。强势，迅速传到俄国，后来到英法。

创始人是意大利诗人、戏剧家，马里内蒂（Filippo Tommaso Marinetti）。1909 年 2 月 20 日，他在法国《费加罗报》发表《未来主义宣言》（The Futurist Manifesto），那就是未来主义流派诞生的标志。

1910 年，他又发表《未来主义文学宣言》，宣扬未来主义文学理论和创作原则。1913 年，他和帕拉泽斯基（Aldo Palazzeschi）合编了一个未来主义文学刊物，叫做《拉切巴》（Lacerba）。同年，他去俄国宣传未来主义，促进俄国未来主义发展。

他们做事是这样做的：真的创立一个主义，发表一个宣言，接着是文学宣言，然后办杂志，然后到别国去宣传——多么认真。近几十年，这种现象不见了。这也是个"进化"，他们那时的认真，有点傻的——但现代人不再那么认真了。

他们还在佛罗伦萨举行"未来主义晚会"（Futurist Evenings），扩大影响。

1915 年，马里内蒂和其他人发表了未来主义戏剧宣言。1916 至 1918 年，马和基蒂创刊《未来主义意大利》。

从打旗号，到实践，到出刊，未来主义在世界范围闹起来。

看回去，三个感慨：

一，文学艺术最好是各行其是，听其自然。提特定主张，一伙人合在一起干，注定要失败的。凡主义，都是强扭的瓜，不甜，烂得也快。

二，谈主义，是一种现代病。试看古人，从雅典到文艺复兴，都不标榜主义。因为主义总是一种偏见，甚至是强词夺理，终归是自我扩张，排斥异己。

三，正好是这种自我扩张的强词夺理，注定该主义的局限性，使之无法融会贯通，不能贯通，其机能就弱。凡主义、流派，都不可能繁荣一百年，至多几十年。

我们有冷静的余地。所以平心静气谈谈别人的主义。

排排名单。未来主义代表作家：

意大利：马里内蒂、帕拉泽斯基、基蒂。

法国：阿波利奈尔。

俄国：马雅可夫斯基、勃洛克。

意大利是发源地，俄国闹得很凶，法国，因牵涉到一大批画家，此派也不可等闲视之。

哪些作品是代表性的？

马里内蒂《他们来了》（戏剧）。基蒂《建筑》、《黄与黑》（戏剧）。帕拉泽斯基《我是谁》（诗）。马雅可夫斯基《夜》、《穿裤子的云》（诗）。

阿波利奈尔对画家的影响大：当时毕加索是个傻瓜，谁也不知，是他捧起来。

理论：提倡文学艺术要着眼未来，要提出和传统不同的主张。"未来主义是现代精神。"马里内蒂说。

我又要嘲笑他们了：当时他们的"现代"，就是工业革命大祸临头的时代，是我们现在这出大坏戏的开场，也是现代文明走向不归路的开场。

他们歌颂机械文明，进取性的运动，歌颂速度，描写大都市，朝拜都市文明，盲目歌颂战争，从都市和战争中发现美：机械美、速度美。

后来呢，我们亲眼看到生态破坏，二次大战，一句话，人性破灭。机械美？速度美？那是丑的，当时他们不知道。

他们取材，反对客观模仿现实，要发掘潜意识里捉摸不定的力量，纯抽象，纯想象地把握一切。

（念马雅可夫斯基一段诗）

窗户把城市大地狱分割成
一座座的小地狱，吮吸着灯光
汽车像红发魔鬼飞扬了起来
狂吼着喇叭，就在耳旁

当时很新。一个乡巴佬进城的诗。算很聪明了：城市大地狱，窗户小地狱，汽车像魔鬼，可是，这算什么诗呢？

主张更新文学语言，反对整个文学传统。他们认为胡言乱语正是诗。造生字，消灭形容词、副词、标点，借助符号音乐表达。俄国人：打倒作为工具的文字，实现自我发挥的文字，乌拉！

这是一个坏孩子的捣蛋，一个生命力旺盛的败家子。

马雅可夫斯基的梯形句子，是阿波利奈尔想出来的。这样可以不可以呢？可以的。但我以为这是小事情，不必大惊小怪。不是什么新创、开展。

以上云云，是粗枝大叶的。既然把未来主义做讲题，手书还得精细一点。下面一个个作家分析。

中心点在意大利，参加者最多，波及也广。马里内蒂是头，其次是帕拉泽斯基，再下是帕皮尼（Giovanni Papini）、索菲奇（Ardengo Soffici）、布奇（Anselmo Bucci）。

马里内蒂（Filippo Tommaso Marinetti，1876—1944）。生于埃及某港的意大利家庭，后随父母迁居巴黎，受到法国现代文学影响。1899 年回意大利，学法律。在法国时，他曾在 1893 年发表过象征主义诗歌，1909 年发表《未来主义宣言》。

作品语言刻意不合规范，模仿生活中音响和数学符号。短剧《他们来了》，开幕时灯光明亮，左方有门窗，通花园，右方也敞门，靠墙安乐椅，椅两边各四把椅。人物是总管，两个燕尾服仆人。总管说："他们来了。""他们倦了。"于是仆人上上下下忙着准备，种种新命令，仆人来回换一次道具餐具，最后总管说一句无意义的话，退下，仆人又将各道具复原，其他道具退回后台，台上留下道具椅子之影，完了。

聪明的，有点意思的。这种东西在当时演，很吓人的，煞有介事。

布莱希特（Bertolt Brecht）后来就弄得比较心平气和。你看，当时他们兴兴轰轰在弄，同时的纪德照样平心静气写自己一套。

这是一种貌似深刻的浅薄——他们本质上都属于极权主义的。马雅可夫斯基是左的极权，马里内蒂是右倾极权。果然，他后来发表《未来主义与法西斯主义》，二战后积极参加法西斯党活动，为墨索里尼效力。法西斯党掌权后，马里内蒂出任科学院院士，意大利作家协会主席。

马里内蒂的理论提出：

摈弃一切旧传统。

向星辰挑战（笑），认为除了斗争，诗歌就是勇气，反叛。

未来主义要以运动为核心，速度、音量、能量，机械、技术，宣告一种新的美，速力的美。

战争、暴力、恐怖，都是为了破坏传统，创新。

创造未来的艺术（也是口号）。

休息。木心（笑）：郭沫若有诗说：要把红旗插遍全宇宙。

我听了，说：你去插！

我们说："文革"全是这一套。

木心：中国那时是假戏真做，未来主义是真戏假做。不要吃奶油，他是吃饱了来的。中国闹"文革"，是真的面包也不许吃。

"群众的眼睛是雪亮的。"群众是没有眼睛的。群众还没有记忆。

人类的本能是破坏，毁灭。这是生态现象。你看花，要发芽，要开花，然后萎谢，会烂掉。进化论？没有进化论的。还有尼采的超人，哪里来超人？没有的。

帕拉泽斯基（Aldo Palazzeschi，1885—1974）。诗人、小说家。生于佛罗伦萨商人家庭，当过演员。1905 年发表《白马》（*I cavalli bianchi*），1907 年发表诗集《灯》（*Lanterna*）。1909 年与马里内蒂共同创未来主义。同时发表诗《诗》（*Poemi*）、《纵火犯》（*L'incendiario*）。他一洗华丽雕琢的诗风，作品三要素：疯狂、忧愁、悲哀。

在技术上，他切断了理性思维的逻辑，制造运动的美，用一系列类比、感应、象声词，作为他的新奇立意，往往忽然宕开一笔，造成新的艺术境界。他是意大利诗人中佼佼者，还写了不少小说。政治上属中产阶级的温和派，和马里内蒂有分歧。1914 年退出未来派。三十年代法西斯主义猖獗一时，他隐居书斋，拒绝与墨索里尼政权往来。这人还不错，不像马里内蒂那样疯狂。诗一例：

> 我是谁
> 我，或许是一名诗人
> 不，当然不是
> 我的心灵之笔
> 仅仅描写一个字——
> "疯狂"

> 我，也许是一名画家
> 不，也不是
> 我的心灵的画布
> 仅仅反映一种色彩——
> "忧愁"

> 那么，我是一名音乐家
> 同样不是
> 我的心灵的键盘
> 仅仅演奏一个音符——
> "悲哀"

我……究竟是谁
我把一片放大镜
置于我的心灵前
请世人把它细细的察看
——我的心灵驱使的小丑

现在来评价，其实很差，但正是未来主义一群作家的心声，这首诗有着时代的象征。一般评家很重视所谓时代性，把艺术价值看得平淡次要，甚至无视。我是只看艺术，时代不时代，根本不在乎。什么"划时代"啦，"时代重镇"啦，让人家去讲吧。一句话：时代超强的作家，他赢了，只赢了一个时代。对千秋万代来说，他输了。

帕皮尼（Giovanni Papini, 1881—1956）。诗人，散文家。一生的思想发展三阶段：早年实用主义，信仰美国实用主义杜威、詹姆斯哲学，强调经验。一战后，转向宗教寄托，研究《圣经》，入天主教，写《耶稣传》。法西斯主义起，他转而崇信法西斯，有诗《我的意大利》，成官方人士。战后躲在家中写书。

完全随波逐流。从别人的思路转向别人的思路。那种转向，无源无基，无因无果。所谓思想，是有异于人的思想，所谓发展，是不成熟到成熟，不是朝秦暮楚。帕皮尼的失败是可耻的。

一个人要有一个方向。中途可以有种种走法，但方向不能乱变。忽而佛教，忽而天主教，忽而伊斯兰教。帕皮尼还有另一面，1903 年创刊名《列奥那多》(*Leonardo*)，成意大利唯美主义阵营。这一面，好坏不知，但有这一面。

这是帕皮尼。跳来跳去的帕皮尼。

基蒂，是意大利未来主义戏剧的代表人物——意大利情况大致如此，我们转到法国。

未来主义宣言传到法国，阿波利奈尔起来响应（他是波兰人）。他创说"立体未来主义"，发表《未来主义的反传统》。把绘画中的立体主义引入文学创作，为了探求更高的现实美，探求第四度空间，把雕塑、绘画、音乐融在一起，成所谓"绘画诗"，有图案，有色彩，有格式（立体），有音响。

他自己有作品，把鸽子放在作品上，意图反战。

他还成立"立体诗"，楼梯型的，马雅可夫斯基接过去，大干特干。

这种形式，难过死了，走楼梯不是很累吗。这是什么作为呢？我以为是下策，是离开文学本体的耍把戏。艺术是在有限中表现无限，诗嘛，大大方方一行行排开来写。

他们要把鼻子放在额头上，两腿放在肩膀上——美吗？让他们去美吧。我看阿波利奈尔遇到这样的情人，不会爱的。

绘画呢，本来是表达三度空间的，第四度是假想的，性质是说俏皮话，不是物质的。所以可以假想四度空间。文学，是时间性的，是意象性的，所谓空间效果，对文学而言，是意味着的效果，不是实际感受的效果。

下面还要讲各种艺术的局限。

他们反对因循守旧，嘲笑古典主义和温文尔雅。他们又是反资本主义的，认为资本主义贪婪、吝啬、胆怯、狡猾、吹牛、凶残、自私、扼杀天才、污染世界。

骂骂而已，他们还是在资本主义中生存。

阿波利奈尔（Guillaume Apollinaire，1880—1918）。私生子，母亲是波兰贵族。生长于法国，当过职员、伙计、保姆。一战爆发后参军（已入法国籍），1916 年重伤，退后方。1918 年结婚，不久即死，三十八岁。

从事创作时间不长，诗歌、理论的影响却很广。诗集有《动物小唱》（*Le bestiaire ou le cortège d'Orphée*），《醇酒集》（*Alcools*），《被杀害的诗人》（*Le poète assassiné*），《美好的文字》。

不用标点符号，说诗的旋律顿挫就是标点。这倒可以，但不要去故意排斥、标榜。偶尔用用标点，也俏皮。文学上艺术上，刻意要这样，要那样，最后是害自己的。

不要刻意造作，要放松。别死心眼，别找到一个形式就不得了。别的形式、风格，在等着你呢。

他有些警句，还是好的。我给他整理过了，如：人想有第三条腿，轮子因此诞生。

他的评论也很独到，毕加索、布拉克（Georges Braque）皆受其惠。

他是点燃了自己的火，烧了别人的饭。这是我的评价。那么糟糕的未来主义理论，在绘画的立体主义那么好，那么成功。

教训：各种艺术，各有其领域，所谓各擅胜场，不要搞到你的局限性之外。什么是你的局限性，要看你的神、智、器、识。中国山水画的"四王"，知自己的局限，笔笔仿黄大痴，但不知把自己局限中的领域扩大。

马克斯·雅各布（Max Jacob, 1876—1944）。未来主义诗人。犹太人。原想当画家，识毕加索。1909年自称见耶稣显灵，从此从文。出散文集《海岸》，散文诗集《骰子盒》（The Dice Box），小说《显花植物》、《人生百态》，诗《中心实验室》（Le laboratoire central）。此诗据说是立体派中未来主义最强烈的作品。

1921年，厌倦城市生活，到海边茅舍过日子，边祈祷，边写作（我不祈祷，如给我住茅舍，一边写作，一边还是写作）。还去西班牙旅行。晚年成歌谣集《海边》。二战为法西斯捕入集中营，肺病死。

死后声誉大振，遗作出版。

他的好处，是复活了中世纪诗歌的题材，把宗教故事和神秘主义重新引入诗台，主题是"着了魔的灵感和基督教神圣的矛盾冲突"，很有深意的。他的技巧现代，把直觉、幻觉提到技巧的首位。他对现代文学确有影响。

皮埃尔·勒韦迪（Pierre Reverdy，1889—1960）。诗人，伦理学家和小说家。在外省乡间成长，自然景色给他很深的影响——洪水、风暴、灾难，全是自然界的恐怖。

1909 年定居巴黎，与阿波利奈尔和毕加索为友，闹未来主义。1915 年发表散文诗。1916 年创刊物《北—南》，说明对诗的形象的定义。诗的形象应"自己鼓翼而来，不应是人为的制造"。这理论听来很普通，就是"自动诗"作法。后来超现实主义就是用此法，以不相干的形容词、动词拼凑，很奇，有时很美。

有诗《椭圆形的天窗》（*La lucarne ovale*）、《伪装的骑师》（*Les jockeys camouflés*）、《麻布领带》（*Cravates de chanvre*）、《废铁》（*Ferraille*），散文《鬃毛手套》（*Le gant de crin*）、《船上的书》（*Le livre de mon bord*），小说《人皮》（*La peau de l'homme*）、《塔朗的盗贼》（*The Thief of Talan*）。

风格哀婉凄切，孤独忧愁。后来加缪的《局外人》受他影响，他是存在主义小说的先人。

　　漫长暑假，大家都有一点经历，不妨讲讲，互相关怀一下。丹青去加州展览，有成功，得到权威的肯定，请他自己讲讲。

未来主义、表现主义及其他

一九九二年十月十八日

怎么办呢，我想了好久，决定退出文艺界，去搞工艺美术，不太积极，也不太落后，尽量随大流，保全自己。

当时同学中走我这条路的，找不到第二个，都去革命了。他们来看我："木心，你还挂贝多芬像、达·芬奇像？你还挂这些！"当时，这些都算是非问题，没有余地。

他太傻，应该逃。我不是说过吗，天才的第一特征，就是逃。天才是脆弱的，易受攻击的，为了天才成熟，只有逃。

未来主义，没有远见、预见，不成其为先知——未来主义没有未来。

我自己也承认，我是到了纽约才一步一步成熟起来，如果今天我还在上海，如果终生不出来，我永远是一锅夹生饭。

我的问题是：艺术曾经重复过客观现实么？从来没有过。这个问题是现实主义的全部奥秘。我愿做现实主义的辩护士。

我从小也想写，写后烧，真是少年不知"烧"滋味。烧不得的！但境界真是高。卡夫卡像林黛玉，肺病，也爱焚稿，应该把林黛玉介绍给卡夫卡。

上次讲了未来主义的发生、发展，也讲了意大利未来主义的个人传记。今天讲俄国未来主义的情况。早在 1911 年，有一个俄罗斯作家叫谢维里亚宁（Igor Severyanin），有书《自我未来主义的序幕》，提出"自我未来主义"之称，俄国未来主义开始了。下一年，马雅可夫斯基、布尔柳克（David Burlyuk）、赫列勃尼科夫（Velimir Khlebnikov）联合出版了诗集《给社会趣味一记耳光》（*A Slap in the Face of Public Taste*），这名字想得蛮好。三个人都是诗人。同时也写了个宣言，三人同时登上未来主义文坛，成为代表人物。

十月革命前夕，思想界知识分子的理智、情感，都处于极度动荡。大家都以为被历史所要求，从左倾的角度去提"一切重新评估"。很快，知识分子放弃未来主义，投向共产主义，写诗歌颂革命，以为是献身，以为自己从个人主义转向共产主义——这就是当时俄国和共产主义的彼此误解，误解的中介，就是文学。

这段历史，中国人也有体会。1949 年前，上海艺术学院学生起劲地读克里斯朵夫、普希金、托尔斯泰，桌面都压着这些人物的照片。到了解放军渡江，上海杭州一个接一个"解放"了，一解放，又纷纷去参军，他们自己以为"心路历程"顺理成章——顺文学之理，成革命之章——后来呢，克里斯朵夫、普希金，统统放弃，极少数人还留恋，也留恋不了多久。我当时知道，非常难，共产主义不爱普希金的，不容克里斯朵夫的，我要走的路，被截断了。怎么办呢，想了好久，决定退出文艺界，去搞工艺美术，不太积极，也不太落后，尽量随大流，保全自己——我看俄国那批人下场，太悲惨。

未来主义者，其实都带有虚无主义，革命是不容的，岂止不容，还要打击、根除。三十年代后，未来主义烟消云散。鲁迅先生说过，俄国的革命诗人，撞死在革命的纪念碑上。

当时同学中走我这条路的，找不到第二个，都去革命了。他们来看我："木心，你还挂贝多芬像、达·芬奇像？你还挂这些！"

当时，这些都算是非问题，没有余地。

所谓中国文艺复兴，是文艺复兴个体户。这种个体户多起来，中国文艺可能复兴。

知识分子对快速变化的社会，感到困扰，要反抗，又无力，因此悲观绝望。所谓当时文学艺术上的未来主义，实在是虚无主义，个人主义。他们渴望破坏，渴望新的境界。马雅可夫斯基说：把普希金、陀思妥耶夫斯基、托尔斯泰，从现代生活的轮船上扔到海里去！

把他们扔到海里去，是犯罪行为，恶是要恶报的。

他们讲速度美、动荡美，我认为是少见多怪，歌颂都市美，我认为是乡巴佬。

唯一可以肯定的，是他们倒各有特色，各有主张、风格。比中国的千人一面，公式化、概念化，好得多。

意大利未来主义，与俄国很多相同。俄国未来主义很激进，对索洛古勃（Fyodor Sologub）、波留洛夫（Karl Bryullov）、蒲宁（Ivan Bunin）、安德烈耶夫（Leonid Andreyev）等等，统统否定。

我提这观点：一种主义和一个人一样，靠排他，总是寿命不长。所谓创作，是自我的完美、升华，要完美、升华，总要汲收，哪里能靠排斥别人。

一种艺术和另一种艺术，是映照的关系。艺术和艺术之间，艺术家和艺术家之间，艺术品和艺术品之间，是一种映照的关系。

艺术上不存在谁压倒谁，谁吃掉谁。

意大利、俄国，不同处是意大利未来主义是右倾的，俄国未来主义是左倾的。其实，左派最后并不容纳马雅可夫斯基。

稍微解释一下：什么是"自我未来主义"？谢维里亚宁说：

世界上一切牺牲都是为了我。

活着的东西活着吧，唱歌吧，

世界上只有你和我，

我和我的愿望。

又说：

我——自我创造

老练的美神的杰作

这种诗，要来问我：好不好？不好。坏不坏？不坏。我要说，这种诗很傻，像鸟一样叽叽呱呱叫，什么意思也没有。

意大利人讲"四度空间"的未来主义，俄国人讲诗的形式、格式。俄国人后来说出什么"共产主义的未来主义"。结果呢，俄共说那是"革命的幼稚病"。

马雅可夫斯基（Vladimir Mayakovsky，1893—1930）。出生伐木家庭，九岁进文科中学，后转学莫斯科。参加罢课游行，和社会主义分子来往。1908年加入俄国社会民主工党，多次入狱，在狱中大量读书。当时俄国流行一种说法："革命和艺术不相容。"

用现在的说法看，是一种很聪明的说法。能提出这个中肯的意见，是有先见的，是先知式的判断。最早有这先知的，是海涅。他和马克思为友，可是他看到巴黎公社起来，哭了，他说：革命起来后，我所爱的艺术就完了。

陈伯达还在报告中说：海涅在革命起来后，吓破了胆。

我说，海涅凭他的诗人气质，一开始就发现了无产阶级来者不善。

马雅可夫斯基比海涅天真多了。他内心爱好艺术，不愿走老路，要创新，可是革命已经起来了，不容他的个人主义。他太傻，应该逃。我不是说过吗，天才的第一特征，就是逃。天才是脆弱的，易受攻击的，为了天才成熟，只有逃。

我认为逃是以退为进，大天才的标志都是逃。马雅可夫斯基如果逃出苏联，在欧洲写诗，多好，他无疑是个天才。

可是他后来把未来主义改成社会主义现实主义。1925年，他宣称未来主义与共产主义不能携手同行，要批判未来主义——你看！

艺术家，思想家，在任何时代、社会，一定是异端。什么道理？因为任何时代、社会，艺术家、思想家总会批判这时代、这社会。要马雅可夫斯基做歌功颂德的顺民，他不肯，最后在党内文艺圈批他攻他，最后只得自杀。可又不能说是为了党气死，还要为党顾点面子，留下诗，说是为了爱情。

爱情的小舟撞在礁石上，沉没了。

我曾经写过一首长诗，题名《火车弥撒》，就为悼念马雅可夫斯基。借他的例，写党与艺术的矛盾。诗稿还在，但问题不再新鲜，没多大意义，作废了。

附带讲讲这个：一个中国人，一个中国艺术家，出不出国，是个终身大事（因为我希望马雅可夫斯基能出来）。古代中国人怎么样呢？他们必须游历名山大川，可是今天，名山大川不够了，我们要游历世界上的名城大都。

我自己也承认，我是到了纽约才一步一步成熟起来，如果今天我还在上海，如果终生不出来，我永远是一锅夹生饭。

我非常感激新大陆。

接下来，到不到欧罗巴，又是一件终身大事。

美国使你成熟——欧洲使你超越！

这样，我们在世界上也算看过了，画过了，写过了，爱过了。我们可以对上帝这么说：老兄，不虚此行。

也许问，开放以来，不是有千千万中国人到美洲欧洲吗？入籍定居，你怎么说？我答：他们是为了钱，美洲是什么，欧洲是什么，概不在怀——他们是"不识欧洲真面目，只缘身在欧洲中"。

（座中学林问：马雅可夫斯基哪里触犯了党？）

木心：他歌颂党，但名气影响太大，必除。

再补充几句：马雅可夫斯基死后，斯大林出来说：马雅可夫斯基是我们时代最有才华的诗人——好，血迹洗掉了。

马雅可夫斯基的确是个天才型的人物。写诗，会画，会设计，朗诵更好，有才气。有诗《穿裤子的云》（*A Cloud in Trousers*），这题目，我就钦佩他。他说：

我要是温柔起来，像一朵穿裤子的云。

他是白白牺牲。他的诗，是有才华，《好》（*Good!*）、《列宁》（*Conversation with Comrade Lenin*）、《穿裤子的云》。他的才华浪费了。为什么现在他还在文学史上占一席地？在苏联地位很高？

这算是文学的成就、成功吗？

他的诗，颂党，颂列宁，好，现在苏联没有了，列宁的遗体也要拍卖，他的诗，充其量是革命的殉葬品。

这是马雅可夫斯基生命悲剧之后的艺术悲剧。他上当了。在共产主义运动中，他什么也没有得到。

他是落空的天才。那样单纯、热情的人物，在俄国，在中国，都不会再有了。

马雅可夫斯基追悼会，开到这里———一个人，一个艺术家，不要轻信任何主义。他的诗，全是废品。苏联完了，今天看的他的诗，不知所云，一个一事无成的天才。

因为在座都是画家，我略约讲讲绘画中的未来主义。

意大利普乔尼（Umberto Boccioni，1882—1916），1910年发表绘画上的未来主义宣言。宣言共十三条：

一，一切模仿的写实的形式，必须受到藐视。一切创造的革新的形式必须受到歌颂。

二，对"和谐"、"趣味高雅"，必须进行反抗。

三，艺术批评家是无用的，有害的。

四，为了表现骄傲、狂热、街头吵闹、快速飞驰，这样的现代生活首先要把曾经用过的一切主题一扫而空。

五，"疯子"应该看做荣誉的称号。

六，在绘画中的补充是绝对必要的，就像诗里的自由韵律，音乐中的"对位赋格"。

七，宇宙之力应在绘画中得到表现。

八，表现自然，最重要是真挚和纯粹。

九，运动和光，摧毁肉体的物质性。

以上正面主张。以下四个反对：

十，反对现代艺术变成绿锈的沥青色。

十一，反对在平淡的色彩上造成浅薄低级的仿古风格，以及模仿埃及人的直线。

十二，反对虚假的独立派，他们和从前的学院派是一样陈腐的。

十三，反对绘画中的裸体，他们像文学的通奸一样让人作呕。但对裸体，不是从道德观念，而是裸体的单调感，今后十年不要画裸体（这条很有意思，要说明——当时房间里挂着好多裸体画。艺术家不爱画老婆，爱画情人的裸体）。

重复一遍，结束这一章：

无论文学、建筑、诗、舞蹈、绘画，未来主义都反对表现静态。反对表现美女、和谐，要表达汽车、速度、飞跑。他们在威尼斯广场散发二十万张传单，还是有建筑师奥图（Aalto），设计帐篷式的建筑。

结论：

未来主义随时代而起，并非领导了时代，所以未来主义不过是当代主义。

未来主义，没有远见、预见，不成其为先知。他们没有灵感，不配称为先知。

未来主义是本质上的无政府主义者，可是无政府主义者主张回归自然耕种，手工业，但未来主义是个人主义的，喜欢城市都会，歌颂大工业生产。他们是都会的无政府主义，不是田野无政府主义。

据以上三点——未来主义没有未来。

可是未来主义影响到现在，好的叫做影响，坏的叫做流毒。接下来，还有表现主义。不过是：一个村子里有户人家。

顾炎武：一为文人，便无足观。

我补充：一人主义，便不足观。

（丹青问：为什么人喜欢标榜？）

木心：偷懒。不提主义，是累的。

表现主义。这是个大题目。

本世纪到了三十年代，欧美表现主义盛极一时。先在绘画，后来扩张到文学、戏剧。最早于 1901 年巴黎的一次画展上出现这一用词。1911 年，马里内蒂（Marinetti）在柏林《狂飙》（*Der Sturm*）杂志上发表表现主义宣言和其他理论著述。再推前，作为运动，前驱者是德累斯顿画家集团"桥社"（Die Brücke），后来又有慕尼黑画家集团"蓝骑士"（Der Blaue

Reiter)。

"桥社"、"蓝骑士"二团政治观不一样，艺术上一致：反写实，重表达主观。主张客观事物引起主观激情，才有艺术。

文学上的表现主义也始自德国一次大战前，小说、诗、戏剧，大量出现表现主义手法，很有成就。有奥地利诗人特拉克尔（Georg Trakl），捷克诗人魏菲尔（Franz Werfel），德国诗人海姆（Georg Heym），还有贝恩（Gottfried Benn）。小说家有奥地利的卡夫卡（Franz Kafka），捷克的恰佩克（Karel Čapek）。

共同特点：批判社会弊端，刻画人性，以荒诞的情节和真实的细节来描写，很新。现在还可以用，描写内心恐惧、困惑。

戏剧方面，表现主义先驱即瑞典的斯特林堡，他用大段独白，时空交错。

大战前后有一批颇负盛名的戏剧家，德国有托勒尔（Ernst Toller），凯泽（Georg Kaiser），还有美国的尤金·奥尼尔（Eugene O'Neill）。

二十年代是他们的辉煌时期。

表现主义比未来主义强，至今还有影响，时而回光返照，时而东山再起。

他们反对传统现实主义，认为客观世界已经存在，何必重复？这个问题很有深意——我的问题是：艺术曾经重复过客观现实么？

从来没有过。

这个问题是现实主义的全部奥秘。我愿做现实主义的辩护士，今天暂且说一说，以后再说。

他们喜欢表达下意识，神秘。戏剧方面，他们借助道具、布景、灯光、音响、面具，使人物的激情舞台化，再构成梦境、幻象，目的是直接诉诸感官和直觉。

对现实生活中的活人活事不感兴趣，倾向探讨抽象的哲理性的问题：人性和暴力，个人和群众，人的异化。重视社会整体的东西。人物性格不加刻画（很容易概念化），因此人物面目不清，行动飘忽，有时名字也没有（高级的浅薄）。和象征主义相近，有血统关系。情节离奇荒诞，篇篇求怪。

再进一步探讨它在文学上的渊源——祖宗是波德莱尔。

自从波德莱尔，文学的笔锋从外在转到内在。到马拉美，更聪明，看到世界要变，我们无法与世界争，只好回到内心，维持稳定。他不再表达现实，只写内心活动。他说：

　　　　表达我们生命的奥秘，赋予我们存在的真实感，以完成我们精神的业绩。

通达。炉火纯青。涵盖性极大的。还有瓦莱里。作为马拉美的学生，他说得更透明：诗人的天赋，是创造一个与实际事物无关的世界。

这种文艺观的涵盖性非常大，表现主义只是择其一部分。

总之，表现主义重纯粹主观——但难道有纯粹的主观吗？波德莱尔、马拉美的诗句，都和客观现实有关的呀。

但在他们说的时候，想的时候，讲得起劲的时候，我也就笑笑。不要拆穿西洋镜，要讲礼貌。

表现主义的"生父"是斯特林堡。

弗兰兹·卡夫卡（Franz Kafka，1883—1924）。生于布拉格犹太中产家庭。父亲是百货批发商，脾气暴躁。1910年进布拉格大学学文学，后转学法律。毕业后在保险公司当职员。中学时就喜欢易卜生戏剧，大学参加文学活动，和一个叫马克思·布罗德（Max Brod）的很要好。这个布罗德留下了他的作品，否则不会有卡夫卡。

卡夫卡还深受丹麦克尔凯郭尔哲学影响。

一句老话：性格决定命运。卡夫卡郁郁寡欢，老在疗养院过日子。写作勤奋，老不满意，毁掉，所以作品很少。1922年病重，辞职。两年后死。托布罗德烧毁他的全部作品。布罗德答应，卡夫卡死。布罗德想想不能烧，乃出卡夫卡全集。

我小时候读到这里，感动。卡夫卡境界是高的。我从小也想写，写后烧，真是少年不知"烧"滋味。烧不得的！但境界真是高。卡夫卡像林黛玉，肺病，也爱焚稿，应该把林黛玉介绍给卡夫卡。

小说：《苦役营》、《变形记》、《格拉克斯》、《中国长城的建

造》、《饥饿的艺术家》、《地洞》（以上中短篇），《美国》、《审判》、
《城堡》（以上长篇，都未完成），通信集、散文、七篇速写。

才子薄命。身体弱。终身独居。少年时受父亲压。十月革
命，人家兴高采烈，他毫无反应（这在当时不容易），不愧是
老子和克尔凯郭尔的读者。他一意求新时，对不同派也从不反
对，自己另辟蹊径。评家把他和莎士比亚并列，可见之高。我
不同意这么比，但也不想贬低卡夫卡。他高洁，诚实，他要烧
稿，何等高洁。他读老子，反反复复读，说：我的智力不及老
子。他读不懂，就这么说（其实是懂了的，读了老子夸夸其谈，
反而是不懂），又何等诚实。

凡是高洁、诚实的人，都是悲观的，都是可敬可爱的。

休息时有句：

　　在外总是镀，回国才是金。
　　借问行路人，何如普式庚？

卡夫卡及其他

一九九二年十月二十四日

喔哟！卡夫卡这个名字一听就好像不得了。等到看见照片——这么苦命。从耳朵、眼睛，一直苦到嘴巴。这么苦命，和中国贾岛一样。

这种转了味的人道主义，很感人，陀思妥耶夫斯基，福楼拜，从来没用过这种手法。

"现实"像墨水，我蘸一蘸，写"永久意义"。但不能没有墨水，不能不碰现实。我年轻时不看报，唯美，空灵，抽象，很长一段时间如此，不好的，不行的。一定要有土壤，肮脏的土壤，不然生命就没有了，味道没有了。

人好，语言就会好——艺术本来想救人类的，救不了，结果倒是救了艺术家自己。救不了艺术家，那他是个凡人，不能怪艺术。

这种声音曾经很熟悉，现在陌生了——那是贝多芬的声音，是《第九交响乐》的合唱。但艺术救不了世界。苏联宪法通过时，唱《第九交响乐》，中国国庆十周年，唱《第九交响乐》。

他们有个人主义的人文背景。个人主义，我归结为：自立，自尊，自信。你不能自立，无法自尊，不能自立自尊，何谈自信？

秋季时间拨晚一小时，都不知，全早到了。

课前闲谈。谈中国目前大富、巨变，文化前途如何？木心：我们目前忧国伤时，是一回事，个人主义打算，是另一回事。从个人主义角度说，还是现在这样好。上海解放前，我也觉得上海是个罪恶的城市，可是一"解放"，水清了，我知道我错了。个人主义的空间没有了。

巴黎当时也是罪恶之渊，大家都往巴黎跑，在不安定中求安定。纪德说："在暴风雨的中心是安静的。"达·芬奇看了米开朗琪罗的西斯廷天顶画，说："我不如米开朗琪罗，但他是暴风雨，我是那个中心，上帝在那个中心。"

（说到中国目前经济好）木心：很简单，好钢琴家，要有一架好钢琴，一架，足够了。好钢琴家连一架琴也没有，惨了——可是不会弹，钢琴再多也没有用。

今天讲卡夫卡。他是可以讲讲的。他的作品，上次讲了，后来他要烧掉。今天讲他的主要作品：《美国》（*Amerika*）、《审判》（*Der Process*）、《城堡》（*Das Schloß*）、《变形记》（*Die Verwandlung*）。

《美国》是他假想的。他没到过美国。主角是个德国少年卡尔·罗斯曼，受女佣引诱，得私生子，父母责罚。他写美国妇女饥寒交迫，死在街头，打工者因疲倦昏倒在地上。警察残暴，流氓横行敲诈。

他只是借美国名义虚构了一个资本主义社会，表现社会矛盾。我看是不成熟的，不成功的，一般评价也不高。

《审判》有点意思了。主角是个银行襄理，叫约瑟夫·凯（Josef K）。一天早晨，秘密法庭宣布要逮捕他，他慌得不得了，自问无罪，到处申辩，找律师。律师说，法院是个藏垢纳污的地方，如你是犯人，有冤也无处申。于是他去找法院画师，画师说，法院一经对某人申诉，就已定罪，无法反驳。他又找谷物商人帮忙，谷物商说，我为自己的案子折腾二十年，倾家荡产，还没结果——主角终于觉悟，法庭有强大背景，能把无罪人捉来，审讯，密探接受行贿，法庭推事都是无才无能的，最后，主角在黑夜里被法庭处死。

故事就是这样。写法模模糊糊，气氛恐怖、压抑，说来是作者在奥匈帝国统治下捷克人的心情。

卡夫卡生在奥匈帝国末期。什么叫"奥匈帝国"（Austria-Hungary）？ 1867 年奥地利、匈牙利联合组成，匈牙利人称呼"奥斯马加"（Osztrák-Magyar）。由奥王兼匈王，两国军队合用，度量衡、关税、币制，两国一致，此外分行制度，历五十一年，直到一次大战后，分解独立。捷克是一战后独立的，首都是布拉格。

《审判》已有他自己风格。主角名字 K 是作者第一人称字母。细节很真实，色调很阴森，我们可从读者立场看，解作"真理可望不可即"。小说有一人物是牧师，他说："真理是有的，通往真理的路障碍重重，但我们不可能闯过去，因此真理找不到。"

这个悲观主义论调，从宗教出发，上升为哲学，又回到宗教。人类的上智者的痛苦，是明知真理是有的，可是得不到。下愚者快乐，无痛苦，他们不需要真理，所以他们没有失望。人类中多的是既不上智，也不下愚，忽觉有真理，忽觉无真理，忽而找找，忽而不找了。这是我的看法，但确是从《审判》中引申的。

当时他写的背景还是奥匈帝国。帝国去掉后，情况还是存在——后来捷克来了苏联老大哥。

接下去，我将这问题再扩大化。艺术品分三大类：

一，有现实意义，没有永久意义。

二，有永久意义，没有现实意义。

三，有现实意义，有永久意义。

大家对照自己，属于哪一类？所谓社会现实主义，大致属第一类（十九世纪俄国那种"批判现实主义"，和"社会现实主义"不同）。例如歌颂斯大林，按"延安讲话"写的那些作品，当时确有现实意义，现在没有了，只限于一国、一个短时期。

不以反映现实为务，属第二类，如塞尚、梵高。苹果、向日葵有什么现实意义？几千年前，几千年后，苹果，向日葵，都是这样。

再举例，属第三类——像托尔斯泰、狄更斯、哈代，既有现实意义，又有永久意义。历史过去了，永久意义仍在，甚至更强。1812年过去，《战争与和平》不过去。

如果着眼于永久意义，更好，如《复活》，等到它的永久意义出现，连它的现实意义也带进去。

这样的分法，我是在旧事重提：为艺术而艺术，为人生而艺术。现在看来，这争了一百年的事，双方都不知在说什么——文理上先不通：什么叫为艺术而艺术？为人生而艺术？比如，什么叫为吃饭而吃饭？

为人生而艺术？难道有为狗为猫的艺术？

都没说清楚。说清楚后，不叫"平反"，是"反平"。

回过来说三类：第一类属政治宣传，宗教宣传，商业广告，流行文化。都只有现实意义，没有永久意义，实用第一。本世纪津津乐道的"次文化"，没有永久意义，严格讲，也不能说现实意义，只能说是有市场，有销路。

所谓次文化，就是反文化。可能文化会死在次文化里，次文化是个杀手，要杀掉文化。这点没人提过。

唐宋元明清统统给杀死。一个没有文化的富国，等于肥胖的白痴。

扯远了，回来，讲《城堡》，这是他的代表作。

主角也是K，他请求在城堡近郊落户。去了，找了好久，找不到，冒充土地测量员，得向导，走一整天，还是找不到。K于是勾引城堡官员的情妇，还是达不到目的。小说到此结束——K直到临死，才得到城堡允许，可在郊区落户。

城堡代表官方机构，高高在上，民众怎么也靠他不拢。这样粗浅的解释，是对不起卡夫卡的。

城堡的现实意义，是指奥匈帝国。永久意义：所谓真理、自由、法律，应该都是存在的。可是荒诞的世界总是设置种种障碍，永远达不到。想尽办法，以为得到一点点可能，结果又有障碍，永远达不到。

艺术上谈谈。

从前我和李梦熊谈卡夫卡，其实都没有读过他，都是骗骗自己。来美国后只听港台文人卡夫卡、卡夫卡，家里还挂着他的像——我心中觉得情况不妙。一个人被挂在嘴上，总是不妙。

结果偷偷读了卡夫卡——港台文人根本是奢谈，炒股票似的炒卡夫卡——卡夫卡手法是很好，写得朦胧，但笔法很肯定。再看下去，发现他是个寓言。

寓言宜短不宜长。

寓言一长，读着读着，读者已经悟了，到后来，大悟没有了，分散了，卡夫卡上了自己的当，所以他要烧掉。

他的色调很灰，意象很特别。官僚抽宗卷，办公室里一片宗卷倒声，这种写法好。

你们要读《城堡》。注意开头几段，功力非凡。

下面还要谈到现实主义和表现主义的关系。

我还是喜欢现实主义。醒着做梦和梦里做事，总是醒着好。醒着做是"拥抱"，梦里是"touch"（触摸）。

梦里爱一个人，总是爱不好的。

喔哟！卡夫卡这个名字一听就好像不得了。等到看见照片——这么苦命。从耳朵、眼睛，一直苦到嘴巴。这么苦命，和中国贾岛一样。

"现实"像墨水，我蘸一蘸，写"永久意义"。但不能没有墨水，不能不碰现实。

我年轻时不看报，唯美，空灵，抽象，很长一段时间如此，不好的，不行的。一定要有土壤，肮脏的土壤，不然生命就没有了，味道没有了。

现实是永久的一环。

《变形记》，主角格里高尔，旅行推销员，忠心耿耿，安分守己，忠于职守，每天劳碌奔波，从来不敢偷懒。有天醒来，发现变成大甲虫。背上坚硬如铁，肚子有棕色甲片，很多细腿。而他还要赶五点火车去推销，钟点已是六点半。不久家人、秘书，都来了，他慌得掉在床下，秘书骂说经理已怀疑他要贪污，他辩，但秘书听不到。他爬出门，秘书吓跑，母亲昏倒。父亲把他打回屋。后来只有妹妹进来送食，打扫。他本来养家，成了甲虫后，家计无着，父亲打杂，母亲缝纫，妹妹出去做佣人。

有一天父亲追打这甲虫，以苹果击，后来苹果烂在甲虫背上。房屋被分租，妹妹为人拉琴，甲虫爬出偷听，被赶，他退回房，妹妹锁门。第二天甲虫死在屋内，全家高兴，去旅游。

妙是妙在他写格里高尔的心理。写到后来，自己都变成甲虫，读者也会感到自己是甲虫。我们都同情这甲虫，他原来是个秉性善良的人，一家之主，节衣缩食，省钱持家，供妹妹上音乐学院，成了甲虫后，还爱家人，只望自己死。

这是一种独特的人道主义。主题是这样的——被侮辱被损害的人，来爱侮辱他损害他的人。

这种转了味的人道主义，很感人，陀思妥耶夫斯基，福楼拜，从来没用过这种手法。

他死了，全家去旅游，这写得好！

对现代文学影响很大：荒诞、象征、现实，很自由地结合在一起。也可以说他在现代文学中开拓新技法，新境界，新造诣（"诣"，即到一个地方）。

《城堡》，《变形记》，手法是他个人的偏好，他完成得很好，他的作品并未完成，但风格完成了（有的人作品完成了，风格没有完成）。

这里要说到荒诞与现实的互补关系。这是一条大路（这可以解释丹青最近的画），也可以说是"互动"。为什么说是条大路？因为人世间的事，充满真实性的荒诞，真实的事，一派荒诞。

现实主义整个已有的成就，十九世纪是实实在在的现实主义。

这不叫进步，叫发展。以我个人的喜爱，我偏于实实在在的现实主义。正如我重视醒着的生活中的事物，认为假想的梦中的事物不够味。

但这样可以平实对待卡夫卡和马尔克斯——不必大惊小怪。这不是空前绝后。未必胜于十九世纪，虚虚实实未必胜于实实在在。

结论是，我们还有路可以走。

关于卡夫卡讲到这里。下面换一个作家来讲。

卡雷尔·恰佩克（Karel Čapek, 1890—1938）。捷克戏剧家，小说家。伏契克（Julius Fucik）说他是捷克文学中最有世界性的作家。父亲是乡村医生。他在大学里学哲学，毕业后任记者，1920年发表《万能机器人》（*Rossum's Universal Robots*），一举成名，又发表与哥哥合作的《昆虫生活》（*Pictures from the Insects' Life*）。接着，发表《长生诀》（*The Makropulos Affair*，又译《马克罗普洛斯事件》）、《白色病》（*The White Disease*）、《母亲》（*The Mother*），都是剧本，主题都是反对资产阶级独裁，反法西斯主义。小说影响大的有科幻小说《专制工厂》、《原子狂想曲》（*An Atomic Phantasy*）、《鲵鱼之乱》（*War with Newts*）、《第一救生队》。主题同上，反帝国主义战争罪恶。

他的表现主义继承了斯特林堡的传统，用夸张、扭曲、荒诞的形象，反映严肃的现实。

人的异化，是人的毁灭。科学物质昌盛，少数人赚钱，多数人受害——我总以为这是外在的、硬性的，写时痛快，于事无补。是一种发脾气的理想主义。

还是书生论政。

不反对他写。我自己不会写。对现代现实，我最多写一些简短恶毒的评语，给朋友看看，一笑，反正是完了的。人类的现代化，无非是人类自毁的速度加快。

阿尔弗雷德·德布林（Alfred Döblin，1878—1957）。这个人有点意思了。生于德国犹太小商人家庭，贫寒，本人长期行医为业。在表现主义刊物《狂飙》上发表小说《黑窗帘》（*Der Schwarze Vorhang*），一举成名。早期还有三小说：《王伦三跳》（*Die drei Sprünge des Wang-lun*）、《瓦伦斯坦》（*Wallenstein*）、《山、海和巨人》（*Berge Meere und Giganten*）。

《王伦三跳》，以十八世纪晚期中国为背景，影射德国的黑暗现实。王伦是道教点传师，老子的忠实信徒，主张"勿抵抗"。我想这是反讽，以宿命论、不抵抗主义来批判专制暴政。

《瓦伦斯坦》我没有看过，从略。《山、海和巨人》，写公元二十至二十七世纪的人类故事，古生物复活，和人类打，主题是人创造高度物质文明，导致人自己退化。

中期，长篇小说《柏林，亚历山大广场》（*Berlin Alexanderplatz*）、《一九一八年十一月》（*November 1918, eine deutsche*

Revolution，又称"四部曲"，包括《市民和士兵》、《被出卖的人民》、《部队从前线归来》、《卡尔与罗莎》四卷，是他代表作，歌 1918 年德国革命，颂卡尔·李卜克内西)。

当时对资本主义和无产阶级都有误解。资本主义看得见，共产主义看不见。以看不见批判看得见，当然容易。现在共产主义看得见了，资本主义呢，变样了。

晚期，长篇《哈姆雷特，或漫漫长夜的结束》(*Hamlet oder Die lange Nacht nimmt ein Ende*)，探讨每个人在社会历史的发展和毁灭中的责任。

论技术，他能大刀阔斧，又能精雕细琢。他是反映论者，主题先行者，反映现实，加以批判——等到共产主义过去，他的现实意义过去。

再讲几位诗人。

格奥尔格·特拉克尔 (Georg Trakl, 1887—1914)。生于奥地利萨尔茨堡，和莫扎特同乡。这个人我同情他。他在年轻时学药剂学，后任职军中药务稽查，在前线见战争残酷，要疯了，曾试图开枪自杀，被救下，写诗反战争。这是个好人。

他受梅特林克和兰波影响，表现主义、象征主义都用。有诗《塞巴斯蒂安在梦中》(*Sebastian im Traum*)、《寂寞者的秋天》(*Der Herbst des Einsamen*)、《夜歌》(*Gesang des Abgeschiedenen*，一译《死者的歌》)。风格忧伤哀婉，沉郁顿挫，有杜甫、屈原的味道。他是个真性情的人道主义者，也写优美温馨的诗，一边反战，一边向往平和幸福的生活，意境深远，格调高雅，对德国当代写作有影响。

人好，语言就会好——艺术本来想救人类的，救不了，结果倒是救了艺术家自己。救不了艺术家，那他是个凡人，不能怪艺术。

弗兰兹·魏菲尔（Franz Werfel，1890—1945）。捷克人，出身布拉格工厂主家庭。作品有诗集《世界之友》（Der Weltfreund）、《我们是》（Wir sind）、《审判日》（Der Gerichtstag）。基本主题探讨人的道德责任，以真挚激昂的热情寻找答案。他习惯用各种题材表达一个思想。什么思想：人必须依照良心的嘱咐来对照自己的行为。他痛恨道德沦丧、人性堕落，他的主题是道德良心。

但这永远是诗的主题，各时代写法不同而已。

他境界还是高的。他写战争，不写惨状，写人在战争中的道德沦丧，不友爱，残酷，自私，他是真诚、有见地的。风格明快温柔，优雅匀称，从心底里透出优越的情致。别忘了所谓表现主义一般都靠怪诞恐怖，有点歇斯底里，他是表现主义中的异数。他表现温柔。

他也写戏剧，却抽象模糊，不易理解。

他认为现代社会是金钱造成人的堕落，传统的人与人的友谊丧失了，只有金钱关系，感情不通，思想不通，没有抱负理想。这都对的。他又写人性的光明伟大，"唯有天良和道义能拯救世界。"要人们醒来，恢复责任和友爱。他说：

　　　　我是你的，我是大家的，我们是兄弟，别存心跟我作对，啊，有朝一日，我们彼此张臂拥抱，那该多么好。

　　这种声音曾经很熟悉，现在陌生了——那是贝多芬的声音，是《第九交响乐》的合唱。但艺术救不了世界。苏联宪法通过时，唱《第九交响乐》，中国国庆十周年，唱《第九交响乐》。我来这么说：

　　只有艺术才能救人类。

　　但艺术救不了人类。

　　问题不在艺术而在人类。

　　我们属于艺术，不属于人类。

　　我是已经冷静了——上次丹青说我其实是热情的。我说，有那么一点，一点点热过了的情——因此我喜欢魏菲尔的诗，读一首给大家听：

　　　　你小时可曾玩过枪

　　　　有木塞背带的枪

可曾弄坏扳机
如今我沉在追想里
你和我一起哭吧
不要心肠太硬

　　德国诗人格奥尔格·海姆（Georg Heym，1887—1912）。出生于西里西亚。在柏林攻读法律，做过候补推事。和表现主义作家往来亲密。他是个好人，见人落在冰里，自己跳下去救，死了。二十五岁。

　　他生前出过一本诗集《永恒的一天》（Der ewige Tag，1911），这题目不祥。死后又出一诗集。他把庄严典雅的古典风格和放荡不羁的现代技巧结合起来，格律整齐，赋予神奇瑰丽的想象。早死，可惜。

　　下次讲表现主义的戏剧作家（现在表现主义还大有余波），他们个性特别强，在同一风格下各有风格，为什么？

　　他们有个人主义的人文背景。

　　个人主义，我归结为：自立，自尊，自信。你不能自立，就无法自尊。不能自立自尊，何谈自信？

　　西方艺术家个个有自己的风格。这一点，我们吃亏了。

　　最后来一句半俏皮话：个人主义就是健康。

　　祝诸位健康！

表现主义、
达达主义、超现实主义

一九九二年十一月八日

（缺课）

第六十八讲

意象主义（一）

一九九二年十一月二十二日

"自由诗"这名称是有问题的。如果有人问我："你
写格律诗呢，还是自由诗？"我答："我不写格律诗，
也不写自由诗，我写诗。"

格言是给别人用的。大家都记得某人的某句格言，认
为很有启发，以至终生受惠，却不知写格言的人自己
未必用的。

构成句子文章的所有名词、动词、介词、形容词、副词、
助词、俚语、典故、专门名词、术语、连接词、感叹词，
甚至标点，都要使唤自如，唯我独用，又要使人不陌生，
读起来只觉得天然自成，而风味风格，却使人无从模
仿——这，才算是文学家。

两次大战之间，意大利出现过一个诗的流派，"隐逸派"（L'ermetismo），在意大利举足轻重。理论、方法，渊源于法国象征主义，同时派生出意大利的未来主义。他们认为，诗不是描写社会生活，无法表现真实，只能寻求个性真实，超脱现实，刻画内心的微妙、孤独、忧郁、悲伤。

但隐逸派还是曲折接触外在世界，如反法西斯，爱祖国。

艺术特色：

一，采用象征、隐喻，比象征派更悲伤，更浓重。

二，长于从自然中撷取内涵丰富的景物，使情景妙合。

三，精炼语言。

四，重音乐效果，认为音韵比字句更具内涵，更有表现力。

隐逸派是小派，有限，下面讲"意象主义"（Imagism）。这是现代英美诗的一个大派，流行于二十世纪早期，创始人是庞德（Ezra Pound）和休姆（T. E. Hulme）。中坚分子有希尔达·杜利特尔（Hilda Doolittle），艾米·洛威尔（Amy Lowell），理查德·奥尔丁顿（Richard Aldington），弗林特（F. S. Flint），马多克斯·福特（Ford Madox Ford）等。

十九世纪英国维多利亚王朝的诗，充满宗教训诫气味，故作艰深，未久即使人厌烦，实在是诗被宗教道德僵化了。到十九世纪九十年代，英国也出现了所谓为艺术而艺术的唯美思潮。

上次批评了为艺术而艺术。这提法，说不通的。但我何尝不知当时的苦衷？这提法，意图是为振兴艺术，我完全谅解的——我自己少年时也信为艺术而艺术。现在时隔一百年，可以挑剔字眼，说说俏皮话。为艺术而艺术，为人生而艺术，都不知所云。

为艺术而艺术，当时大而化之，英国诗台一时醇酒美人，无病呻吟，诗法混乱，如此便有后进决心革除积弊，其中有志气才华的年轻人风云聚会，于是起"意象派"运动。

意象主义不像未来主义、达达主义那样无法无天，没爹没娘。意象主义有来源，可分为三方面：

一，法国的象征主义。然而象征主义随意性大，任意赋予事物以象征性；意象主义则尊重客观，避免改变事物的形状特质。"意象主义"和"意象派"两个词，是庞德创造的。他说："意象是一刹那间思想和感情的复合体。"

二，古希腊、古罗马的诗和诗论。意象派诗人学习古典，食古而化。

三，中国古典诗词（也提到日本的俳句）。庞德是研究老子哲学的，翻译了不少中国古诗，收入《华夏集》(Cathay)。

讲到这里，大家可以透一口气。未来派，达达派，超现实主义，把人整死了。一到意象主义，清风吹来，呼吸畅通。我再概括一下意象主义的以上三个来源：

一，尊重客观（现实的）

二，继承古典（纵向的）

三，参考东方（横向的）

其实意象主义针对欧陆的未来主义、达达主义、超现实主义而发，可说是"实迷途其未远，觉今是而昨非"。话虽如此，但因事在人为，意象主义的发展和内部成员的变化，复杂得很。

主义、派，都是吃力的，不讨好的。

下面点明意象主义的历史契机。它的活动期，可以分三个阶段：

酝酿形成阶段（1908—1912）。

高潮阶段（1912—1914）。

衰落阶段（1914—1918）。

有人说，意象主义产生在休姆的伦敦文艺沙龙里。休姆师承柏格森，强调思想过程中的感情作用，认为逻辑思维的概念中是有意象的。庞德与他观点一致，便一同组织了意象派运动。

此后诗人们一面阐发理论，一面致力实践，办刊物、出集子，声势渐起，影响欧美诗台。

不久一战爆发，诗人从军了。这时，庞德转变观点，认为意象主义已成新的形式主义，便另办《风暴》（Blast）杂志，鼓吹漩涡主义，与意象主义对立。1914 年后，意象主义渐趋衰落，1918 年，风流云散。

意象派消失了，影响至今宛在。不要小看了意象派，它是有生命力的。前面讲过，它有根有源，有所建树，有功劳的。

举个例子，七十年代美国诗台的新派代表罗伯特·布莱（Robert Bly），被称为"新超现实主义"，他的诗，仍有意象主义的特征。"我活着一天，就有光海升起"，"我仿佛看见，石头里面的眼泪，就像我的眼睛在地底下凝视"。诸如此类。

布莱倾心中国古诗，他的很多诗，有唐诗味。

意象主义还有以下特点：

一，反对十九世纪末的颓败诗风，反对机械模仿，反对把诗变成美的谎言和个人梦幻，主张结合再现与表现，物、理、情一致，内容与形式和谐，以意象代替形象。追求瞬息间与对象融合，达到"物我合一"的"忘我"境界。诗中的意象既是感悟，又是经历。

二，反对说教，训诲。什么是新鲜的，什么是陈腐的，要重新评价。念一首庞德的《树》（*The Tree*）：

> 我是丛林中的一棵树
> 静静挺立着
> 知道前所未见的事物的真谛
> 知道月的女神和月桂花环
> 还知道那对老夫妇宴请诸神

他们在高原上种植榆树和橡树

直到众神被恳求并被迎入心灵深处

他们才显示这番奇迹

尽管我是丛林中的一棵树

却懂得许多新鲜事物

以前我却一直认为是荒诞的

三，参酌古希腊、古罗马、中国、日本的诗，因其年代久远，经得起时间的考验，反而新鲜，永葆青春。愚蠢的未来派、达达和超现实吃了亏，意象派却知道要占便宜，以庞德最为突出。

四，更新语言，不用废字，不用缺乏表现力的字。要口语化，又要有音乐性。庞德有一个说法：

只有当所咏的事物建立起一种比固定韵律更美的节奏时，或者说，只有当这种节奏比格律规定的抑扬顿挫更为真实、贴切、直捷，更有利于理解，更加是感情的一部分时，才能写自由诗。

庞德的要求，时人以为过于苛刻、高超，我倒觉得这是自由诗的起码、起点。自由诗比格律诗更难写，所以我写自由诗。"自由诗"（free verse）这名称是有问题的。如果有人问我："你写格律诗呢，还是自由诗？"我会答："我不写格律诗，也不写自由诗，我写诗。"

意象主义能知道以上四点，奉作信念与实践，那是高明，也可说是"弃邪归正"，只是"正"得还不够。

讲讲庞德，大家对庞德有好奇心吗？

艾兹拉·庞德 (Ezra Pound，1885—1972)。美国现代主义盟主。狂人，怪杰，西方现代诗的巨星。出生于爱达荷州小职员家庭，先后在宾夕法尼亚大学、纽约哈密尔顿学院攻读语言文学。1908 年第四次到英国，在伦敦与美学家、哲学家休姆相识，入其沙龙，与之共创意象主义。1909 年出版诗集《面具》(*Personae*)，为意象派之首作，自此成为伦敦文坛领袖。

1914 年编选第一本《意象派诗选》(*Des Imagistes*)，创办了《自我》(*The Egoist*) 杂志，自任主编。但同年忽然抛弃了意象主义，认为不够现代。他鼓吹"艺术是一种强力"、"漩涡是最大强力的顶点"，遂大力呼喊"漩涡派"理论。可是应者寥寥，不成气候。

庞德早期的诗，格调清新，感情亲切，技巧富于独创。后来写的长诗（现代史诗），不及早期（史诗的时代早已过去，现代无史诗可言）。

庞德识人。他发现并培育了一代新诗人、作家，其中如泰戈尔、艾略特、海明威，三个都得过诺贝尔奖。艾略特《荒原》

（*The Waste Land*）的前半部分，几乎可说是庞德的代笔。

四书——《大学》、《中庸》、《论语》、《孟子》

五经——诗、书、礼、易、春秋

庞德是中国迷——不能算"中国通"——他对方块字，真是识字不多，但他猜度。他对中国古诗、孔孟之道，佩服得五体投地。他亲自翻译了中文诗和儒家经典。我原以为庞德瞎胡来，但据刘军说，庞德译得别有风味。是依据中国古文古诗作灵感，自己创作了一番。我看是外国厨师烧中菜，外国人吃起来配胃口。

这个狂人讲究吃穿享乐，长得一副大师派头。但狂人毕竟危险。二次大战，他站在法西斯那边去了。

1945 年，他被美国政府捉拿归案，定叛国罪。幸亏文化界知名人士奔走呼吁，得从轻发落，受监视保护，失去自由，留住了性命。1959 年开释，移居意大利，又参加新法西斯党。

一个诗人，参加党，无论什么党，都是愚昧的。你做诗人，已经入了最好的党了，何必屈尊去和小党坏党厮混？庞德是狂人，不是天才。中国的文学、文化没有教好庞德，先是弃邪归正，后是大邪特邪。法西斯不是超人哲学，是反文化的，要毁灭世界。恺撒、拿破仑是英雄，希特勒、墨索里尼是暴徒。对英雄，可以成败论得失，也可以不论成败与得失，对于暴徒，无话可说，打倒，消灭，根治。

庞德主编的第一本《意象派诗选》，入选诗人除了前面几员大将，还有美国的约翰·弗莱彻（John Gould Fletcher）、詹姆斯·乔伊斯，等等。意象派是松散的文学集团，有宗旨，无组织，虎头蛇尾。庞德才出版了第一本年刊，便拂袖而去。劳伦斯、福特、弗莱彻、艾略特、乔伊斯，都是忽而这样，忽而那样，最终脱离意象主义运动，各奔前程。

说到中国迷，除了庞德，其他如福特、弗莱彻都有这个倾向。福特曾编撰了一部《文学的发展》，从孔子写到近代的长篇巨著。弗莱彻非常爱李白和道家学说，认为道家是东方的象征主义。

休姆（Thomas Ernest Hulme，1883—1917）。英国著名哲学家、美学家，西方现代主义奠基人之一。曾在剑桥大学深造，后独立研究哲学、美学和欧洲语言。赴加拿大、比利时、意大利、德国，求师访友，在伦敦组织文艺沙龙，名传遐迩。

1914年投笔从戎，1917年死于战场。死后声誉更大，在先锋派文艺家心目中成了传奇英雄（思想家的战场在精神领域，肉体上战场，极不智的。肉体力量小，头脑力量大，但头脑不能自存，一定要肉体顶着它。一个思想家而没有想清楚这点，可惜）。

休姆的思想：起初他发表了几篇关于柏格森的论文，之后与庞德制订意象主义纲领，宣扬"人类中心说"和表现自我的主观美学，反对伪古典主义，反对宗教原则，反对纯技巧，号召研究拜占庭和东方艺术，他认为新的诗即意象诗，要"严格、优雅、活泼"。他强调词汇的作用，词汇是"概念的物质负荷"、"具有最高的表达意义"。

他甚至下结论："诗只是词汇的镶嵌。"

先是反对纯技巧，最终又落入词汇的陷阱。文学修辞，关键不在某个用词妥当贴切（福楼拜的"一字说"，即找到你唯一准确的那个字，也是 ABC），而是构成句子文章的所有名词、动词、介词、形容词、副词、助词、连接词、感叹词，还有俚语、典故、专门名词、术语，甚至标点，都要使唤自如，唯我独用，又要使人不陌生，读起来只觉得天然自成，而风味风格，却使人无从模仿——这，才算是文学家。仅仅计较词汇丰富、恰当，顶多是个学者。

比如钢琴家，我们要求他不要弹错，那他没有弹错，就算成功么？安东·鲁宾斯坦自己承认，演奏时一半音符是在地上。怎么办呢？大家去捡音符？

我不佩服休姆的论调，太起码了。福楼拜呢？福楼拜是太老实了，话又没讲清楚。他自己写作时，才不止这个拿来教莫泊桑的土法子。达·芬奇用色，把颜色用秤子称了，再调，以区别色度，但实际画起来，早已忘其所以。

我曾说：格言是给别人用的。大家都记得某人的某句格言，认为很有启发，以至终生受惠，却不知写格言的人自己未必用的。

最后讲一位女诗人。

艾米·洛威尔（Amy Lowell, 1874—1925）。美国著名诗人、文艺批评家，意象派运动后期的主将。世家后裔，未上学，全在家教。天资聪明，兴趣广泛，反抗世俗，特立独行。二十岁后立志做诗人，十年间默默研究诗艺。1912 年出版诗集《五彩玻璃的圆屋顶》（*A Dome of Many-Coloured Glass*），此时意象主义风行欧美诗台，她很快与庞德等结盟入伙。虽然她对这个运动起不了太大影响，但她执着、自信，成为真正有创造能力的意象派诗人。

1914 年庞德走了，她团结剩下的意象派诗人，主编年刊，苦苦支撑，成为后期意象派的领导人。著作：《剑刃与罂粟籽》（*Sword Blades and Poppy Seed*）、《男人，女人和鬼魂》（*Men, Women and Ghosts*）、《浮世万象》（*Pictures of the Floating World*，又称《浮世绘》）、《东风集》（*East Wind*）。

她研究美国和法国诗人，著有《法国六诗人》（*Six French Poets*）、《美国现代诗歌趋势》（*Tendencies in Modern American Poetry*）。也研究过英国浪漫主义诗人济慈的生平和诗作，著有《济慈传》厚厚两大卷。

这件事令人感动。济慈诗不多，命又短，而竟遇到知音，为他耗尽心血写了这样长的传记，太有幸了。

意象主义（二）

一九九三年元月九日

中国三十年代就出此书译本。这书好在哪里？尽管描写性，它还是小说。如今以性挂帅，拼凑成小说的书，抽掉性，溃不成小说。《金瓶梅》、《查泰莱夫人的情人》，是小说。

性行为是写不好的。宿命地写不好的。酒是什么味道？烟是什么味道？文字描写官能，是无能的。长篇大幅性描写，是缺乏小说的自知之明，又缺乏性欲的知人之明。

我们所处的宇宙是无情的物质环境。在这客观上无情、主观上绝望的环境中，人的最高的快乐是肉体的官能的刺激，是性欲的追求和满足，这满足的一刹那，足以与宇宙的虚无绝望相抗衡。仅仅此一刹那，无所谓存在不存在，无所谓虚空不虚空，无所谓绝望不绝望。性，是神奇宝贵的生命的唯一可能。

最近自编散文集，自我鸟瞰：喔哟！话太多了！可是想想要是不说呢？喔哟，肚子里话多着呢！

李梦熊六十年代曾对我说：现在不是艺术的时代。是的。但什么时候是？如果艺术家创作时是艰苦的，得到名利后才快乐，那我不做艺术家——我创作时已经快乐啦！名利如果有，那是"外快"。

上次讲意象主义：它的发生、发展、特点、主要人物。今天继续下去。

理查德·奥尔丁顿（Richard Aldington，1892—1962）。英国诗人、小说家、批评家、翻译家，同时又是新闻记者。加入意象诗人集团，与美国意象派诗人希尔达·杜利特尔女士成夫妻。两夫妇协助庞德出版诗集。

1916 年，他志愿参军，受伤后回来，出版诗集，反战。此后主要从事小说创作。1929 年出版长篇小说《英雄之死》（*Death of a Hero*），同情战争中无辜死者，是英国杰出的反战小说。1930 年出短篇小说集《通向光荣之路》（*Roads to Glory*）。1933 年出版长篇小说《人人都是敌人》（*All Men Are Enemies*），写战后迷茫的一代。再后来，创作一些新的作品人物，个人主义怀疑论者，虽不成熟，但都在找目标。

1937 年与杜利特尔离婚。1939 年侨居美国。1946 年到法国，后卒于法国。最著名作品是《阿拉伯的劳伦斯》（*Lawrence of Arabia*），批评英国假装拯救阿拉伯。

我赞赏奥尔丁顿，是他保持传统，英勇地和现代文学的反传统辩论。正面见解：艺术要寻找本质，用鲜明合度的形式，把本质表达出来。

英国的劳伦斯，曾风行一时，我们年轻时争看。

戴·赫·劳伦斯（D. H. Lawrence，1885—1930）。诗人、小

说家，也写戏剧、散文。《查泰莱夫人的情人》（*Lady Chatterley's Lover*）使他驰名世界，许多人却不太知道他也写诗和散文，是意象派作家。

出身贫家。父为矿工，酗酒。母亲是小学教员，常和父亲吵架。家庭不和乐，母亲全心爱他。他靠教低年级班的薪水读完书，以教职谋生。后来写小说《白孔雀》（*The White Peacock*），登出来了，决心当文学家。在大学爱上教授夫人，写很多情诗。后来教授夫人抛弃丈夫和三个小孩，与他私奔欧洲大陆，后又去过澳大利亚和美国。两人情感诚笃，从此劳伦斯多产，成四十多本书，终死法国。

劳伦斯的文艺观。他说：诗、小说，应该直接表现主客观事物，表现有血有肉的意象，排除宗教、哲学和道德说教。

他特别重视官能作用，排斥理性作用：

血和肉比智力更聪明，我们头脑中所想的可能有错，但我们的血所感觉到的，所相信的，所说的，永远是真实的。

这是诗的、文学的说法。我同意劳伦斯，却要补充：

血和肉果然比智力聪明，可是没有头脑，生命会被血肉所断送，这也"永远是真实的"——我十分愿意不听智力，听从血肉，生命当然快乐、疯狂，但我不敢。我不放纵，还是靠头脑生活。见到劳伦斯，我会对他说："你也不敢。"

《查泰莱夫人的情人》（1928年出版）是他最后一本小说，一出就被禁。英国一直禁到1960年——中国三十年代就出此书译本。

这书好在哪里？

尽管描写性，它还是小说。如今以性挂帅，拼凑成小说的书，抽掉性，溃不成小说。

《金瓶梅》、《查泰莱夫人的情人》，是小说。

人是有情动物，人的世界就是有情世界。男女之爱是情之一种，男女之爱至上者，是排除其他爱、其他情的。所以恋爱至上者不是自杀，就是情杀。

性行为是什么？是多种爱的表现中的一种，而且是低级的行为。凭什么说是低级呢？

请问：强暴是性行为吗？谁也不能不说一声"Yes"，不然不成其为强暴；强暴是爱吗？谁也不能不说一声"No"，因为是爱，就不成其为强暴。就这样，我断然把性行为判定为爱的低级的行为。

人的肉体的快乐，是用眼耳鼻舌身（佛家语）分别享受色香味。要说狂热、陶醉、销魂——那只有性欲的满足才可能达到极顶，享受肉体的最高快乐。

音乐、宗教、建筑、舞蹈等等，是精神上的享受，也能使我们狂热、陶醉、销魂，但和肉体无关。肉体在精神活动中无动于衷，胃痛的，照样痛。手触火，痛；手触画，没有感觉。耳朵并不懂音乐，眼睛并不懂绘画，艺术，不给肉体什么快感，是纯灵智的。

人和艺术的关系，是和日神的关系：清明、观照。狂热的陶醉，是酒神精神。

神离我们太远。梦近点，艺术更近——再近，近不了了。

有人不肯罢休的，还要近——只有神，只有梦，只有艺术，只有理想、想象、智力、经验，而没有本能、直觉、欲望，是不成其为人的。

这就要说到尼采所想象的"酒神精神"，这种精神，只有性欲的高潮才能真正达到。可怜这两位艺术的"酒神"：尼采，贝多芬，在性欲上都没有达到极乐。这是太隐私的事，所以大师们谁最配为酒神，不知道。

官能世界和艺术世界，是不通的，是两个世界。

我看《金瓶梅》中的性，不高明。《查泰莱夫人的情人》中写性，也词不达意。不通的。官能世界无法和艺术世界沟通——可能这把尼采逼疯了。他想把酒神精神放到艺术中，放不进。他不知道，酒神精神只有通过感官才能实现。

性行为是写不好的。宿命地写不好的。

酒是什么味道？烟是什么味道？文字描写官能，是无能的。长篇大幅性描写，是缺乏小说的自知之明，又缺乏性欲的知人之明。

我们所处的宇宙是无情的物质环境。在这客观上无情、主观上绝望的环境中，人的最高的快乐是肉体的官能的刺激，是性欲的追求和满足，这满足的一刹那，足以与宇宙的虚无绝望相抗衡。仅此一刹那，无所谓存在不存在，无所谓虚空不虚空，无所谓绝望不绝望。

性，是神奇宝贵的生命的唯一可能。

可是性被滥用了。骂人，强奸，侮辱人，欺凌人，都用性，是人类最可耻的一大败笔。

人类也能把崇高纯洁的爱情，丰满强烈的性欲，产生出光华灿烂的奇迹。什么奇迹呢？就是情人间的性欲的满足，和艺术豁然贯通了，艺术世界与性欲世界，浑然一致了。

伟大的情人就是诗人，伟大的情人就是圣人。爱和性一致，就是酒神精神。

汤显祖信中说：智极成圣，情极成佛。

性只有在爱情前提下，是高贵的、刻骨铭心的、钻心透骨的。爱情没有性欲，是贫乏的，有了性，才能魂飞魄散、光华灿烂。补足了艺术达不到的极地。一个人如果在一生中经历了艺术的极峰，思想的极峰，爱情的极峰，性欲的极峰，真是不虚此生。

纪德，瓦格纳，可以是例子。纪德是从新教徒逐步上升为性的智者，在他的《地粮》中透露不少玄机。瓦格纳，他是真能在艺术、爱情、性欲三者的边缘，来来去去。

我的作品中很少写到官能，几乎不写性。不是胆小，是我觉得那是不能写的，写不好的。《威尼斯之死》(*Der Tod in Venedig*)，作者想把艺术、爱情接通，结果接不通：让主人公殉道了，死了。

艺术可以做主，爱情无法做主的。可是艺术又和人没关系：人对艺术是单相思的，艺术自己不知道。人呢，恋人们是face to face（面对面），一声No，全完了。Yes！噢！

不过还可以讲下去。爱情再好，是终要厌倦的。再找？人生的麻烦就是这样。

"言而不尽"——赏艺术，品人生，分析世界，都要为对象留余地，为自己留下余地。苏东坡和米元章交往，知道米的书画极好，待看了他作的《宝月观赋》，说："恨二十年相从，知元章不尽。"

诸位要与苏轼、米芾一样，有被了解不完的品性——你们以后去欧洲，要能知意大利不尽，知法兰西不尽，就是有余地了。

要谦逊。谦逊是一种弹性。

美国意象派诗人希尔达·杜利特尔 (Hilda Doolittle, 1886—1961)，笔名"H. D."。在伦敦定居期间，正值意象主义兴起，她学的是古典文学，当时提出要师承希腊传统。精通希腊文、拉丁文，翻译了很多古典著作。自己有诗作《海上花园》(*Sea Garden*)、《婚姻女神》(*Hymen*)、《红色铜玫瑰》(*Red Roses for Bronze*）。西方论家以为杜利特尔最符合意象主义原则，有古典风，端庄凝练，喜用古希腊格律。

这现象，出现在本世纪四十年代——回头看中国，当时就没有这样的诗人。西方每隔一阵就回一回古典传统，源流不断。中国自"五四"之后，就断了——中国古代，也常回古典传统——这文化沙漠会长久沙下去。

中国现在的繁荣景况，表不及里。这还不要紧，可以由表及里——我想的，是无里可及，没有里。文化的死亡，说明国民性的脆弱：国民性强，文化在，可以经得起折腾，毁坏后，又可以重建。

退好几步讲，与其"文革"时期的水清见底，不如现在的浑水好摸鱼。

杜利特尔以写诗著名，也写过小说。有《祝福我永生》（*Bid Me to Live*），自传性的，写到戴·赫·劳伦斯。据说，杜利特尔、奥尔丁顿、劳伦斯，一度是一起生活的，是"平等的乱伦"、"共夫共妻"，快乐过一阵，后来分手了。

美国诗人：威廉·卡洛斯·威廉斯（William Carlos Williams，1883—1963）。这人很有意思的。生于新泽西，行医，业余写诗。得过很多奖，美国官方任命图书馆馆长，他拒受。在乡间，人们叫他会写诗的医生。

威廉斯开始创作时，受到意象派影响。他反对艾略特的诗风。有意思的是，艾略特反对浪漫主义，大功德出来后，又有威廉斯反他：何必全是世界性，乡土东西照样好。

那是因为威廉斯写得好。他喜欢写情感的直觉经验，不用比喻，有自传长诗六大卷。

小诗一例（《红色手推车》，*The Red Wheelbarrow*）：

> 那么多东西
> 全靠
> 一辆红轮子的
> 手推车
> 雨水淋得它
> 晶亮
> 旁边是一群
> 白色的小鸡

这种东西，中国、日本，早就有了。文学到现在，都用比喻、形容词，积重难返。陶渊明的秘诀，直写印象：

> 微雨从东来
> 好风与之俱

好像有点意思，想想又没意思，再想想，还是有点什么意思：那种进进退退，有意无意，最是艺术家的气度，涵养，性情，是文学的非常逸乐的过程。

最近自编散文集，自我鸟瞰：喔哟！话太多了！可是想想，要是不说呢？喔哟，肚子里话多着呢！

以后尽量减少形容词，减少比喻，归真返璞。

后来威廉斯在美国诗台取代了艾略特的地位。艾略特如日中天时，他出来了。精神世界真是一浪接一浪。

到俄国走走。

谢尔盖·亚历山大罗维奇·叶赛宁 (Sergei Alexandrovich Yesenin，1895—1925)。俄国的兰波。在世界诗人中，兰波、马雅可夫斯基、叶赛宁三人，长得最漂亮。叶赛宁像天使，兰波无确切照片画像可参考，一张一个样。

十月革命前，诗作充满田园气息。十月革命来了，他又不懂革命，以为农民就是好（他是农家子弟），于是"万岁！革命！"一边参加革命，一边参加意象派——等于带着一个漂亮女人去参加革命——怎么行得通！

不过他在革命中还能明白表示观点，不像我们当时闷声不响，默默保持观点。现在看，海涅、叶赛宁，是先知。

海涅：革命一来，我的艺术世界要完了。

叶赛宁：机器王国要破坏整个大自然。

海涅是艺术之子，叶赛宁是大自然之子。与他们比，我当时是拼命读书，观察，一声不能响。他们还能叫叫。不过他们很快就死了，我活下来。

他先跟革命走（自我伪善），后来忍受不了，1925 年底在一家旅馆里吊死。绝命书写得干脆：

> 死不算新鲜
>
> 活也不是奇迹

他不知怎样爱自己，最后把自己杀死，我看他是自恋者的情杀案。

他真是诗人，借景抒情，想象大胆，只有俄罗斯能出这样的诗人。当时一死，定性反革命，作品打入冷宫，直到五十年代才解禁，大家很喜欢。

不必为天才担心。天才会复活的。叶赛宁不是大天才，是一个诗人，他可以复活，其他天才更能复活。

李梦熊六十年代曾对我说：现在不是艺术的时代。

是的。但什么时候是？如果艺术家创作时是艰苦的，得到名利后才快乐，那我不做艺术家——我创作时已经快乐啦！名利如果有，那是"外快"。

艺术是 Cash, 不是 Check。

听贝多芬《命运》，他是懂，痛苦中来。禅宗小焉者，公案，不过是笨人逼出了灵感。宗教家哲学家艺术家——艺术家聪明多了。多少经历。

佛家只是坐在那里，打坐，算什么。

所谓观念艺术，其实就是所谓公案。

存在主义（一）

一九九三年元月二十四日（年初二）

最近读了两遍《尼采传》。他还是太老实，所以苦。我是复杂而狡猾，比较能苦中作乐。他没有读过东方人的东西。他的超人，还是创造了新伦理道德。他太看得起人类，太西方，太德国。

天才越大，越是不肯承认有神论无神论——历史上四例：达·芬奇、米开朗琪罗、托尔斯泰、陀思妥耶夫斯基，都不肯承认。一会儿有神论，一会儿无神论——不是神出鬼没，而是神出神没——我是小艺术家，也不肯承认：你们看，我一会儿有神了，一会儿无神了。

海德格尔是个庞然大物。刘军当时要进去，我劝他别进去。我只能点点，点到为止。这种点穴道，是缺德的。如果以后有人说"木心是以这种缺德显大德"，就好。

电视里一个小男孩跳出来，哈哈一笑，真是天堂笑声。一笑，孔雀开屏了，唰的一下全撑开，然后抖，简直瓦格纳!

现代知识分子，二战后，极度混乱。老子哲学起了良好作用，但只限于一小撮人。老庄是出世的，而存在主义是入世的。所以从历史角度来解释存在主义，它有功。它通俗易懂，将人生难题一把抓起来，在当时是有用的。所以我说存在主义是摆地摊，比到大公司买东西实惠。

萨特在文学上不愧为好样的。在政治上参与，有时瞎起劲，帮倒忙。中国没有受存在主义好处，也没有受存在主义害处。

今天讲存在主义（Existentialism）。在本世纪，存在主义是件思想界的大事。三十年代末、四十年代初，存在主义是在法国兴起的文学流派。以萨特为代表，后来成了二十世纪现代文学主潮，席卷西欧，波及南美北美，二战后，势焰更盛。

"存在主义已像大气压一样，到处存在，成为知识分子中占统治地位的精神潮流。"匈牙利学者卢卡奇说。

存在主义初为哲学界的一个哲学名词，概念限于哲学。萨特出来后，研究克尔凯郭尔、胡塞尔、海德格尔、雅斯贝斯等人的"存在"学说，以他丰富的别具一格的文学著作、政治论文，从存在主义哲学原理，形成一种文学观点、政治态度、写作方法。他本人还参与很多社会活动。

当时社会正期待这么一个人物，一个宗师，需要有人出来，对战后不知如何是好的青年说话，引路，正好萨特是这么一个人物。

现在不太有人提存在主义了。当时，可不得了。

中国，七八十年代有一群青年人偷偷在讲存在主义，很信服，硬把我也拉进去，我说，我不是。

什么是存在主义文学？以存在主义哲学为核心的文学活动。存在主义的内核，是存在主义哲学，存在主义的外形，是存在主义的文学。一个哲学概念和一个文学流派一起发生，发展，这在文学史上没有过。

存在主义的鼻祖是谁？不是萨特，是十九世纪的克尔凯郭尔（Søren Kierkegaard）。这位哲学家很特别，用小说、散文来间接传达他的哲学观点，不直接用哲学方式写。

所以存在主义一出世，就和文学结下不解之缘。我的说法是，存在主义这个婴儿，是穿着衣服诞生的。萨特的文学成就，我是佩服的，他的《墙》（Le mur），实在是写得好。

萨特是无神论的存在主义者，克尔凯郭尔是基督教的存在主义者。存在主义是从有神论慢慢过渡到无神论的，在这过程中，有个过渡的人物，胡塞尔（Edmund Husserl）——我们往往不知道胡塞尔的过渡、克尔凯郭尔的起缘——萨特曾在胡塞尔门下做学生，后来成就超过前辈。

存在主义文学的代表作家，萨特之外，还有加缪（Camus）、德·波伏娃（Simone de Beauvoir）。

萨特有好几大聪明：他和德·波伏娃那么好，但不结婚，聪明！诺贝尔奖给他，他不要，聪明！他这些聪明，是非凡，所以我称他是当代的骑士。

他长得难看，又崇拜"文革"，我起初讨厌，后来看了作品，还是佩服他。

还有雷蒙·盖兰，本雅明·丰达纳。这两位在法国也很有名，但属存在主义边缘作家。此外，意大利、秘鲁、印度、日本，都有存在主义作家。《大英百科全书》把卡夫卡也列入存在主义作家。

五十年代加缪思想转变——整个说来，存在主义是"左倾"的——他和同志们辩论，"右倾"了。六七十年代，存在主义日薄西山。1980年萨特死，存在主义思潮亦结束。

但作为影响，存在主义对将来还会不断有影响。

条理化地探探存在主义。

克尔凯郭尔（Søren Kierkegaard，1813—1855）是大家。要简化他的思想，做不到。丹麦哲学家克尔凯郭尔，被称为"基督教存在主义"。这哲学要追溯到希腊哲学和基督教神学传统。帕斯卡、蒙田，都得追溯到。

他的哲学和"教义"，密切联系。他有部著作《非此即彼——一个生命的残片》（Either/Or），很有代表性。主题是：人的存在与发展有三个阶段：美学阶段、伦理阶段和宗教阶段。其中，对生活的美学观点、伦理观点，两者一定要选择其一。人生道路，不可能既是美学观，又是伦理观。

这问题大了。从古到今，到未来，这是一个老要纠缠下去的问题——老庄，美学观点。孔孟，伦理观点。嵇康，自己是美学的，教儿子是伦理的。

要我的说法，一是审美情操，一是义务责任。结婚，就是伦理，义务责任。

我平时的所思所想所言，都是审美的，只能放弃义务责任，我出国，五个外甥，一个也不写信。人家出国，急忙给家里写信。

最近读了两遍《尼采传》（丹尼尔·哈列维著）。他还是太老实，所以苦。我是复杂而狡猾，比较能苦中作乐。他大概没有读过东方人的东西。他的超人，还是创造了新伦理道德。他太看得起人类，太西方，太德国。

再谈克尔凯郭尔：那本书，提出人生三阶段。其一，美学。其二，伦理。其三，宗教。拿两个人相爱来写如何体现这三阶段：先是相爱不能结合，因外界阻止；后是两人理解不同，一者是审美的，一者是伦理的；最后，悲剧表现在两人气质不同，一者认为忍受命运，一者是要反抗命运。

这本书的概括力量惊人。这三阶段，我都经历过。大家都经历过。

在中国的环境中，这三种阶段的矛盾更激化。如两人都审美情操，但社会不允许；如对方以伦理回报我，我认为他不解，有一方忍受命运——最后毁灭。

这三阶段，不是指个别，是指全人类。

我认为，这三阶段不是逐个分阶段，而是同时存在的。

他是有结论的，认为先是审美，后是伦理，再进入宗教。我称他为克尔凯郭尔的"丹麦式的天人合一"。怎么回事？他先是攻击黑格尔，认为"存在"是不完全的，不可能单凭理智就能理解的。他不承认黑格尔的"体系"，他说：

在最热情的献身精神中坚持客观的未定性，就是真理，就是对每个存在着的人的最高真理。

黑格尔把存在和思想是同等对待的。而克尔凯郭尔认为，同等对待存在与思想，使信仰失去了地盘，这样，基督教仅仅成为一个环节。他感到上帝指定了一个任务给他，但任务是什么，人不知道，不明确，要靠人自己去努力，才能知道这任务是什么，并去完成它。

这说法很有魅力的，狡辩的，诗意的，余地很大。他说：

哲学不是研究客观世界，而是研究个人的主观的'存在'，个人'存在'无法摆脱痛苦、危机、荒诞，所以唯一的出路便是弃绝理性，皈依上帝，达到神和人的统一。

这就是我前面所说，克尔凯郭尔的"丹麦式的天人合一"。一次大战后，他的书影响很大。

他哪儿也不去，只去过一次柏林。自作孽。做哲学家，不如去餐馆打工——哲学家不过也是餐馆打工，老板是上帝。上帝很凶，尼采不老实，疯了。

后来出了胡塞尔（Edmund Husserl，1859—1938）及他的

"现象学"（phenomenology）。他认为现象学（其实就是哲学，他换个说法，新了，卖价高了）是对纯粹意识的肯定。纯粹意识对世界做了简化（世界本身，被放到一个括弧里），对这个世界只有直觉能够把握，这又像是柏格森的说法。

我的说法，是"直觉"像扇门：一边推开——有神论，一边推开——无神论。有神无神都争"直觉"这扇门。艺术家是靠直觉创作的。

而天才越大，越是不肯承认有神论无神论——历史上四例：达·芬奇、米开朗琪罗、托尔斯泰、陀思妥耶夫斯基，都不肯承认。一会儿有神论，一会儿无神论——不是神出鬼没，而是神出神没——我是小艺术家，也不肯承认：你们看，我一会儿有神了，一会儿无神了。

蒙田说：我的头脑是清醒的，我的膝盖是软弱的。

达·芬奇的学生说有两个达·芬奇，他一会儿有神，一会儿死不肯说。

当时的宗教，比二十世纪极权统治还要厉害。你不信神，要烧死的。人长得美丽，美姑娘，完蛋。哪里出了事，都推到美女身上，吊死，烧死。这些美女今天可以去做模特儿，每天不给五百、五千美元，不起床。

放弃任何涉及客观现实的、超过任何纯粹经验界限以外的判断——这就是现象学的简化。不把认识主体看做是现实的、社会的、心理的存在，而是把它看成是纯粹的，即先验的。

以上是胡塞尔的现象学要义。是反理性的。

而西方传统经典是理性主义延伸，这条路线是苏格拉底、亚里士多德、柏拉图一路下来，认为理性是可以认识世界的。到马克思，认为不但可以认识世界，而且可以全盘解决世界的问题。

尼采第一个看出理性主义的祸害，在大学讲演时，底下一片轰动。但他没有能全面攻击理性主义。他有诗人气质，但诗才不行。

我说："诗是天鹅，哲学是死胡同。天鹅一展翅，全都碰壁。哲学家全是壁虎。"

当时波德莱尔出来了，尼采就赞美。

胡塞尔构成了非理性主义的哲学体系。这无疑是功劳。他否定了客观世界的真实性、物质性、可变性。这原是哲学家一厢情愿臆造出来的。

哲学，到头来是哲学家的性格表现——唯物主义者的性格，都刚愎自用。

胡塞尔这一步，对海德格尔、萨特产生巨大影响。

现在轮到海德格尔、雅斯贝斯（Karl Jaspers）。

海德格尔是个庞然大物。刘军当时要进去，我劝他别进去。我只能点点，点到为止。

说句笑话：越是大师，越是怕点。跟他驳、辩，劳民伤财。一点，点到要害，他可以瘫痪。

这种点穴道，是缺德的。如果以后有人说"木心是以这种缺德显大德"，就好。

雅斯贝斯主张"存在"是对上帝的追求，认为哲学应从人出发，认为个人处于极为难的绝境，应通向上帝。

海德格尔是无神论存在主义。他关心"存在"的意义，认为人所处的世界是无法理解的世界，他关心人是如何"存在"的，人孤立无依，永远只能惶恐忧虑。

如果他到此为止，他是个诚实的哲学家，是另一个叔本华——他不停，说：这种忧虑惶恐可以揭示真理存在，人有选择和自我控制的自由——如果他到此为止，还是一个超人哲学的继承者，是悲观主义发急了，想要超越，横竖是理想主义，不能推广，不能实现的——他还不停。说：忧虑恐惧通向存在，存在是光明的，这光明通向上帝。

我认为世界上不存在超人党、超人俱乐部。真正的超人，不需要读超人哲学。超人存在于超人哲学之前。超人俱乐部进进出出的不是超人，是小人。

海德格尔是花最大精力、最权威的研究尼采的，但没有尼采的性格，没有尼采的血，走不了尼采的路。西方都说他是尼采最好的解释者，我不做声——后来他说了：忧虑恐惧使人通向存在，存在是快乐光明的，最大的快乐光明是通向上帝。

我的俳句是："哲学的水落，神学的石出。"

绕这么大弯，几百万字地绕，原来无神论是这样的！

中国的鲁迅、王国维，都崇拜过尼采，后来一点尼采的影子也没有。王国维说尼采比成吉思汗伟大——这说到哪里去了。

所以我说，海德格尔选了一个更大的窝，等他那个养胖了的上帝。

哲学根本就是一个亵渎神明的事。对于我，哲学的起点终点是：一颗星球要来撞地球。那么，有神论无神论算什么？

我们现在所处的空间时间，凭我们对天文宇宙的知识，人和宇宙是不成比例的。太空中那么多黑洞，还有比太阳多五千亿热度、十万八万倍的星体——这些，耶和华管得了吗？

所以爱因斯坦说：有人形的上帝我是不相信的。

科学知识足够埋葬神学，接下来还要结束哲学——不过话说回来，海德格尔是不可轻视的，他下的功夫极大极大。

（休息。木心讲笑话）战国时代，我一个打火机可以让秦始皇吓破胆。荆轲刺秦王，应该手拿打火机先吓一吓，然后把剑刺下去（学吓人、刺剑的动作）。

西方、东方，应该结婚，看看能不能生出超人。

西方人凡通一通东方的，好得多，好像吃了中药一样。现在中国人不太吃中药了，傻了。

西方人种是好。电视里一个小男孩跳出来，哈哈一笑，真是天堂笑声。一笑，孔雀开屏了，唰的一下全撑开，然后抖，简直瓦格纳！

法国分三派：萨特，无神论的存在主义。梅罗·庞蒂（Maurice Merleau-Ponty，1908—1961），人道主义的存在主义。加布里埃尔·马塞尔（Gabriel Marcel，1889—1973），基督教的存在主义。萨特、庞蒂，有所相通，加布里埃尔是克尔凯郭尔的继承人。萨特势力最大。所以主要讲萨特。不要讲起存在主义以为只有萨特，不是的。

萨特的存在主义有三项（或谓原则）：存在先于本质。自由选择。世界荒谬，人生痛苦。

很多至理名言，如果心领神会，不多嘴，是蛮有味道的，然而人总归要求解释。一解释，就跌价，味道不对了。我爱写作，不爱演讲，一讲，就跌价——现在要讲，只好跌价。

人存在着，自己做选择。后来呢，本质显现出来：世界是荒谬的，于是痛苦——这是我的通俗解释，大跌价。这里是粗粗讲讲。

1943 年，他发表《存在与虚无》（*L'Être et le Néant*），建立了自成一家的存在主义体系。书中提出"存在先于本质"，后来人们从各种不同角度解释。这个公式，我年轻时看到，觉得不新鲜——佛家的因果律，唯物主义的物质第一性、精神第二性，还有笛卡尔的公式"我思故我在"，倒一倒，就是"我在故我思"——都可参考。

他又讲：存在主义是一种人道主义。他讲，人存在，首先遇到自己。人之初，是空白的。后来露面，要造就自己。人不是上帝造就的。人是自我感觉到，然后存在。总之，存在先于本质。

我觉得也讲得通，但有什么意思呢？平淡无奇。

而且，人是决定自己的吗？我想成为钢琴家，环境不允许，于是自己无法决定。可是后来，音乐修养还在，我和音乐还是同在，这不也决定了吗——哲学就是这个东西，讲来讲去，怎么讲都可以，所以我厌倦了哲学。

我少年时为了学哲学，吃足苦头，一字一句啃经典，不懂的地方总认为自己笨，只好死读硬读。特别是黑格尔，一次又一次读，后来关在地牢里，花三个月，第三遍读完了《小逻辑》，书上被我批得密密麻麻，好像有点悟了。

不要以为哲学里可以找到真理。那是黑房子里捉一只黑猫。哲学家不过是想尽办法说，说得别人相信。黑房里捉黑猫，还是比喻不对，是一群哲学家在黑房子里你撞我，我撞你，黑猫呢，从来就没有过黑猫。

这就是我的哲学。要是说得文绉绉，叫做"无真理论"。

第二项核心，被认为是萨特的精义所在：人是自由的。人即自由——他反对任何决定论，在任何环境都可以自己选择。如果不能自己选择、决定，就不算存在。

从内心讲，你可以批判、对抗，没人可以控制你的头脑，但碰上"文革"，你能选择吗？能决定吗？不过萨特不是指这些环境决定。他指的是他通过自己判断来决定选择，然后他要对自己的选择和决定负责。

这段看起来很对，但很片面。萨特，你有律师吗，如果你犯了罪？

现代知识分子，二战后，极度混乱。老子哲学起了良好作用，但只限于一小撮人。老庄是出世的，而存在主义是入世的。所以从历史角度来解释存在主义，它有功。它通俗易懂，将人生难题一把抓起来，在当时是有用的。所以我说存在主义是摆地摊，比到大公司买东西实惠。

哲学是个拐杖，艺术家是舞蹈家——也有用，拐杖有时可以打人，打狗。

我用拐杖是为了风度，拍照需要。

萨特在文学上不愧为好样的。在政治上参与，有时瞎起劲，帮倒忙。中国没有受存在主义好处，也没有受存在主义害处。

萨特哲学的第三原则，下一课再讲。总之，存在主义是大众哲学。这些不懂，太差了。哲学不是手杖吗？用得好，可以成为知识分子的脊梁。脊梁能硬得像手杖，多好。

哲学又是健身操，练好了，再去跳舞。

上一课笔记内页："哲学又是健身操，练好了，再去跳舞。"

第七十一讲

存在主义（二）

一九九三年二月七日

康德是客客气气的无真理论，我是不客气的无真理论。但说出去，要围攻的。围攻不怕，但无聊。

萨特不但老实，而且聪明。他明白，自由选择的那个人是没有支撑点的。我存在，别人也存在，每个人都有他的思想和意志，都有"主观性"，所谓社会，就是"主观性"的森林，人人都是其中的孤独者。我看到存在主义时想：存在主义行，萨特不行。

鲁迅的世界观、宇宙观，有一度和佛教"touch"（触摸）了一下，就避开来。尼采也碰过一下，避开来。他们都急着要去建立他们的人生观。

有个大问题，我们来解决它——当一种学说、思想出现，人类就想拿来当靠山。首先表现在宗教，其次表现在哲学。以中国例，儒家门庭，两千年来中国知识分子跳不出来。章太炎晚年回到儒家，杜维明、余英时等等，口口声声孔孟之道。

我看不起那些朝秦暮楚的"思想家"，更看不起那些秦楚不分、或在秦楚之间乱攀关系的人。

上次讲到萨特存在主义有三原则，已讲前二原则，今天讲第三原则。

回顾：一，存在先于本质。二，自由选择。我以为这是大众哲学，励志哲学。为什么？对二战后的欧洲起过安抚作用。进取性很强。所以我会很不礼貌地把存在主义指名为"大众哲学"、"励志哲学"。1949年前上海流行所谓"励志哲学"，民主人士还成立"励志社"，社址好像就在淮海路、雁荡路那里——这就是我不反对存在主义的原因。

叔本华认为自由是不可能的——意志是自由的，人不自由，可是悲观主义不实用。萨特的存在主义，说穿了，是实用的悲观主义，悲观主义的实用主义——但只能下面说说，不能说出去。争也争不过来。

超人哲学是个人的，英雄的。借佛家语，是小乘。萨特的哲学可谓大乘。我以为大乘是对小乘的误解。小乘真实，是个人自己超度自己。

尼采的道德观，就分伟人道德、奴隶道德。

现在来讲萨特哲学的第三原则：世界是荒谬的，人生是痛苦的——第一原则，是理性分析。第二原则，从悲观里跑出来。第三原则，又回到悲观主义。

这是硬撑起来的面子：人不是神创造的，所以要自由选择。但萨特忘了、或不提"命运"——比如俄狄浦斯，他杀死作为敌方的王，自己选择了王位，又选择了王后，哪知所杀的是他父亲，所娶的是他母亲，最后他把自己的眼睛挖了。当然，这是俄狄浦斯的最后一项自由选择。

命运，高于一切，高于神。

第二原则，只能看做鼓励士气，让青年奋斗，谈不到真理、哲学。一个年轻时代的存在主义者，到晚年会满意自己的选择么？

哲学是什么？哲学家的遁词无非和科学家的结论一样：科学家说，宇宙是无限的，也是有限的。那么，哲学家的选择是自由的，又是不自由的——但哲学家不讲后面这句话。

康德的二律背反，实际上已经讲出了真理是不存在的。康德是客客气气的无真理论，我是不客气的无真理论。但说出去，要围攻的。围攻不怕，但无聊。

萨特三原则：第一，孤立的。第二，摇摆的。第三，否定的。

但第三原则最真实——世界荒谬，人生痛苦——否定了第一第二原则。这是不能改变的。萨特蛮老实的，他知道"自由选择"可以使人选择为善，也可以使人选择作恶。他悲伤地说：

> 明天，在我死后，有些人可能又打算建立法西斯，而别的人可能变得很懦弱，随随便便，听凭他们为所欲为。那样，法西斯主义又成为人类的真理了。

萨特不但老实，而且聪明。他明白，自由选择的那个人是没有支撑点的。我存在，别人也存在，每个人都有他的思想和意志，都有"主观性"。所谓社会，就是"主观性"的森林，人人都是其中的孤独者。

我看到存在主义时想：存在主义行，萨特不行。他那张脸你看看。

第三原则最真实。

他的三原则，是三条直线。单凭这三原则，是成立不了哲学体系的。二战后存在主义之所以成为青年人的思想主潮，是有其深意的。存在主义试图恢复已经失去的人的价值，要求人选择和掌握自己的命运。这个，有好处。他要把上帝、命运，都否定掉，重新规定人的本质、意义、价值，由人自己的行动来证明、来决定、来判断。重要的是在于行动。他说：

　　人是自由的，懦夫使自己成为懦夫，英雄把自己变成英雄。

这是对的——在座都从苦难中出来，本来是应该被埋没的，当个小市民，但大家都有一番成绩，将来不同程度前程远大，这，就是我们自己的选择。

我自己出国，根本就是结结巴巴，好不容易，细节上处处作假，只为了出来。我的意思是说：所谓自由选择，我们的选择之苦、之难，萨特哪能了解。但我们每个人的经历，都说明自由选择是有的，可能的，《浮士德》的主题，永不休歇。中国的《易经》早就说："天行健，君子以自强不息。"

叔本华的悲观主义，尼采的超人哲学，是一种高贵的欣赏品，一种美味的滋补品，但存在主义是实用的救济品。

所以不要宣传悲观主义，可以宣传存在主义。不要忘记存在主义产生的年代：二次大战先后牵涉六十多个国家，世界人口五分之四卷入战火，数以千万计的死者伤者，精神文化的遗产被摧毁。而在存在主义同期，中国知识分子如何？抗战刚结束，大家忙于重建家园，我所看到的，没有人思考根本的彻底性的问题。有种的，去延安，没种的，参加国民党所谓"戡乱"救国，既不去延安，也不去"戡乱"的，就在时代边缘跑革命的龙套，跑得很起劲。我当时就是这样。

说这些，说明中国当时根本没有思想家。

当时罗曼·罗兰在法国，西方根本没人读，中国却在大读特读。等到大量译介存在主义，已是"文革"结束后的八十年代。中国的封闭落后，说来话长，现在再赶，赶得上吗？

二次大战，起因、结束，十年光景。战后幸存的一代知识分子，知识很有限，因此很苦恼，这就是常说的"迷茫的一代"（The Lost Generation）——什么是人的存在？人在世界上占何种地位？人应该如何看待这个世界？萨特的可贵，是拿存在主义理论去回答这些问题。存在主义确实适应了战后的精神需要，使精神苦闷又不甘沉沦的青年找到支撑。

法国人当时有句俏皮话，把存在主义叫做"咖啡店里的特种饮料"。一个普通的法国人，口头也挂着存在主义的词汇。直到今天，法国人还是感谢那个时代。

中国近代的大思想家，梁启超、康有为、孙中山、陈独秀、蔡元培、瞿秋白、胡适、鲁迅，想的都是如何救中国，中国国民性是什么，等等。但是，战后西方人的大问题——什么是人的存在？人在世界中占何种地位？人应当如何看待世界——这些思想家很少想到。

中国的教育家，启蒙师，思想家，是谁？

最杰出的是鲁迅，但他把生命问题缩小了，是"救救孩子"，他要救的那些孩子，就是后来申请入党、开除出党、又恢复党籍、又退党，如何如何……这些"五四"时期的老人，后来连"救救孩子"也不说了。

一句话，我老是讲：宇宙观决定世界观，世界观决定人生观，人生观决定艺术观、政治观、爱情观……但是中国的政客是从政治观出发，决定人生、世界、宇宙观，然后拿来为他们的政治观服务。

可是老庄就是从宇宙观开始一路决定下来。

鲁迅他们，是从人生观半路杀出来的，世界观不成熟，更没有宇宙观。他们往往容易为政治观说服，拉过去。

国民党的"仁义礼智信","新生活运动",都是政治需要的伦理把戏。政治家,清一色都是乐观主义。我谓之"不要脸的乐观主义"。

列宁知道爱因斯坦出了相对论,焦急万分,问党内有没有人可以驳倒相对论。

鲁迅的世界观、宇宙观,有一度和佛教"touch"(触摸)了一下,就避开来。尼采也碰过一下,避开来。他们都急着要去建立他们的人生观。

为什么政客,有政见的人,都从来不问宇宙?避而不谈世界?避不开时,像孔孟一样敷衍几句?他们要欺骗人。进化论,乐观主义,都是要骗人。研究宇宙、世界,必然涉及衰退、毁灭,必然导致悲观主义。

文学家的乐观主义是糊涂,政客的乐观主义是欺骗,商人的乐观主义是既糊涂,又欺骗:目前的世界就是这个样子。我们呢,要做既清醒又诚实的人。

关于萨特的存在主义哲学,存在主义现象学,关于法国的、世界的存在主义流派,就讲这些。讲讲萨特这个人。我对萨特这个人,是大有意见的。

让－保罗·萨特(Jean-Paul Sartre, 1905—1980)。生于海军军官家庭。父早丧,母改嫁,家庭破碎。他被寄养在外祖父家。外祖父是基督教徒(和基督徒不同,前者要受洗,入教会,后者自己信），德语教师，宠爱萨特。萨特小时聪明，外祖父希望他成为神童。

他童年痛苦，没有父爱母爱。孤独，从小爱思考。后来埋头读书。这个过程，很正常。

1924年，十九岁，考进巴黎高等师范学院（这学院以后我们到巴黎应该去看看），四年后毕业。通过中学哲学教师的考试（这多好，教育之严格），第一名，德·波伏娃当时考得第二名。

这时对胡塞尔发生兴趣。1933年得奖金去柏林深造，受海德格尔影响，1934年回法国。成第一本存在主义哲学著作《想象》（*L'imagination*，1936），影响不大。初具存在主义观点，不成熟。1943年，成《存在与虚无》（*L'Être et le Néant*），大著作，第一次提出"存在先于本质"。

这书可代表整个萨特思想，后来路走斜了。这时如去写文学作品，也好，可是到1946年，出论著《存在主义是一种人道主义》（*L'existentialisme est un humanisme*），不行，说得很辛苦，多此一举。

观点是：人是自由的，没有上帝，没有先验性，没有客观规律，人就是他自己造成的。

这也不过是《存在与虚无》第二部分——自由选择。我只同意一半，即人该自己对自己负责。主观能动方面（在座各位都做了选择，但"文革"中无法选择，是客观造成的）

有积极性，在客观社会环境遭遇上，人是不自由的。所以我认为他的东西是励志哲学，不能算是高度的理论，二律背反一来，就能反掉他。

1946年，在《现代》杂志上发表《唯物主义与革命》（*Le Materialisme et la Revolution*）。从此文开始，萨特糊涂了。什么唯心、唯物？什么叫革命？名字就起坏了。他要把存在主义和唯物主义革命发生关系，我的说法，是他想把存在主义"过房"给马克思。

有说此书是马克思主义以后最好的诠释著作，有的说是阴谋，想抵消马克思主义。

我认为《存在与虚无》是好的。到了《存在主义是一种人道主义》，画蛇添足，后来不断添足，越添越大，1957年，出《马克思主义和存在主义》（*Existentialisme et marxisme*），足大于蛇。

他说，与马克思主义相比，存在主义只能算是个思想体系。到1957年，苏联、东欧的事件，都出来了，他还看不出问题吗？

1960年，出《辨证理性批判》（*Critique de la raison dialectique*），宣布资产阶级文化已经死亡（他为什么不宣布无产阶级文化也已死亡？）。马克思宣称过去的哲学是解释世界，他的哲学是想改造世界。迷惑多少人。

这个世界被解释对了吗——无产阶级被消费社会溶解了。

阶级斗争，看不到人性。电脑时代，还有什么生产关系？改造什么世界？现在多少国家的共产党都没了，没戏好唱了。科学的发展也出乎马克思预料。他的刚愎自用，不可原谅。他是书斋里的政客。资本主义是个不好的制度。它是没有最高理想的，没有目标的，永远是经济衰退／经济复兴这套循环。

马克思不适合做哲学家，他是个经济学家，一个乐观自信的进化论者——进化论者为什么不说太阳越来越年轻？海水空气变得越来越甜美？有营养？他们有脸说这个吗？

说穿了，尼采的超人也还是进化论。

有个大问题，我们来解决它——当一种学说、思想出现，人类就想拿来当靠山。首先表现在宗教，其次表现在哲学。以中国例，儒家门庭，两千年来中国知识分子跳不出来。

章太炎晚年回到儒家，杜维明、余英时等等，口口声声孔孟之道。

萨特的马克思主义，也同理。西方相信马克思主义的人多得你不相信。"我们深信唯物主义对历史的阐释是唯一有效的。"这是萨特说的，口气和马克思一模一样。

我冷眼旁观，回味韩非子的寓言：

郑人买履，宁信度，毋信足。

萨特宁可相信马克思主义这个"度"，不相信存在主义这个"足"——宗教、哲学，都是这一类"度"。

可是当年欧洲少壮马克思主义者不肯要萨特这个过房儿子，说他歪曲、攻击马克思主义，说萨特为不放弃存在主义，不可能认识马克思主义。

这件公案，真的很丢人。

为了这公案，我看不起萨特。存在主义蛮大了，为什么还要投靠马克思主义。他说，存在主义不能算哲学，只能在马克思主义哲学边缘寄生——这是什么话？！

不是他深奥，而是他浅薄，和马克思主义这样子去纠缠不清。也许，正因为萨特没有独创性，所以没有主见，没有一贯的思想。与法共交好又分道扬镳，六十年代谴责美国的越战，抗议苏联入侵捷克，后来又支持红卫兵，在巴黎贴大字报，签名（他是"四人帮"在海外的得力干将）。浅薄，非常情绪化。他归附马克思主义，无大深意，不过是邪教人归正教。

很感慨，真能独立思想，不靠既成思想行路，是太少，太珍贵了。

我感谢纪德。他让我及早和罗兰断绝关系，又让我不被尼采的烈酒醺醉。

讲到萨特，又想到纪德，他曾说：

"如果有一生贯彻自己思想的人，请排出名单，我一定出来占一席之地。"

我看不起那些朝秦暮楚的"思想家"，更看不起那些秦楚不分，或在秦楚之间乱攀关系的人。

一代宗师，可以不要一代。

第七十二讲

萨特再谈

一九九三年二月二十一日

萨特的好处，是自己的理论放到自己小说中去。不能小看这一点：许多理论家根本不会创作。理论是支票，创作是现钞。萨特的理论，说兑换就兑换，这就比许多人不知风光多少。

这又像题内又像题外的话（提上提下），是要你们懂事。懂什么事？人活在世界上，要有一个安身立命的尺度。你可以不按这个尺度生活，但你要知道这个尺度。

再说得形上一点：萨特由于他的"介入"，已经属于他的时代。你可以喜欢他，尊敬他，但只是作为时代象征的萨特。你当克服这个时代，克服萨特——在你身上克服——成全你自己。

我前面讲的是客气的。现在不客气了——雨果、瓦格纳、萨特，他们的死后哀荣，尼采已经说了："唯有戏子才能唤起群众巨大的兴奋。"

萨特介入中国"文化大革命"，他演糟了。别的戏，他演得很成功。他的文学，他的《墙》，还是写得好。他有戏子的一面，也有艺术家的一面。瓦格纳，尼采讲他半天，就是因为他还有艺术家的一面。

上次讲萨特作为哲学家，是怎么一回事。今天讲作为文艺批评家，萨特又是怎么一回事。他的文艺批评很丰富。有一本书，叫《什么是文学》（*Qu'est-ce que la littérature*），是他纲领性的文艺理论著作。另写过三本著名文学评传：《波德莱尔》（*Baudelaire*）、《圣徒谢奈：戏子与殉道者》（*Saint Genet, comédien et martyr*）、《福楼拜》（*L'idiot de la famille*）。

所谓评传，是最有意思的。当然是指个别传主。既要评，又要传。"传"是指人，"评"是指作品。全是传，人多作品少，全是评，作品多，人少。我以后要写曹雪芹，就要评传。

中国李健吾写的《福楼拜评传》，很像样的。他译的福楼拜（作品）稍微有点油滑，但文笔非常好。

好评传，读过后，除非是傻瓜，人总会起点变化。好评传作者，自己也给写出来。萨特的三个评传看过，等于看了三次萨特。

什么是文学？萨特以为写作就是揭露，揭露即改变。当你写一对象，即说穿了这对象，并改变其性质了。如果这对象还安于现状，那就是佯装不知，就是在明知故犯。故对象被揭穿，不安于现状，他就该去改变。

这说法很通俗，应该让萨特去说。这种说法，非常存在主义——普通的道理，他再讲一遍，讲过后，又揭出一番深意，虽然不太深，但适合一般人。

每种主义有自己说话的一套方法。

我看这说法，是老账新算。什么老账呢，就是为人生而艺术，为艺术而艺术。他是主张为人生而艺术的，但他发明了一个后来很流行的说辞：介入。

什么"张力"、什么"心路历程"、什么"介入"，台湾作家说得很起劲。这些词没发明前，文学怎么办？

他反对纯艺术。认为艺术家应"介入"他的时代。二战后的青年，没经历过"为人生，为艺术"的风潮，听到萨特这番说辞，是很新鲜。

萨特的好处，是自己的理论放到自己小说中去。不能小看这一点：许多理论家根本不会创作。

理论是支票，创作是现钞。萨特的理论，说兑换就兑换，这就比许多人不知风光多少。你去他的银行，就能兑钱——他的评传，把波德莱尔、谢奈、福楼拜，都变成存在主义。

思考题：艺术家到底要不要介入他的时代？

我的回答：随你便。

具体说：二流作家，最好介入。一流的，可介入可不介入。超一流的，他根本和时代无关。

科举时代，我一定考不取。米芾写："租船，如许大。"然后就在卷子上画一只船。徐文长考考考考，在卷上画起画来。柳永写词，词写好了，皇帝说，那你就去喝酒过瘾。他不服气，又写词，叫做"奉旨填词"。

讲正经——这个问题要咬住，也要介入一下。

你要介入吗？很好。你不要介入吗？也很好。

尼采在《瓦格纳事件》中说——他真好，有时会直接讲出来，面对面讲——"在他自己身上克服他的时代，成为无时代的人。这是对哲学家的最低要求，也是最高要求。"

听他这么一说，我对尼采旧情复燃，又发作了。他看得到，说得出来，痛痛快快。

我在我身上，一辈子以自己为素材，狠狠克服这个倒霉的时代。我对这个时代，永远不介入。我苦于找不到说法，现在找到了，很达意的说法：假如我要写现实的、自传性的回忆，那我就写我如何在自己身上克服我的时代。

为人生而艺术，是艺术，那就好。

为艺术而艺术，是艺术，那就好。

欧美，两者都搞出艺术。中国，两者都弄不成艺术。

欧美还有一些天才，能站在两者之间，介入不介入之间。如叶慈。艾略特说叶慈的伟大，是在两者之间不妥协，不调和，自己找出一条路。

我也想过，这两者，中间一定有一条路。

如我的自传性小说，写好了，可以说我克服了我的时代。写不好，可以说我被时代克服。

老子完全克服他的时代。他哪里只有他那个时代的特征？

话说回来，我不反对介入时代。

无时代的人，是属于各个时代的人。还以李聃为例。每个时代，包括当今各国精英，都接受老子影响，你说——老子的介入大不大？

伟大的艺术必然是介入的，但标榜介入的人是急功近利，不标榜介入的人是深谋远虑。

萨特的介入说，发挥到这里，下面讲萨特的文学。

西方太啰嗦，中国一言道破。我要像西方那样，"要言不烦"地啰嗦下去。

萨特是戏剧家、小说家，主要以戏剧为主，都用来宣传存在主义，倾向性明显而肯定——作品分三阶段：战前，战后，晚年。

战前阶段，也可称"存在与虚无"阶段（那本书名），发表前是三四十年代，以哲学观点为理论依据，反过来以文学宣扬哲学观点。以哲学观创作，以创作宣传哲学。有中篇名《恶心》(La nausée)，还有小说集《墙》(Le mur)，其中包括《房间》、《艾罗斯特拉特》、《亲密关系》、《一个工厂主的童年》。

《恶心》是成名作，探索人生意义，发表在哲学著作《存在与虚无》之前，是个试探性的气球。《恶心》一受赞赏，他就满怀信心发表《存在与虚无》，大红。

这点要弄清、弄懂、弄精，要有策略（丹青画西藏，先是小策略，最近的画，策略大些，然后引向形而上，试图克服自己的时代，这一步步都走得很好。现在丹青每天到画室，叫做"心有所钟"）。

要会粉墨登场，也要会点策略。我来纽约写的散文，搔首弄姿，到目前为止，粉墨登场的阶段虽然还没结束，创作上渐渐洗尽铅华。

老子是想拿宇宙的规律来当做人生的策略。

战后阶段，也称"境遇剧"阶段，指四十年代后到六十年代初，那是他的全盛期，鼎盛期。作品《自由之路》(*Les Chemins de la Liberté*，分三卷：《不惑之年》、《缓期执行》、《心灵之死》），更进一步体现存在主义观点，影响更大。比小说更成功的是他的戏剧。"境遇剧"是他想出来的，很聪明。他认为人既然在一定境遇中自由并选择，就必须在剧中表现简单的境遇及他们的选择（你看，这种说法非常存在主义，煞有介事，其实没有多大意思，但适合中产阶级，给他这么一讲，很中听）。"境遇剧"，完全是为他的存在主义效劳的。

历史还得顾到。二战开始，法国一下子溃败。萨特本人在二战中体验到战俘、战斗和地下抗敌的生活。战后，冷战形成——在这历史条件下，西方知识分子是不得不考虑何以自处。这个背景，决定了萨特的写作和他的介入。

当时巴比塞、罗兰，都介入苏方，纪德部分介入，只有瓦莱里一点不介入。

萨特，是倾向社会主义阵营的。他以这一切作为题材，当然有很多东西可写。《苍蝇》(*Les Mouches*)，《密室》(*Huis Clos*)，《死无葬身之地》(*Morts sans sépulture*)，《恭顺的妓女》(*La putain respectueuse*)，《肮脏的手》(*Les Mains sales*)，《魔鬼与上帝》(*Le diable et le bon dieu*)，《凯恩》(*Kean*)，《涅克拉索夫》(*Nekrassov*)，《阿尔托纳的隐藏者》(*Les séquestrés d'Altona*) ——九个剧本，都很重要。再加上 1940 年写的《巴里奥那》(*Bariona*)，1965 年的《特洛伊妇女》(*Les Troyennes*)，共十一个剧本。凭这十一个剧本，使他成为一代宗师。剧本，下堂课再讲。

　　晚期，从六十年代到 1980 年死，作品不多了，也不重要。有文论集《一种境遇剧》(*Un théâtre de situations*)、《人们有理由反抗》(*On a raison de se révolter*)，以及一部回忆录《文字生涯》(*Les mots*)。

　　现在讲政治家的萨特。由于他的存在主义哲学，推演出一种激进的政治立场。由这个立场，他频繁介入政治活动，成为一个知识界的领袖。

　　我想过，这种事在法国做起来，可以，在中国，太麻烦。鲁迅如长寿，必然给推到这种地位。耶稣进入耶路撒冷，以色列人脱下衣服，平拿椰枝，欢迎耶稣，耶稣骑在驴背上。我来写，就写耶稣的疲倦和厌烦：

他终于下驴背，逃到树林河边，但醒来后，还是回到驴背。

真正的先知，是不能骑到驴背上去的。

萨特有幸生在法国。他不是政治家。鲁迅，你要他去组党、做头儿？不行的。萨特也不行的，他还是一个文学家。他抨击资本主义、殖民主义，呼吁世界和平，揭发法西斯罪行，对越南、阿尔及利亚战争发表反对意见。

1945年，他和阿隆（Raymond Aron）创办《现代》（Les Temps Modernes）杂志，对当代国际国内重大政治事件发表意见，名声越来越大。在社会主义和资本主义两大阵营之间，他想表示中立，两边都骂，但有倾向性（有一时他支持法共，当时一窝蜂，阿拉贡、毕加索，统统加入）。四十年代他参加反法西斯斗争，做了俘虏，因病出营，搞了一个"社会主义与自由"的抗敌组织。五十年代，他谴责美帝侵略战争，抗议法国对美国的屈从。与共产党关系友善，直到1956年，反对苏联出兵匈牙利。六十年代，冒着被逮捕的危险，支持阿尔及利亚民族独立。

1964年，拒绝诺贝尔奖，理由是"谢绝一切来自官方的奖掖"。这是空前戏剧性一举，他独占了镜头。纪德的诺贝尔奖感言在我心中大跌，不能原谅。但我以为萨特拒奖，也不明智。此奖并非都是官方的。诺贝尔是科学家，奖的目的是给人类优秀者。评奖会的某些委员是可以批评的，常使该得者不得，不该得者得。萨特大胆，但他为什么不说："在我不能肯定一件事是荣誉还是耻辱前，我不愿受奖。"

但他此举是高明的，理由不很高明。

1966 年，他参加罗素（Bertrand Russell）组织的"国际战争罪法庭"，第二年任庭长，起草对美国侵略越南的判决。1968 年，支持法国学生运动，同年对苏联入侵捷克表示抗议。

这四件事，我都赞赏。拒奖、法庭、支持学生、抗议入侵捷克，都介入得好！快到七十年代，他干傻事了：充当法国"红卫兵"，贴大字报（不过"文革"上当的人千千万，多一个萨特无所谓）。萨特对中国的政治缺乏常识，给降低到一个普通知识分子的地位。你至少要看一看，再介入。纪德就不会干这种事。

他一生不断介入。我对介入者的观感，是世上事情纷纷扬扬，你介入得了吗？介入，是苦行主义的态度，不介入，是快乐主义的。

1980 年 4 月 15 日，萨特死——那时他应该知道什么是"四人帮"，什么是"文化大革命"。可惜我们不知道他的态度如何，想必他有感触的——举国悲悼。德国人怎么说：反映了西德知识青年的心境。日本人说：无论在思想上、文学上，都找不到一个像他那样在战后影响日本知识分子的作家。

美国向来瞎起哄，把他捧得无以复加。

1980 年 4 月 19 日下午，葬礼。几万人队伍长达三公里。法国人说是雨果葬礼后最隆重的——英国迫害拜伦，死后英国行盛大葬礼——萨特死后哀荣，我的感想，是他到此为止。

生前尊荣、葬礼隆重的人，他有限，影响也有限。

莫扎特的葬礼？

如果伟大，死后会慢慢发光，一直照亮下去——但我对未来不抱希望的。我的文章不对未来说一句好话。纪德，完全绝望的。非洲青年给他写信，他读后说：大地上的盐分还在，使我老到行将就木的人，不至于绝望死去。

我有俳句："所谓人文关怀，是邻家传来的焦锅味。"

我预感到，盐味将要失去，人将来不再像人。我的上辈，我是指契诃夫一代，老谈到将来，觉得很有希望——人类在越来越快地退化。

古代人，像刚开封的酒，酒味醇。但这酒缸没有盖，酒味走了。博物馆，早期的，希腊的雕塑，中国的青铜器时代，多好！现在塑料的东西也放进博物馆。走进博物馆，倒着看上去，人类才进化。

人类越早越文明。彩陶时期，你做个陶，画画看？毕加索也画不出那笔力。我们有些东西，是返祖现象。

但我还有一点点"浩然之气"，这点气，其实是孩子气。

总归是完了的。但我愿意和托尔斯泰、达·芬奇一起完。

如果 1980 年我在巴黎，我不参加萨特葬礼。与我无关。

回想鲁迅之死，抬头的抬头，抬脚的抬脚，后来哪个成了器？当时送丧者也算得万人空巷，都哭，发誓要继承鲁迅先生的遗志，什么"有一分热，发一分光"，什么"路是人走出来的"，现在呢？

尸身上盖的旗——"民族魂"。一个国家靠一个人来作魂，莫大的讽刺，而且肉麻。

这又像题内又像题外的话（提上提下），是要你们懂事。懂什么事？人活在世界上，要有一个安身立命的尺度。你可以不按这个尺度生活，但你要知道这个尺度。

通俗讲，你可以在现实中找问题。你看周围男男女女，他们有尺度吗？所谓尺度，就是整个的标准。

萨特葬礼，你可以去凑热闹，赶时髦，扮演一个群众的角色。但你要知道这是怎么回事。怎么回事？前面已经讲了。你在行列中，心中大有所思。萨特也好，雨果也好，他们的身后哀荣，太戏剧性，太直截了当，太像政治秀——就说雨果吧，现在看，他的成就远不如巴尔扎克、司汤达、福楼拜。而这三位大天才死时，景况寥落，甚至很凄凉。可见艺术家的光荣决不在葬仪的规模。规模大，说明什么呢？

这么想想，你会走出行列，到路边咖啡馆坐下。这样，你就在创作了。

再说得形上一点：萨特由于他的"介入"，已经属于他的时代。你可以喜欢他，尊敬他，但只是作为时代象征的萨特。

你当克服这个时代，克服萨特——在你身上克服——成全你自己。这是我的意思，也许萨特会同意。

在我看来，存在主义是话说了一半的主义。我不愿意再说。最后，还是以葬礼做话题：如你参加，认为已经"介入"了时代，等于在街上见到赵丹、王文娟，逢人就说，我看见了某某——那就无话可说。中国人，如能到巴黎参加萨特的葬礼，而且是 1980 年，那真是中国人的光荣。我前面讲的是客气的。现在不客气了——雨果、瓦格纳、萨特，他们的死后哀荣，尼采已经说了："唯有戏子才能唤起群众巨大的兴奋。"

萨特介入中国"文化大革命"，他演糟了。别的戏，他演得很成功。我生来讨厌戏子，看他照片，即觉得非我族类。他的文学，他的《墙》，还是写得好。他有戏子的一面，也有艺术家的一面。瓦格纳，尼采讲他半天，就因为他还有艺术家的一面。

我的墓志铭（暂定）：

"即使到此为止，我与人类已是交浅言深。"

亚当的口气。给我作品定位：多余的。

"因为礼物太精美，使得接受的人不配。"这是我另一句诗。

莫扎特给人类的礼物太精美。

第七十三讲

萨特续谈

一九九三年三月二十一日

我们看世界的眼睛，心情有异。有四种处境决定我们心情恶劣：一，失恋。二，进监狱，关起来，隔离审查。三，重病。四，赤贫。凡处于这四种处境，看问题，看世界，一定不一样。反过来，一个人健康，有怜爱，自由，生活过得去，不会对生活这样看。

对生命，对人类，过分的悲观，过分的乐观，都是不诚实的。看清世界荒谬，是一个智者的基本水准。看清了，不是感到恶心，而是会心一笑。

一个人非常健康，落在困境中，他不怕的。当然，要他死，那也没有办法。我有俳句："推举一位健美先生，然后一枪击毙。"现在相约：十年十五年后，你们翻翻今天的笔记，有用的，有趣的。

人类的地狱是人类自己造成的。人的智能，高多了。一切惨无人道的事，是人造成的，不是另外一个东西给人类造成"惨无人道"。这是人类滥用误用智力的结果。确实，他人即地狱。

要我说，应该研究了存在主义，知道了"他人即地狱"，然后，就像不知道存在主义，像之前那样，存在下去——有人这样吗？有。萨特就是这样。他不靠存在主义生活。他要去演讲，让许许多多"他人"听，"地狱"越多越好。

天堂的门是窄门，向来认为只有单身才能挤进去。现在我才明白，这道门一个人挤不进去，两个人倒挤进去了。一个进不了，两人挤进去的，就是天堂之门——结论：他人即地狱，他人即天堂。

我看哲学、伦理、儒家，都当它文学看——没有人说过。

继续讲萨特——萨特之为萨特，在于他有很高明的文学能量。这是他的高处、强处。不是说哲学家一定要兼文学家，我也不以为他胜过了别的哲学家。我是说，萨特占了优势。

第一部引起轰动的文学著作是《恶心》(*La Nausée*)，1938年出版。一举成名。写作之初，准备叙述一偶发事件，几经修改，成了一部存在主义小说。出版社开始拒绝，一上市，读者评家反应强烈。

日记体小说。照作家说，是哲学日记。日记，当然是第一人称，主角罗康丹 (Roquentin)。他忽然有一天觉得周围一切都"恶心"。一切毫无意义，包括他自己。小说描写他在公园中凝视栗树的树根，深扎在泥土中，黑黑的，虬曲的，他越看越怕，想，这有什么意思？什么目的？一切都是偶然的，丑恶的，污秽的。他发觉人人萎靡不振。他认为我们吃啊喝啊，但没有生存的理由。终于他找到答案：一切可以归于荒诞，他要确立荒诞的绝对性。

作为艺术，这部小说是不成功的。第一个问题：艺术品能不能图解思想？第二个问题：世界真是荒谬的？人生真是无意义的？第三个问题：如果是，我们怎么办？

先把《恶心》弄弄明白。

存在主义基本原则，是世界荒谬，人生痛苦。萨特在《恶心》中力图说明这一点，以此质疑古典哲学的价值论和肯定论。这是古典主义通盘的估价。罗康丹失去生活的方向、目标、意义，自己就变成一个东西。他说：

> 一切存在的都是无缘无故地出生，因软弱而延续，因偶然而死亡。

海德格尔曾经沉痛地说："深沉的烦恼好像寂静的雾，遍布于生存的深渊，将外物、他人和我们自己搅在普遍的冷漠之中。这种烦恼显示出生存的全貌。"

萨特的思想来源，与胡塞尔和海德格尔有关。他自己说，《恶心》是攻击资产阶级的。我觉得这是耍花枪，是捞稻草，讨好无产阶级：他明明攻击的是全世界，而当时资产阶级正抬头，他是有私心的，不够诚实的。

我以为一件艺术品如果性质上是作者思想的图解，即无药可救地失败了，不论作者的思想多么高明。这个问题看来容易懂，其实很严重，一直要归结到哲学与艺术的分界。

乔伊斯、昆德拉，都有这种倾向。

思想一图解，文学遭到严重破坏。音乐、绘画、舞蹈、雕刻，概莫能外，不能碰思想。

罗丹是个粗人，没什么文化。他的思想是借来的，是思想银行的贷款。他的好处是技术熟练，熟练到有点才气，其实他连思想的图解也谈不上。当时很轰动。现在还有人热衷罗丹，那就有问题。

肖斯塔科维奇，我不喜欢。他是个软性的硬汉，用音乐图解他的思想。他的思想是天生的结结巴巴，说而不明。他的音乐是都有说法的，十月革命啦，反斯大林啦……

舞蹈，照尼采的原理，我来定义：哲学家一怒，成为舞蹈家。

这话，尼采可以鼓掌，别的人想想，可以鼓掌。

我喜欢西班牙民间舞，南美踢踏舞，特别喜欢印度古典舞蹈，有一种陶醉感，那是佛教的意思，但我不懂，所以看着好。艺术家和人类是意味着的关系。意味消淡时，有人就受不了。但在我看来，意味越消淡时，就意味深长了。

贝多芬《第九交响曲》、勃拉姆斯《第一交响曲》，都属于哲学家一怒而成了舞蹈家，在他们的作品中，思想飞了起来。

当然要有思想。但要看是什么思想。不要图解。不要公式化、概念化。米开朗琪罗是在图解《创世记》？不要忘记，他伟大，是他都包了下来——是他在"创世纪"，创绘画的世纪。

为什么艺术不能是思想的图解？为什么这样犯忌？

因为艺术是超越哲学之上的。哲学非但不能解释艺术，而且不配解释艺术。

这话，只能关在家里讲讲，我只能忍耐。

想到尼采反理性，元凶一直追到苏格拉底。钦佩极了。大智者。可是病源、病根早就找到了，谁也开不出药方。

不靠理性，靠什么抗衡理性？

一筹莫展。病入膏肓。和理性相克的东西，几乎没有。不能说是感性、本能、暴力。都不能。能与理性对立，介乎理性之上的东西，几乎没有。只有在音乐中，准确地说，在某些段落、章节中，介于理性之上。

希腊雕像，也有这东西，在理性之上。

听贝多芬《第九交响曲》的第三乐章，觉得宇宙不配。艺术家才大，冤深，永远是冤案。

中国成语：解衣磅礴。我在电影上看到耶稣被鞭挞，受不了，站起来，想到这句成语——不值得为这样的人类受苦。

我现在听音乐，旁边不能有人。而且越来越听得少。

再回头看《恶心》，你们是否觉得萨特夸张？

我们看世界的眼睛，心情有异。有四种处境决定我们心情恶劣：一，失恋。二，进监狱，关起来，隔离审查。三，重病。四，赤贫。凡处于这四种处境，看问题，看世界，一定不一样。反过来，一个人健康，有怜爱，自由，生活过得去，不会对生活这样看。

萨特笔下的人物，完全是他思想的图解员。

不要忘记，人是有肉体的。肉体的健康，制衡精神。

健康是一种麻木。

人的心情会逐渐好转，是因为健康在制衡痛苦。人落入绝症，就是这种制衡的消失。病好起来（病使人敏感，敏感全用在疾病上）人最幸福。大病初愈的人，目光、心情，特别明亮。

总之，对生命，对人类，过分的悲观，过分的乐观，都是不诚实的。看清世界荒谬，是一个智者的基本水准。看清了，不是感到恶心，而是会心一笑。

中国古代的智者是悲观而快乐的。

萨特的《恶心》是一种装出来的病态，可当时的欧洲怎会被感动？世界荒谬，十九世纪早就讲过。所以结论是灰心丧气的：一代的智慧，传不到下一代。一代归一代。

鲁迅看港台文学，会喜欢吗？要骂的。可是鲁迅要救的孩子，喜欢三毛。鲁迅把希望寄托在未来，这就是他的未来。

整个古代的文化、艺术品，能留到现在，好危险哪！

李白、杜甫在唐代的名声，在今天就得不到了。

但我愿意生在现在，因为比较容易了解宇宙，透视人生。如果你是淡泊名利的人，那么生在这个疯狂夺取名利的时代，那是真有看头。

不要太看得起那些荒谬、痛苦，不要当一回事。古代人讲饮酒，要找的是麻木，我看只能摆脱小荒谬。饮酒是小家气的。最大气的事，身体健康。

这是尼采叫我走的路，可他自己走不了了。

一个人非常健康，落在困境中，他不怕的。当然，要他死，那也没有办法。我有俳句：

"推举一位健美先生，然后一枪击毙。"

现在相约：十年十五年后，你们翻翻今天的笔记，有用的，有趣的。

健康很麻木，很好玩。

为什么花那么多时间讲萨特？因为他提的都是现代人的问题。我们是现代人，把他讲讲透，就可以和所谓现代思想告别了。

《恶心》是本不成功的小说。没什么好多讲，大家自己去看好了。我认为成功的萨特的小说，是《墙》。那是短篇小说集中的一篇，他大概自己也以为这篇比较好吧，所以用作书题。故事——共产党员伊皮叶达和两位战友被法西斯分子捉住，入牢，逼他们招供另一个党员格里（格里躲在伊皮叶达的表兄家里）。三党员不招，被判死刑。小说写三人行刑前夜的心理，很精彩。一个失常，一个镇静，伊皮叶达疲倦，灰心，却又亢奋：他有情人，却不想留一个字。

刑前心理，许多人写过，萨特好在写得很新鲜，看后好像自己也经历了刑前的心理。

二党员枪毙了。伊皮叶达临刑前又被拉去审逼，仍不招。但他最后想戏戏敌人，编一假供，说格里躲在墓地。敌人立即去墓地找。伊皮叶达暗笑：我反正要死了，让他们去扑空——格里本来是藏在表兄家，怕连累别人，真的躲到墓地去，被敌人捉住，立即处死。伊皮叶达得知，昏过去，醒来，狂笑，小说停。

附带说说，我对小说、电影和生活的关系，总是大有兴趣。电影可以剪辑，小说可以停、跳……生活真是可悲。只有快乐时，生活和电影一样——瞬间就过去了。

《墙》，我佩服萨特的描写功夫。

而且这小说既有现实意义，又有永久意义。永久意义是小说结尾这个偶然性，这个命运。和希腊悲剧原理同。当然，他在小说中强调的还是存在主义第三个命题：世界荒谬，人生痛苦。但《墙》不是存在主义思想的图解。《墙》超出主义，比主义长久——超出主义，是艺术的喜事！

所以我说艺术另有上帝，另有摩西。

这篇存在主义的好作品，超出了存在主义。用笔很锋利，整个作品很有力量。

讲讲他的"境遇剧"。当时——二十世纪四五十年代——法国充满境遇剧。境遇剧：特定境遇中剧中人的自由选择，也有人称"自由剧"。

人喜好新，萨特想出这个新名称，卖得好。中国人喜欢讲老字号，越老卖得越好。

这些剧中的世界是冷漠的，命运是偶然的，人的处境都很危险。生死攸关，极限境遇，不仅社会环境使人烦恼，更重要的是人和人之间的关系造成这种险恶。萨特的警句："他人是你的地狱。"我译成："他人即地狱。"

你要选择，就要摆脱他人。

（丹青：这些叔本华早说过。木心：是啊，萨特聪明，把十句话的警句弄成一句话。战后青年没读过原典，萨特的存在主义是在战后的荒芜中摆摆地摊。）

可以就此讲开去——人类是合群的、社会性的动物。"个人"是孤独的、不合群的、不可能沟通的高级动物。这是两个不同的概念："人类"不是"个人"。

人问苏格拉底该不该结婚。他答：两种结果都会懊悔的。

蚂蚁和蜜蜂，是集体动物。他们的所谓必然王国和他们的智能正好协调、合适：一个蚁窝、蜂巢，不会"他人即地狱"。

人类的地狱是人类自己造成的。人的智能，高多了。一切惨无人道的事，是人造成的，不是另外一个东西给人类造成"惨无人道"。

这是人类滥用误用智力的结果。确实，他人即地狱。

从萨特的自由选择观，细节、局部地看，这种选择是积极的；退远了、历史地看，还是消极的，虚妄的，不过是逃避——人逃避社群，是很傻的。

要我说，应该研究了存在主义，知道了"他人即地狱"，然后，就像不知道存在主义，像之前那样，存在下去——有人这样吗？有。萨特就是这样。他不靠存在主义生活。他要去演讲，让许许多多"他人"听，"地狱"越多越好。

我青年时写过：警句是给别人用用的。

懂，比不懂好——表示智慧，深度。

懂，装得不懂——俏皮，幽默。

懂，好像什么也不懂——成熟了，归真返璞。

我们绕个弯回过来：萨特说，别人是地狱。对的。我经历过三次、五次、许多次。但是我说：别人是天堂。

友谊、爱情，都是天堂，都需要一个"别人"：你能没有"别人"吗？罗密欧即朱丽叶的"别人"，反过来也是——你能没有别人吗？

《欢乐颂》有词：只要世界上还有一双为你流泪的眼睛，你快来参加这欢乐的宴会。如果没有人愿为你流泪，那么你就孤零零地离开吧。

也是要别人为你流泪，你才幸福。

天堂的门是窄门，向来认为只有单身才能挤进去。现在我才明白，这道门一个人挤不进去，两个人倒挤进去了。一个进不了，两人挤进去的，就是天堂之门。

结论：他人即地狱，他人即天堂。

这就是二律背反。所谓幸福，离不开别人的。

归真返璞，不是回到原来的地方。六岁的陶渊明和六十岁的陶渊明，不是一回事。没作过曲的莫扎特和写了四十一部交响乐的莫扎特，不是一回事。

金刚钻的前身是碳素，中国人叫石墨。经过亿万年的压磨，形成金刚钻，看起来好像归真返璞。前面所说的那个过程，就是——起始有了智慧，智慧又有了深度，然后变得俏皮，事事以幽默的态度处之，在无数次的谈笑间，你成熟了——这个过程，就像碳素受强力高压一样，金刚钻呢，就是陶渊明、莫扎特。

"比喻，总是跛足的。"（这句话不知谁说的，在哪里看到过）摆脱比喻，直接说，大前提：知识本身就是高强度的压力。我讲文学史，是一种压力的传授。我们讲了四年，正在承受压力，许多人受不了，回家了。他们有乡愿。

萨特的境遇剧，我们自己就在演，我们都是剧中人，都在自由选择。所以萨特的许多想法有道理。我要和他较劲，因为他不够诚恳，他是虚伪的，他虚伪得很巧妙，很有才气。

对于法国、欧洲，有萨特比没萨特好。现在呢，从有萨特到不必要萨特，也很好。

从旁看，从历史现象看，宗教会死的，宗教音乐、宗教艺术长存。哲学会过时，不足道，甚至成为谬误，但文学作品会流传下去。

中国的儒家的生命力——《大学》、《中庸》、《论语》、《孟子》——到后来，恐怕全靠这些著作的文学性。这是我想象性的推论，历代少有人指出：《大学》、《论语》，文学性特别强。

我看哲学、伦理、儒家，都当它文学看——没有人说过。

现在还不到时候。如果到某个世纪——我的假想——宗教、政治、伦理、哲学这些迷障全部消除，那人类的黄金时代就来了。现在、过去，文学还是作为宗教、政治、伦理、哲学的附庸。

有人问：这黄金时代会不会来？我答：不会。

那空想有什么用？我说："有用。"四个理由：

我们知道了宗教哲学是迷障——有用。

我们知道了文学艺术一直是委屈着，做奴才——有用。作为迷障，那些宗教哲学已经奈何不了我们。所以文学艺术的王者相就成为我们个人的王者相。

归结起来呢，不好意思说——人类的黄金时代并不属于人类，而是属于少数人。贝多芬、肖邦、陶渊明，早就成就了他们个人的黄金时代。

艺术是最大的魔术。艺术家是最大的魔术家。

第七十四讲

加缪及其他

一九九三年四月十八日

加缪、萨特，他们自己不是局外人。他们是非常执着的功利主义者。他们是
故作冷漠。一个执着的人，描写冷漠，一个非常有所谓的人，表现无所谓，
这是存在主义的虚伪。

我这个年龄，经历过新旧道德观水土不服、青黄不接的感觉。当时觉得旧道
德去了，活该! 现在才知道旧道德何等可贵。

我对女权运动，不置可否。德·波伏娃，我还是欣赏，她能说出"女人是变
成的"，说明她天生是个女人。

其实没有哲学，只有艺术。你去听贝多芬、勃拉姆斯，随时听到哲学，鲜活
的哲学。书上的哲学，是罐头食品。这一点，克尔凯郭尔一下子超过了前面
的哲学家。

一般以为能成体系，才伟大，嘴上说说也满嘴都是油一样。他们四个人为什
么都不要体系? 各有各的内因。我不分析。一分析，不也弄体系了?

人不可能被了解——历史也不可能被了解，被接触。历史上许多事，许多人，
同时发生，同时又过去了，怎么可能接触? 史记，不过是几个人的传记。人是
不可能被了解的。父亲、妻儿，你真了解吗?

阿尔贝·加缪（Albert Camus，1913—1960）。另一位法国存在主义哲学家、小说家、戏剧家、评论家。生在阿尔及利亚（当时还是法属殖民地），母亲是西班牙后裔。未满一岁，父亲在战争中阵亡。加缪靠奖学金读完中学，又进入阿尔及尔大学念哲学，半工半读，博览群书，成为左翼知识分子中佼佼者。1933年希特勒上台，他参加了巴比塞（Henri Barbusse）等人领导的反法西斯运动，一度加入法共。

我们如果生在那时，也会参加左派。生在现在有幸，当时，左的错误还不明显，还没扩大，对的东西无可厚非，很难选择的。我有句：幸与不幸，我们目睹了它的破灭。

加缪组剧团，写剧本，演出，办报。有随笔集《正面与反面》（L'envers et l'endroit）。1938年出散文集《婚礼》（Noces）。这两本书倒不左，写的是人生短促，世界永恒。

这个主题早就被写过，可是人都是从小长大，都要经历这种感慨。少年春情发动，在他是第一次，在人类史，不知多少次了。所以见到青少年不要说他们幼稚。否则就有代沟。我和青年人没代沟。

四五十年代是他创作的兴盛期。由于他的加入，法国存在主义文学壮大，当时几乎和萨特齐驱并驾。有论说讲他是世界性存在主义的代言人。之所以赢得如此崇高地位，是他有创作表达战后西方人心声。他有三个主题：一，人在异化的世界中的孤独。二，人自身也日益异化。三，罪恶、死亡，最终是不可避免的。

这是战后知识分子所思所想。因此加缪成为一个应时的作家。名著《局外人》(*L'Étranger*)，正好发表在萨特的《恶心》之后，成为姊妹篇，同时发挥作用。

《局外人》发表于1942年，故事背景是四十年代的阿尔及利亚。主角莫尔索是个法国公司小职员，单身，独居。因无能赡养母亲，就把母亲送进养老院。三年后，母亡，赶回参加葬礼。时母亲已入殓，他也不想开棺见见母亲。守灵时老打瞌睡，抽烟，喝咖啡。对母亲的死，漠然，巴不得痛痛快快睡觉。

所谓"局外人"，就是无所谓，就是十九世纪所谓"多余的人"。冈察洛夫、莱蒙托夫等都写过：这个多余的人后来跑到阿尔及利亚去了。

十九世纪的"多余的人"，是贵族，诗人，是少数。二十世纪的局外人，是平民，是多数。"多余的人"还有人格，没有异化，局外人根本没有人格，涣散了。莫尔索对母亲的死、葬礼、爱情、死刑、工作地点、刑场，都无所谓。这种人，十九世纪那些多余的人还不能想象。

这完全是"存在是荒谬"的解说。小说让人觉得加缪好像是赞赏主角：这里有存在主义的虚伪性。

加缪、萨特，他们自己不是局外人。他们是非常执着的功利主义者。他们是故作冷漠。一个执着的人，描写冷漠，一个非常有所谓的人，表现无所谓，这就是存在主义的虚伪。

他们对书中主角有一种幸灾乐祸的心理。

我认为《局外人》可读，是另有观点的。莫尔索是一个牺牲者，一只迷途羊羔。他并没"自由选择"，或者，他选择错了。《局外人》发表的同一年，加缪有论文《西西弗的神话》（*Le Mythe de Sisyphe*），取自希腊神话，大力士西西弗受罚，天天推石头上山，到山顶，滚下去，又重新推，永无止境。在我看，希腊人早就是这个意思，你再去讲，没新意。纪德写水仙自恋，有新意，加缪讲西西弗，太老实了。加缪在文中说：

> 在这个骤然被剥夺了幻想和希望的宇宙里，人感到自己是一个局外人。

我看不出莫尔索处于这种形而上境界。他是随波逐流，思想的懒汉，莫尔索是看着石头滚下来，自己也随之滚下来——他是个滚石乐派。

不过他确实代表着三四十年代的大部分青年。当时正值法西斯猖獗，大家都看不到法西斯会失败，无奈中读读《局外人》，也可解闷。而真实的生活中的莫尔索，恐怕连读小说的劲也没有。

从法国小说传统来看，梅里美、马拉美一路下来（包括纪德）的贵族个人主义，到了加缪他们，已被平民的个人主义替代。这不能说是进步，也不能说是退步——说明世界在变。这，就是异化。

要我来说，我不会说得太老实：现代人不是从前的人的子孙。现代人，自己的事情也不肯管，是一种异化，又太自私，更是一种异化。

我在上海时，厂里有个青年，滥吃滥用，穷，大冷天穿单裤。厂领导看不过去，给了补助金，他领了钱一路吃喝，照样穿单裤上班。领导训他，棉裤买来了，穿上了，穿到春天，给他扔在垃圾箱里，夏天露出满是老垢的脖子，人劝他洗洗吧，他说："管我什么鸟事。"

这是中国式的存在主义，倒是真的荒谬的。

加缪另一本小说《鼠疫》(*La Peste*)，是回头用象征主义手法的一部存在主义作品。鼠疫象征法西斯，主角里厄 (Dr. Bernard Rieux)，是高尚勇敢的医生，有新闻记者受里厄感召，扑灭鼠疫。主题是世界虽然荒谬，我们还得选择正义，战胜邪恶。这是老调，但还是要唱，反过来，难道邪恶战胜正义？

总的说来，我对加缪印象蛮好，可惜他死于车祸。你们看他照片，像个很好的新闻记者，很想跟他谈谈。

我有俳句："不太好看的人，最耐看。"

其他存在主义作家：西蒙娜·德·波伏娃，尼勒默尔·沃尔马，索尔·贝娄，诺曼·梅勒。

西蒙娜·德·波伏娃 (Simone de Beauvoir, 1908—1986)。

生于凡尔登中产阶级家庭，其父爱好文学，从小受文学熏陶。她自小对旧秩序表示怀疑。先后在马赛、鲁昂小学任哲学老师。1943年出第一本小说《女宾》(L'Invitée)。

为什么这些人的主张观点如此相似？反过来看十九世纪，叔本华、尼采，等等等等，都异乎寻常。我想，凡能搞起主义运动的，大致是二流角色。走兽飞禽中，可以找到例证：鹰、虎、狮，都是孤独的、不合群的，牛、马、羊、蚁，一大群，还哇哇叫。最合群是蛆虫。

所以"文革"聪明。他们把你"隔离审查"，他们知道人是合群的。可是连我也受不了，陶渊明也受不了——"结庐在人境，却无车马喧，只要一隔离，全部都完蛋。"

我现在住的情况，就是"隔离"，门前的马路，我称为"死路一条"，天天那样子，一排新房子。新房子不会说话，老房子会说话的，散步一点没有味道。明天不散步了，后天也不散步。

所以文学的黄金时代，是十九世纪。那时的大作家都不合群，那时没有作家协会。十九世纪是个光荣的世纪。

她的小说人物多是女性。《女宾》讲青年情侣同情帮助一位女友，三人感情发展到三位一体，想试验新的性关系。那女友放荡不羁，我行我素，是"女宾"，情侣二人是主人。主人对女宾羡慕而向往，终于受不了。结果女宾想用煤气烧死主人。

这种故事不新鲜，可以写写，但要看怎么写。

942

1954 年发表《大人先生们》(*Les Mandarins*)，得龚古尔文学奖。只知内容写战后左翼知识分子思想状况和精神危机。她的论文多，谈女性问题，以为女人要独立。

德·波伏娃有一句话，我欣赏："女人不是天生的，是变成的。"好在她是用文学的讲法。文学的讲法，意思可以有多层，不宜强作解释。我曾经说过，世上有三种（至少三种）东西是男人做出来的：一，金鱼。二，菊花。三，女人。

自然界没有金鱼。名目繁多的菊花，也是靠野菊一代代培植变种而来。原始的女性，很难看，腰粗、臀大，乳房像两个袋，和现代时装模特儿完全两码事。男人按照自己的审美观念，千年万年，调教改造女人，妆饰、美衣、香料……女性渐渐好看了，骄傲了。连曹雪芹先生也糊涂，说男人是泥做的，女人是水做的，其实女人是男人的手工艺品。

我对女权运动，不置可否。德·波伏娃，我还是欣赏，她能说出"女人是变成的"，说明她天生是个女人。

今天要把存在主义讲完。还剩三个，虽不重要，也得说完整，前面没提到他们。

尼勒默尔·沃尔马 (Nirmal Verma)。印度人。生于 1929 年，死年不详，也许还活着。可说是存在主义在印度的代表人物（当时中国正在忙于左翼右翼，"二流堂"，延安派，都不会顾及存在主义。在欧洲，东欧国家也不关注存在主义）。他出生于印度山城西姆拉,在新德里上大学。毕业后做教育工作,后专事写作。1959年旅居布拉格,再后来周游欧洲各国。如果他一直在印度,就不可能受这些影响。我一再说,一个艺术家,一个天才,第一步,要离开故乡,像一条鱼,游啊,游啊,游到大海去。没有人教他。但是天才就会游到大海去。

五六十年代,印度出现新小说派(这是大题目,下次讲),风靡一时,同法国新小说派不完全相同。印度派受到法国存在主义影响,特点是肯定个人存在的残剩意义,情感色彩更恐惧、更沮丧,等等。沃尔马采象征主义、意识流手法,作品人物惶惑压抑,感情不能沟通,在这新旧价值观道德观青黄不接的时代,世上都是陌生的过路人。

我这个年龄,四五十年代经历过新旧道德观水土不服、青黄不接的感觉。当时觉得旧道德去了,活该!现在才知道旧道德何等可贵。新道德呢,当时的总前提就是集体主义。这是致命的。那时才二十几岁,没知识,没经验,我只凭天性知道:没有个人主义,就没有艺术——也就没有我。集体主义来了,就是我的四面楚歌、十面埋伏。

但我没有成为存在主义者,是因为读过原典,不新鲜。有幸也不幸,不幸是缺了这一课,幸是不必去绕这个弯。

代表作有长篇《那些日子》(*Those Days*)、《候鸟》(*Birds*,短篇集)、《燃烧的森林》。《候鸟》,是印度新小说派的杰作。

索尔·贝娄（Saul Bellow，1915—2005）。美国当代作家。存在主义在美国的代表作家之一，曾获诺贝尔奖。生于加拿大，九岁移民到芝加哥，后来读人类学、社会学，教学，著书。长篇《挂起来的人》（*Dangling Man*），可算美国文学史第一部荒诞派小说。成名作是长篇《奥吉·马奇历险记》（*The Adventures of Augie March*），获国家图书奖。其他作品：《雨王汉德森》（*Henderson the Rain King*）、《赫索格》（*Herzog*）、《赛姆勒先生的行星》（*Mr. Sammler's Planet*）等。

1976 年获诺贝尔奖。评语："对当代文化赋予人性的理解和精妙的分析。"

诺曼·梅勒（Norman Mailer，1923—2007）。美国小说家，1923 年生。同时也是政论家。生于新泽西犹太家庭。哈佛毕业，专修航空工程，当兵，1946 年退役。长篇《裸者与死者》（*The Naked and the Dead*），轰动一时，被称为二战后最好的小说之一。写自己当兵生活中官兵冲突矛盾，用的是现实主义手法。《巴巴里海滨》（*Barbary Shore*），长篇，宣扬无政府主义，用半象征半现实手法。《美国梦》（*An American Dream*），写暴力、谋杀、崩溃。对黑色幽默作家起过影响。

匆匆将这三人讲过，最后回到存在主义问题。

我们讲的是文学史。谈存在主义，我着重谈它的文学。这文学的特征，概括为三方面：

第七十四讲　加缪及其他

一，明显的哲理性。它起初并非为文学而文学，是为了找通俗的形式，利用文学。它是哲学，不是文学流派。这要弄清楚。曾经讲过：存在主义有他的"鼻祖"，谁呢，丹麦的克尔凯郭尔。克尔凯郭尔的理论是神秘的，可意会不可言传。他害怕死后，后世把他的哲学弄成体系，井井有条分成片章小节，所以就用小说、戏剧的方式来讲他的思想。所以后来的存在主义也用这方法。

这是存在主义比别的哲学高明的地方。哲学会过去，文学可以长在。宗教可以变化，庙宇留了下来。孔孟、老庄、荀子、墨子、司马迁，他们的哲学思想，留下纯粹的文学。司马迁是个史家，我看是文学天才。世上什么最伟大，艺术最伟大，可是艺术一直被弄成小丫头。过去，再伟大的艺术家都自卑，直到贝多芬，才自觉地说："艺术家高于帝王。"

这种人真是痛快！说出来了。歌德也不敢，给拿破仑叫去，丢脸。尼采，又一个提出艺术高于一切。

这都是历史上的大事情。我记得我二十三岁时，一个基督徒同学与我常常彻夜谈，我说：其实没有宗教，只有哲学。那同学第二天说：我差点失去信仰。说明她会想，我当时居然也这么说了。

四十多年过去了，我又想说——其实没有哲学，只有艺术。你去听贝多芬、勃拉姆斯，随时听到哲学，鲜活的哲学。书上的哲学，是罐头食品。这一点，克尔凯郭尔一下子超过了前面的哲学家。

历史上排排队，第一个不要体系的，是法国蒙田，第二个不要的，是德国的尼采，第三个是丹麦的克尔凯郭尔，第四个是法国的列维－斯特劳斯（Claude Lévi-Strauss）。

一般以为能成体系，才伟大。嘴上说说也满嘴都是油一样。

他们四个人为什么都不要体系？各有各的内因。我不分析。一分析，不也弄体系了？

不事体系，我看是天性使然。

我绝对不是看到蒙田等等，受启发，跟着学。我是走在路上遇到蒙田，脱脱帽，点点头，走下去，又遇到克尔凯郭尔，又脱脱帽，点点头。

我同蒙田开开玩笑，但不跟克尔凯郭尔谈，他要哭的。出国遇到列维－斯特劳斯，也深得我心。

但最钦佩的是尼采。每当我想说未说时，他已哇哇说出来了——"从事体系就是不诚恳"——你看，他说出来了，这话只有他会说。

蒙田老实人。终生研究人，几十年下来，发现人是会变的，就不研究了。强盗进来，蒙田与他们好言谈谈，强盗鞠躬退出。

黑格尔体系最强，他不诚恳。

我想，一本书如果能三次震动我，我就爱他一辈子。

二，存在主义还有第二特征，是把人物放在特定境遇中（所谓境遇剧），让环境支配人的行动，人再选择行动，造成本质——其实传统戏剧也是这样的。依我看，鱼么，在水里游，很好，你把鱼捉上岸，给它一点水，冲成沟，沟再弄干，又把鱼放回水里——存在主义是没有事情，弄点事情做做。当时存在主义轰动世界，风行一时，不太正常的。

三，富有真实感，这是存在主义的好处——传统戏剧中，往往人物的好坏比现实中甚——不错，也是一种写法。所谓真实感，是个程度的问题。我们接触了解一个人，只触到某种程度的真实感，人不可能被了解——历史也不可能被了解，被接触。历史上许多事，许多人，同时发生，同时又过去了，怎么可能接触？史记，不过是几个人的传记。人是不可能被了解的。父亲、妻儿，你真了解吗？你才不了解呢。

爱情，是一种错觉，怀抱中的人，你真的占有了？了解了？连体人最可怜，最可怕，比残废人还可怜。一个人要喝酒，另一人醉了；一个要睡觉，另一个要唱歌……

所以，人，个别的人，是美丽的，幸福的——说得好听是孤独——其实就是个别。

艺术家要"迷人"，研究人。陀思妥耶夫斯基、巴尔扎克，拼命研究人。丹青也喜欢画人，一天到晚画人。

好。存在主义是个小车站，我们停停，买点零食，上车，下次讲新小说派。

一种思想，不是从书中传来的——是从风中送来的。

新小说（一）

一九九三年五月十六日

政治，是动物性的。艺术，是植物性的。你可以残害植物，但你无法反对植物。巴尔扎克、托尔斯泰，像两棵参天大树，你站在树下，大声叫"我反对你"，有什么用？

规律和命运，是什么关系？是规律高于命运，还是命运高于规律？既然事物受命运支配，怎么事物又有自己严密的规律？而命运又怎能支配事物这些严密的规律？

老子的《道德经》偏重讲规律，他的办法，是以规律控规律，是阴谋家必读的书。但老子是上智，他始终知道，规律背后，有命运在冷笑。

中国的《易经》，也很可悲，它认为命运是有规律的，索性去研究命运。

老子、庄子的哲理充满逻辑的矛盾，也虚妄。王羲之就在《兰亭序》中指出过，有所批评。老庄的空灵是讲实用的空灵，是高层次的"活命哲学"（《易经》也是活命哲学，《诗经》是苦命的悲叹）。我看老庄、释迦、尼采，一路下来，都十分烦恼，他们和命运合不来。

"那个才气超过你十倍的人，你要知道，他的功力超过你一百倍。"刚才来讲课路上，我想到这么一句。自己耕耘，自己收获，自己培养自己，自己养兵千日用在一时。

本世纪五六十年代，法国出"新小说"派（nouveau roman），是现代文学的重要流派。刚出世，被认为古怪荒诞，精神病发作，都不作好评，时值五十年代初。六十年代，社会舆论才认知，而后波及欧洲、美国、日本。

当初没有"新小说"的说法。风潮落下去了，才出此说。

"新小说"都在二流的"子夜出版社"（Éditions de Minuit）出书，一度被归为"子夜派"。其实没有所谓"子夜派"，作家风格内容都不同，评论家捉摸不定，他们自己也不标榜，所以有视觉派、反小说派、拒绝派、窥视派、摄影派、写物派、观察派、新现实主义及子夜派等各种说法（无派可名，评论家就只能这么说）。

到七十年代初，势头下去了。你们看看，这个事实包涵什么问题？是个什么性质的问题？

我回答：很好。文学要这样才是正道、常道。我从小不参加任何派、任何党。当时敬重林风眠，就为他始终无党无派。国民党委任他当院长，他也袒护共产党，不举报，但却无党无派，不投靠任何一方。香港人喜欢说"人在江湖，身不由己"。我说，人在江湖，身可由己。到了江湖嘛，这才可以自主自由。

新小说派，没有宣言，没有纲领，没有组织，这才好。

直到 1971 年，才在巴黎一个国际文化俱乐部召开会议，小说家们对作品理论做了探讨，总算有了一个俱乐部形式的团体，成员有七：

阿兰·罗布－格里耶（Alain Robbe-Grillet），米歇尔·比托尔（Michel Butor），克洛德·西蒙（Claude Simon），克洛德·莫里亚克（Claude Mauriac），罗贝尔·潘热（Robert Pinget），让·里卡尔杜（Jean Ricardou），娜塔莉·萨洛特（Nathalie Sarraute）。

还有玛格丽特·杜拉斯，塞缪尔·贝克特——他们不愿参加会议，不入派。

这也很好。杜拉斯（Marguerite Duras，1914—1996），即《情人》（*L'Amant*）的作者，很重要的作家。但她不参加——到底法国人。那多好，也不对开会的人开骂，开会的人也不对不开会的人不开心。要是在中国呢？

将来中国作协、美协取消，出现各种自由组织，我会祝贺——但还是不参加。

以上是新小说派的好处。以下来说坏处：

他们写时，不响。到开会后，就说是为了反传统。好，这下子老人家倒霉了——他们的矛头指向巴尔扎克，他成了"靶子"。

对抗，势不两立，是幼稚的。巴尔扎克并没有形成永恒法则。

新小说派想要描写更真实的现实，主张非人格化的、不带感情色彩的语言，不受时间地点局限，情节简单，甚至没有情节的故事等等。近乎通俗的侦探小说的结构，然后铺开。

讲到这里，忍不住有感想。

历来一个新主张、新潮流出来，往往杀气腾腾。当年江丰他们接管浙江美院，还得了，说潘天寿什么画家？画农民挑公粮，不如三岁小孩的画，一时弄得浙美像地狱……当时青年人也可怜：没有靠山。思想上也没有靠山。又不能到外国去，只能给牵着鼻子走。

政治上，要革命，文艺上为什么每次革新也打出革命招牌？新文化运动，五四运动，拿个孔子做靶子，提倡白话文——白话文早就有了。《红楼梦》、《水浒》，现在也没人写得过。俄国象征主义出来时，也是全盘否定，叫嚣"把托尔斯泰扔到海里去"。真是俄国江丰。

你要走新路，请便。但走以前，不要把别人打死。艺术上从来没有你死我活，只有你活我活。

什么原因？我看从人性来探讨，要比从理论上讲更清楚——人性总有一种鄙吝，一种排他性，一种原始的暴君意识。文学艺术的"革命"，是一些人在政治军事上无法施暴，所以拿到文学艺术上来。

（丹青问：尼采上台会不会杀人？木心：他要杀，包括杀希特勒。又说：斯巴达时代，人生了孩子，在外冻，冻死的，不要，冻不死的，养活。）

人又卑怯，所以要找个目标，把自己推出来。政治上，都是这公式：你不打死他，他就打死你。事无巨细，都是这公式——可怜艺术家也往往落入这公式。自信心不够，要借助弹力，不是靠自己的冲力——正面看，历史上几次文艺复兴，包括中国的贞观开元，俄国普希金到托尔斯泰，都是自身力量充沛，不存鄙吝之心，自己弄自己一套，不搞打倒别人那一套。

政治，是动物性的。艺术，是植物性的。

你可以残害植物，但你无法反对植物。巴尔扎克、托尔斯泰，像两棵参天大树，你站在树下，大声叫"我反对你"，有什么用？

今年春天，我观察寓所外墙的爬墙虎，真感动人。我还用胶带绑一绑那爬墙草。我写过："我只在造物者的未尽善处尽一点力。"盛唐时有人认为初唐四杰还不能完全摆脱魏晋遗风，以为写得不够好。杜甫就出来大骂："尔曹身与名俱灭，不废江河万古流。"

最好是自然更新，不慌不忙地更新。现在是急得不得了，新啊新啊，不新就得死——可是又不死。

我以前说："老实话，俏皮话，要说的都是一个意思。"写实的、新潮的，要说的是一个意思。新小说派求真实，老掉牙啦。

杜甫骂人。我也骂了一通。

从整体上讲，新小说派很有成就。最初好在他们没有标榜。如果不是后来，他们的成就会更大。（丹青又问：盛唐讲初唐诗不好的那些人是谁？木心：尔曹身与名俱灭——不知道呀。）

新小说派的出现，是二战后西方引起精神危机的结果，在文学上出这一派。

一次大战后，兴"人道主义"。哪知不久出法西斯主义，击破人道主义美梦。法国人骄傲，不料二战初打，一夜失败。战后国际地位低落，思想混乱，老是想到二战的屈辱。拿中文说法是："国事蜩螗"（蜩，蝉也，音"挑"。蜩螗，意思是知了叫成一片，烦得很）。法国知识分子没有精神支柱，茫茫不知所从，所以从因循苟且中慢慢辟出一条路来，在纸面上，文学中，就产生新小说派。

新小说派一到世界上来，不是轰轰烈烈一下子占领文坛。一流出版社不接，报刊舆论也反对，作者们晦气重重，书出了，毫无反应，直到五十年代中期以后，开始走运。

按理先晦气、后走运，我要讲下去，但这里要插一段比较长的话，对大家可能有好处。比较形而上，可以作思考题：

比如说，一个人有才华，有能力，一时艰难，总会被赏识被重用，这是规律；但世上多有才能不受重用的人，被埋没，被糟蹋了，这是命运——从新小说的"不遇"到"走运"，想到世界上种种人事现象，我的观察结果，是这样：

事物有它的规律，可是事物变化，又受命运支配。

规律和命运，是什么关系？是规律高于命运，还是命运高于规律？既然事物受命运支配，怎么事物又有自己严密的规律？而命运又怎能支配事物这些严密的规律？

这份思考题，几乎没有被人思考过。

老子思考过，结果是没有结果——他说："天网恢恢，疏而不漏。"这是规律。他又说："天地不仁，以万物为刍狗。"这是命运。他的整本《道德经》，是这么二元的，既命运又规律，一会儿解释命运，一会儿解释规律。

其实讲规律，就是乐观主义。讲命运，就是悲观主义。

老子的《道德经》偏重讲规律，对付什么事他都有办法。他的办法，就是以规律控制规律，是阴谋家必读的书。但老子是上智，他始终知道，规律背后，有命运在冷笑。

中国的《易经》，也很可悲，它认为命运是有规律的，索性去研究命运，以为找到命运的规律，便可避凶趋吉。

但事情哪有那么便宜？

精通《易经》的人，而弄到走投无路、自身不保的，可多哩。刘基，精通《易经》，死于非命。近代的胡兰成，也懂《易经》，做汉奸，后来流亡客死。

"天行健，君子以自强不息。"就是《易经》的句子。

事物的细节是规律性的，事物的整体是命运性的。我和亚里士多德抬杠，他说："大自然从不徒劳。"我主张：在细节上，是这样，但整体来说，大自然整个儿徒劳（细节上讲，动物，植物，都是有目的的）。

尼采想到"轮回"——所有事物的发生、发展、毁灭，都会以同样方式再来一遍，乃至无穷——尼采哭起来了。

如果真是这样，那命运就有规律。释迦不这样想。佛家轮回说的命运，是可以选择的，佛家认为"有情世界"可分六道：三善道，三恶道。你行善，上升为善道，你作恶，下坠为恶道。意思是你作恶，你行善，你自己可以选择的，这岂非成了命运可有规律控制？

我看，西方东方两种轮回，都妄诞，都虚空。真是那样，就好了。

老子、庄子的哲理充满逻辑的矛盾，也虚妄。王羲之就在《兰亭序》中指出过，有所批评。老庄的空灵是讲实用的空灵，是高层次的"活命哲学"（《易经》也是活命哲学，《诗经》是苦命的悲叹）。我看老庄、释迦、尼采，一路下来，都十分烦恼，他们和命运合不来。

命运，是非物质的，科学无法研究。奇怪的是，科学家都这么安心探寻事物的规律，不关心事物的原因。爱因斯坦，点到上帝为止，在哲学上，他是票友。

科学家大都没有形而上思想。到现在，问到目的，想不下去，许多西方科学家自杀。

巫术，是一种统计学，千百年来积累了无数统计例，算来往往神奇、准确。有什么生辰八字、什么面型五官，就有什么样的遭遇，这是"然"。为什么会这样？谁决定这样？讲不出，不知其"所以然"。所以算命相术不是哲学。

这么谈的目的是什么？

因为平常没法同大家谈哲学，只能谈有些哲学性的文学。我的用意，是做一个人，做一个艺术家，要不停地思考，这样才会高超，高明，高贵。

思想，软绵绵的，可以和宇宙对抗。贝多芬《第九交响乐》，和宇宙抗衡，他劝宇宙。

人脑，现在在用的部分，也只占了百分之三十。脑子要用，越用越灵。还要多记，越记越精彩。陆游的儿子要写诗，问父亲，父答："汝果欲学诗，功夫在诗外。"画画也是这样，不能一头栽在画里。中国当代画家比不上中国古代画家，就是画外功夫太差。一群文盲在画文人画。广义的文盲。

画外功夫好，人就不同了。

记，记下来时，还没有想的那么好，还不成熟。要记到记下来，就是你想的那样时，就好了，成熟了。这时，第一念来，是最准确的。

思想分三段：一，想的有了，记下来不确，模糊。二，记下来时，大致是想的样子。三，记下来的，比想的还好。想是天然的，记是人工的，人工可以使天然的弄得更好。

记，比读书还要紧。

说穿了，从前的中西画家，自己都有笔记的。记着，到时候怎么办呢？平时记着的东西，一下子跳出来了。

"那个才气超过你十倍的人，你要知道，他的功力超过你一百倍。"刚才来讲课路上，我想到这么一句。自己耕耘，自己收获，自己培养自己，自己养兵千日用在一时。

1954年后，新小说九位作家的十一部作品，获各种文学奖达七项之多。新小说派作家及赞赏者，两路人合起来，形成一个大阵容。文学青年也爱上了新小说派，广大读者，从不感兴趣到拿来读读，试试看，论坛上有了新小说专题介绍，甚至被列入教科书。

新小说家还出国讲学，扩大影响。

新小说走运时期是五十年代后半，到八十年代中期，近三十年。这个发生、发展的过程，是正常的，不是暴发。暴发，跌得就快。

取一个作家来分析。格里耶（但新小说派的成就绝不止格里耶那个高度。各个作家很不一样。谈完后可以谈谈绘画问题，看看我们到底在什么时代应该做些什么。在座的大致是在埋头画画，商人是唯利是图，画家好像是唯图是利）。

格里耶（Alain Robbe-Grillet，1922—2008），"新小说派"创始人，主持人，领导者。第一部小说《橡皮》（Les Gommes），1953年问世，读者寥寥无几。但由于它的反传统性，引起争论。到六十年代，读者猛然增加，发行到一百万册，日本还邀请格里耶讲学。1968年，《橡皮》被拍成电影。《橡皮》被认为是新小说派的开山作品，格里耶成为领袖。

到1971年，这批作家聚在一起开专题研讨会，探讨作品理论。1985 年，克洛德·西蒙，新小说作家，获诺贝尔奖（他的小说，很少有人看得懂，但很有意思——所有流派的小说，不过是表达作者的聪明才智，你这样搞，那样搞，不聪明，有什么用？纽约，整个苏荷艺术区，就是在比聪明，比谁俏皮，谁机灵。凡是新创，就是不屑于你说过的话，他自己来一套说法）。

全名：阿兰·罗布－格里耶。曾学农。后做生物学研究，任农技师，到非洲研究，生大病。回国时在船上东想西想，想出《橡皮》这篇小说——反巴尔扎克。

注意，不是反巴尔扎克本人，是反那个传统。

格里耶创作很多，可是都没有像《橡皮》和第二部小说《窥视者》（*Le Voyeur*）那么有名。这两部水准最高，也是新小说派主要代表作。好多人没读过他的作品，没有情节的情节。所以我来讲一讲。

他们惯用侦探小说手法，这一点很高明——抛掉那些婆婆妈妈的东西——接近绘画上的立体派，不画花花草草——取得一种短的、直线的效果，避免弯弯曲曲的洛可可方法。

《橡皮》只写一天的事。二十四小时内发生——杜邦教授晚饭后进书房，被凶手打了一枪。次日报载受害者不治而死。杜邦曾得过战功勋章，有很多成就，任高职。另一个恐怖组织想把他所属集团的主要人物都杀光，其余九个已被杀，都在晚上七点后行凶。青年侦探瓦拉斯破案（全是虚的，煞有介事的），他去破案，进店，买到一块橡皮（和这故事全不相干），不满意。找来找去，找不到他满意的橡皮。反复用这个道具（他们这种写法很俏皮。走火了，很容易着魔。第一次用，很新鲜，涉及心理啊，潜意识啊等等）。

瓦拉斯走访警察局，走访死者女佣，走访对面爱偷窥的太太，走访多处，又买橡皮，等等。各人各说法，杜邦到底死了没死？最后，到晚上七点他去杜邦家，扮演死者生前想见的木材商，进门，见人要射击他，他先下手，打开灯一看，原来死者是杜邦。结尾，瓦拉斯接通警察局长的电话，局长说："你知道吗？杜邦没有死！"

所谓反巴尔扎克传统，是这么反的。什么都没有了。从前小说的构成因素都没有了。前面讲的意识流、潜意识等等，到了新小说派，都起了质的变化。前者还有相对的真实感，新小说派全没了。

我们的生活，并不像巴尔扎克的小说，不像"私定终身后花园"之类古典小说那样的存在、进行。可是又不像《橡皮》小说那样地存在，那样地进行。

格里耶很得意。他捉弄了读者。

我们把巴尔扎克个人和格里耶个人放在一起比较，谁的成就更高？这是个大问题。

现代艺术，是要反一切传统。新小说可以反传统，但不要否定。这里有个吊诡的问题：如果没有巴尔扎克，没有巴尔扎克的传统，没有传统和新小说派作对照，格里耶的小说是什么？象征性地说：如果没有《蒙娜丽莎》，杜尚的两笔胡子添加到哪里去？

我们看到、遇到的时代，是个反传统的、破坏的、解构的时代。弄得不好，人类文明就此完了。弄得好呢，可能来到的是一个人类文化重新整合的时代。

我不说我有信心——我有耐心。看看这个解构，是解死还是解活。地球还有个十万年好活吧，那么这十万年都弄解构这件事？如果世界上全是"现代艺术"？

辛格（Isaac Bashevis Singer）、索尔仁尼琴，不管这一套，照样老写法——也不够，也不佳。我们不能守旧。

我要创新，我也不反传统，我也不守旧。

他们急于换时装，我是只管练身体。要么不新，要新新过你的头，走到前面去。

《窥视者》（Le Voyeur）。旅行推销员马蒂亚斯到一个岛上推销手表，上午十点靠码头。启航前，一个水手说家事给他听，他下了船就去了他家，看见照片，见一个小姑娘很美。他去找她，村上说小姑娘已失踪。次日退潮后，海边找到了女孩尸体，裸身，有伤。后来推销员被指为谋杀者。

这种东西，写起来很痛快的。过去一切小说的方法都被推翻了。如果这样的作品全世界流传，流传一百年，那人性全没有了。苦啊。

你看现代舞蹈，一个个怪动作，来吓我——我不吓。

地铁上看见三个男孩轮流和一个女孩接吻，她爱谁呢？我们生在这样一个时代。

从绘画的变形到破坏形，到没有形。音乐从不协和性，到无基调，到非演奏性。

道，禅，流到西方。中国很早有过这类东西。当头棒喝——悟了悟了悟了。

那么一本小说，戴那么个大帽子。大规模去讲，可以的。不能直截了当去讲——做个艺术家多么难。

你没有意见，不算；你有意见，又不能随便讲。

唐诗宋词，多少爱情，没有一篇讲"我爱你"。

绝对不能因为别人讲你好，你就以为自己是对的。丹青讲我文章好，我总是心里不以为然。

从正面去讲，艺术家不应守旧，应该突破，新创，这是良性的。负面讲，一个艺术家装神弄鬼，捉弄读者，那是恶性的。但不能因为负面，就看不到正面。艺术应该创新。

对待这个解构的时代，只能有两种态度：一种是守旧的态度，走前人走过的路，依附性的，从属性的，不管外界如何讲，我行我素，在模仿中加入自我。一种是超越的态度。把解构的潮流都看成旧的，去超越它。把古典、现代，都作为背景，不参与解构。

守旧，也不参与解构。

两种态度都非常难。前一种，依附的，从属的，不能成为主体。后一种，超越的，也是难：旧的要超越，新的也要超越，双重超越。如果不能超越，又不参加解构，只能守旧。

古代，群山重重，你怎么超越得过？有人画出一张肖像，比《蒙娜丽莎》还好，那倒服了。有人对我说，洞庭湖出一书家，超过王羲之，我说：操他妈！

总结：要知道。宁可做不到，但要知道。

陶俑，兵马俑，我家里没有——我看得懂。你不能把故宫搬到家里来，也不能把卢浮宫搬进家里来——我看得懂。你进去，所有古董为你存在——何必占有艺术品？

守旧、超越，也不是绝对的。两边走走。到底走得如何？天命。

要继承，可都要变掉它。走得通，看怎么去走。我不像巴尔扎克那么走，我也不像新小说派那么走。

大前提弄清楚，看小事，一目了然。

要接触欧洲文明。中国文化修养高，了解欧洲最好。"五四"那批人，中国文化修养不够，了解有限。假如嵇康、阮籍、八大山人出来，那还了得。嵇康一定是大钢琴家。

可以宽慰大家的是，人死了，知道什么病，比不明不白死，好得多了。

"文革"时，三个人押着我换地牢审查，一前，一后，一中。我还推着劳动车。我想：这个人是苏格拉底。

画写实的，每一笔都要表现你的性格。中国山水，一笔笔下去，全是性格。画上，要笔笔分明，又要含蓄。王羲之的字，一笔一笔佩服。

新小说（二）

一九九三年六月二十七日

我门口的常春藤，没有眼睛，凡能爬到的地方，爬过去，爬过去，爬不过去，会结疤，停止。然后一片片叶子，平均地覆盖，像鱼鳞一样。没有眼，也没有意志，真会生长。我佩服极了！

文学是脑的艺术，无声无色，和感官没有关系，却感动你。魔术性最大就是文学，你感动了——就是几个字呀！

走在正道上，眼睛看着邪道，此之谓博大精深。有人走正道，一眼不敢看邪道。有人走正道，走着走着，走邪道上去了。

1956 年，法国正在弄 "新小说"。1956 年，中国正在弄 "反胡风"。人家在前进，我们在后退。"反胡风"，反右，文艺为工农兵——什么也留不下来。那些为工农兵的文艺，工农兵不喜欢呀。

骑虎难下，虎也怨。谈虎色变，虎也惊。

近人情，近什么人？做一个真正的艺术家，靠的就是决绝。嵇康，决绝的大师。老子，耶稣，贝多芬，都决绝。

听了四年课，听下来，不要说奇迹，但可以说是怪事。没有人强迫我讲，没有基金会资助，居然讲的讲，听的听——这样的怪事，现在快要功德圆满了，我也快要回去了。我毕生不会有第二次了。总算以失败开始，以成功结束。出不出版呢？我一个人不高兴去做。将来大陆有没有人来做？有没有这个观点？谁来出钱？

上次讲了新小说派男作家，今天讲女作家：娜塔莉·萨洛特（Nathalie Sarraute，1900—1999）。谈到女作家，会谈到我们自己，然后算是结束这个学期。

萨洛特是俄罗斯后裔。两岁父母离婚，父亲迁居法国，童年在父母之间辗转奔波，后随父亲定居巴黎，可知是贵族。成年后几次回俄国，其余时间住在巴黎，以法文写作。做过律师，后专事写作。第一部短篇小说集《趋向性》（*Tropismes*），对语言加以评批（近代有思潮，认为人类语言有问题，许多事出在语言上）。她注重内在题材。内在题材，即传统小说中的内心活动：爱啊，恨啊，喜怒哀乐啊。但她对小说方法要求革新。这部作品名是从植物学取来的词汇——趋向性。

我门口的常春藤，没有眼睛，凡能爬到的地方，爬过去，爬过去，爬不过去，会结疤，停止。然后一片片叶子，平均地覆盖，像鱼鳞一样。没有眼，也没有意志，真会生长。我佩服极了！难怪说有上帝。

萨洛特从植物观点写人的头脑中难以觅察的变化，其实还是探讨潜意识、下意识、意识的问题。当时没反应，1957 年重版时，引起重视。

1947 年，出《无名氏肖像》（*Portrait d'un inconnu*），被拍成电影，比《橡皮》等出得还早，可以算最早的"新小说"。

写父亲吝啬，见女儿会花钱，且一天天大起来，就逼她出嫁。父女感情不好。后来女儿嫁了阔佬，两人感情好起来。书中叙述者，像个密探，用种种方法来分析、窥视父女俩言行。

萨特对这部小说很感兴趣，写了序。说："我们时代有这样那样的奇事，'反小说'即其一。"

她很有才华。还写论文《怀疑的时代》（*L'Ère du soupçon*），向传统小说公开挑战。又写了《从陀思妥耶夫斯基到卡夫卡》、《对白与潜语》、《鸟瞰》，都属"新小说派"的理论文献。

她能文能武——写小说，文；写论文，武。

雕塑、建筑、绘画，是生的艺术，要活下去的。舞蹈、音乐，是死的艺术，流动的，流过去了，就没有了。文学是脑的艺术，无声无色，和感官没有关系，却感动你。魔术性最大就是文学，你感动了——就是几个字呀！

文学，艺术，一两个人叫好，就可以了。

她还创作了小说《马尔特罗》（*Martereau*），1953 年出版。还有《行星仪》（*Le Planetarium*），1959 年。《黄金果》（*Les Fruits d'or*），1963 年。《生死之间》（*Entre la vie et la mort*），1968 年。这些著名小说中往往没有具体人物，只以人称代词指代主人公，显露微妙复杂的心理活动。小说中的世界非常封闭（所以我曾说萨特的存在主义是"闷室中的深呼吸"），没有向度（我是追求向度的）。

不兴奋，不能做成这件事。可是兴奋本身是错的。要把兴奋控制好，还能做出事来。

受人称赞，最容易叫人掉下去。那人称赞你，比你低，你吃进，你比那人还低。

（全武：歌德的《亲和力》写得比《浮士德》好。木心：可别这样比。不要比顺了口。什么我爸爸胡子比我舅舅胡子长——不能这么比）

昆德拉讲：以后的时代属于福楼拜，不属于弗洛伊德。我听了想：我倒可以问问昆德拉，如果真是那样，太好了——不会是这回事呀。

费解。台湾有些作家追求费解。印度最近出了一个大作家，有作品《金童》（*A Suitable Boy*），被称为印度的托尔斯泰（他的姓名我忘记了），我看了很高兴。苏联还有这样的传统：老老实实写，写实传统还在那里——你去弄费解吧，弄到讨人厌。

生命意志，潜意识，性心理，确实是近现代的新发现。

现在看来，这些新发现都被发现者本人夸大其事，想入非非。这些新发现从一开始就坏在发现者手里。影响所及，弄得捉住一条，就算成功——这个，就是生命意志，懂吗？那个，就是潜意识，OK？

好像事情就这样完了。纪德等等，许多本世纪大作家都不免如此。

人性的深度还有的发掘哩！不能光靠这种办法。陀思妥耶夫斯基，莎士比亚，曹雪芹，懂什么性心理，什么潜意识？

性心理之类，不过是科学实验，不是创造，不是艺术创作。我看这些，静静地看，静静地想，静静地写，我行我素——我向来不买弗洛伊德的账。看么看的，但不当他一回事。

我有俳句：走在正道上，眼睛看着邪道，此之谓博大精深。

有人走正道，一眼不敢看邪道。有人走正道，走着走着，走邪道上去了。

现代乡愿，艺术之贼也。

我看科学、历史，但不看当代的中国文学。

正与邪的问题，全世界都在闹，闹不出结果。

功夫在诗外、画外，是参禅。大家还不习惯参禅。上次提出来，你们有人问：画中功夫还没学好，怎么在画外下功夫——不是这么说法。

破执。解除迷障。

道家曰：将欲歙之，必固张之。将欲取之，必固与之。

耶稣教训：放弃生命的人，可以获得生命。

钢琴教师说：放松，放松到两个手都好像死了，弹十个小时也不累。

不肯放弃画中的功夫，怎么能得到功夫？

都以为画内、诗内，技巧是无限的。这是误解。你看到的是大师得心应手的技巧，另一面你看不到。

举例说，陀氏书中不讲哲学，不掉书袋，他流放时，书单上都是哲学书，说：一定要寄来，这些书是我的命根子，否则我活不下去。可是他书中哪里读得到这些？

贝多芬是想做哲学家的。

儒家说：一事不知，儒家之耻。现在呢，都不知，耻也不知。

使徒保罗说："看得见的东西是被看不见的东西主宰的。"

大家来听我讲世界文学史，就是活生生的画外功夫。大家并不是文学家。

下半堂课，即兴谈。从哪里谈起？从课文谈起。

1956年，法国正在弄"新小说"。1956年，中国正在弄"反胡风"。人家在前进，我们在后退。"反胡风"，反右，文艺为工农兵——什么也留不下来。那些为工农兵的文艺，工农兵不喜欢呀。

说这些，不是诉苦，不是指控，不是怀旧。我的意思，是现代文化第一要义，是它的整体性。要做一个世界公民。读者观念，世界观念，必须要有一个整体性。面对世界，面对历史，要投入进去。我个人占了什么便宜？就是少年时期就把自己放在这个整体性中。

现代人，当代人，说实话，我不感兴趣。年轻时，少年气盛，只面对未来，只关心未来。母亲说：你志向对，可不是太苦了吗？我说："是，只好这样。"

小时候看福楼拜他们，总觉得有一天会成功。可是我这一代，包括你们一代，在未来，还是不会成功——没有未来这回事。

这个时代，这样解构下去，巴尔扎克、陀思妥耶夫斯基，都给解构掉喽！

前面讲植物的智慧性，那是无可奈何，寄托一点点希望。阳光中的蜉蝣，其实快要死了。应该怪我们来迟了。我们是前人的读者，我们后面，没有读者了。

臣门如市，臣心如水。

我喜欢发高烧四十度写作。发热发到不倒下，好开心。

我们这个上半学期最后一堂课，寄语一些话，一个个讲，尽量照顾大家自尊，说到悲观的意思，是要快乐。

知识、学问，使人通达，使人平静。也有人得点知识，张牙舞爪，日夜不得安宁。

先讲大陆。看我们对大陆的态度。

1982 年离开大陆，十一年，种种消息传来，众说纷纭，莫衷一是。大家对这些要有衡量，判断。你到一个地方去，说不清，看一本书，对一个人，都说不清，对不准。

思想理论的好处，是看到一个东西，就能抓住。

别人衡量你，你衡量你自己。别人问你的儿女或者你的病，你滔滔不绝——完了。

我们讲课长达四年。为什么要学世界文学史？就是刚才说的，文化的第一要义，是广义的整体性。

加一个"广义的"。

如何在这个整体性中取得一个我们自己的制高点。

因为乡愁，海外华人看电视连续剧，又是一个迷障。也许你眼光尖锐，观点正确，但是时间花得那么多，而且会迷。

乡愁。"瘌痢头儿子自己好。"（沪语）先见儿子，最后见到瘌痢。

这是迷障。

我看这个，一点不会掉进去，抗毒能力很强。要冷静，不能偏爱。中国是个病，想想，想成了病。

比"文革"那时，要好。想念中国，去看古代艺术品。在博物馆中看到中国艺术，我很高兴。他们是提前移民，安全在此，为国增光。

不要找好人。学林的迷障，是"好人"——只要是"人"，就好。古代中国人，现代中国人，我分得很清楚。中国的国宝，都到外国来了。

难。回去也不好，不回去也不好。骑着两只老虎，都下不来。

骑虎难下，虎也怨。

谈虎色变，虎也惊。

讲了四年课，沧海桑田。许多学生走了，走了不来了。怎样判断？"朋友一个一个来，一个一个去，当我想到他们是人类，我就原谅了。"有一句："上帝不给我朋友，只给我一些小说的题材。"有人来讨去我三份作品拷贝，下地铁走了，好像从一棵树上摘了三片叶子。

走了，又回来的，特别显得珍贵。耶稣放羊，走失一只，找回来，比其他九十九只还宝贵。

哪一天，你自己会对自己说，我成熟了。

我到美国，成熟了。画，我跟塞尚，又受林风眠影响。忽然，抛开了。影响底层，还在。

听了四年课，听下来，不要说奇迹，但可以说是怪事。

没有人强迫我讲，没有基金会资助，居然讲的讲，听的听——这样的怪事，现在快要功德圆满了，我也快要回去了。

可以有个不大不小的酒会。可以拍照，可以录像。

要不要一个"毕业证书"？浪漫一下，作为一个纪念品：我的一幅版画，下面是说明、题辞，统一镜框，将来挂在谁家，看到了，都一样。

这样一点小往事，供纪念。

可以说功德圆满。讲完了，我要回去了。我毕生不会有第二次了。总算以失败开始，以成功结束——大家一定会听完，我也一定会讲完。

出不出版呢？我一个人不高兴去做。将来大陆有没有人来做？有没有这个观点？谁来出钱？

为什么讲课？我有一个不可告人的目的——我要训练我讲话的时间和内容，要像希腊雄辩家那样讲演。四个小时，要能讲下来。

我回去，不写信。没有消息。等于死了。

我出国，亲朋一封信也不写。这种做法，艺术家也很少。

我不写信。两个字：决绝。

这是尼采的态度。和瓦格纳断了，再也不可能续。我把这个决绝，当做一种力量。

近人情，近什么人？做一个真正的艺术家，靠的就是决绝。嵇康，决绝的大师。老子，耶稣，贝多芬，都决绝。

大家留恋不去。再讲个主题：直觉和观念。

你们不想，我常在想：你们怎么样？前提是：一个伟大的艺术家，他的直觉，直通观念。

比较差一点的，他有直觉，但不够，要通过概念进入观念。在很多情况下，有直觉的艺术家，要通过概念进入观念。

更多的人，没直觉，没观念。

塞尚，直觉好，根本不需要概念，直通观念。

丹青和我一起去看毕加索晚年作品展。我不喜欢。败了。丹青通过概念去看，以为那是大师晚年，必然好。后来，几年后，丹青知道了不好。世说新语。

其实，不从直觉到观念，必然从概念到概念，进入不到观念。

在座直觉都还不够，大家都偏重概念。美术学院就是教了一大堆概念，误人子弟。

观念，就是艺术的最高境界。

这是一个重要的问题。致命的问题。直觉（先天），观念（后天）。先天之后，花很大功夫，得到观念。

曙光。亮点：什么是直觉？小孩，古代人，都有好直觉。也是一种诚意。

是给后来的概念害的。

道德是智慧的一部分。智慧的一部分用在人际关系上，叫做道德，不是智慧。

所以，要保存内心的童贞、崇高、纯洁。

"年轻时，少年气盛，只面对未来，只关心未来。母亲说：你志向对，可不是太苦了吗？我说：是，只好这样。"——木心的母亲，摄于上世纪五十年代

新小说（三）

一九九三年九月二十六日

诺贝尔奖，好像是个世界性的中状元。

西蒙不急于成功，写了四十多年，几乎每部小说都很成功。他怎么活呢？庄子是要饭的，陶渊明借米，西蒙到底是法国人，他种葡萄，养写作。这样一来，我倒也替他放心了——陶潜要是不种菊花，种葡萄，多好！

我探索了四十多年，写了近千万字，大部分毁了。自毁。一直这样过来，以为自己会写的。可是直到 1983 年，才知道以前的东西没有找到个性，好像替别人在写。

话分两头：个性是重要的，还要看是什么个性。所以要把"什么样的自己"放在第一项，才进入第二项——找到自己。每个伟大的人物都是同自己抗争的。

巴尔扎克给他们绑起来批斗——我觉得巴尔扎克同志比他们伟大、光荣、正确——巴尔扎克是老同志啊！

我们知道现代文学的新方法，新成果，新方向，我们可以用——好用，你就用；不好用，你就创造新东西。项羽说：彼可取而代之！我们说：彼可取而用之！他们的方法，不失为新方法。意识流，你不用，排斥，你傻啦！你家电灯我不用，我还是用煤油灯——那你去用，熏死你！

上半年讲到新小说派，讲到萨洛特《无名氏肖像》。今天讲下去，讲克洛德·西蒙（Claude Simon，1913—2005）。他是"新小说派"主要人物。1913年生，现在（1993年）还活着。他在这派中坐到第四把交椅。1985年得诺贝尔奖，上升为大师，奖词称许其"与时代紧密结合的诗人与画家的想象力"。《费加罗报》尊称他为新小说之父。法国文化部长当天打电报祝贺他。

他长期屈居新小说前三名之下（列名），得奖后才名声大噪。诺贝尔奖，好像是个世界性的中状元。中状元就会有运气。中国许多文学家都中不了状元，没有状元命。

大陆，台湾，一天到晚在等这个奖。

西蒙生在当时尚属法国殖民地的马达加斯加。父亲在一战中身亡，由母亲养大。在牛津、剑桥深造过，初期想当画家、摄影家。二战中应征入伍，上前线战场，马上被俘虏（法国军事上失败很快，精神上从来不败。德国兵借住，法国人不跟他们打招呼）。逃出来，在法国参加抵抗运动。那些经验，正好用来弄文学。

文学家，最好是青年时代有点经历，颠颠倒倒，中年晚年平静下来，好好写。可是音乐家、画家、舞蹈家，不必吃这些苦。一个画家不必经历一次大战，也会画出立体派——这一点，文学家吃苦了。

西蒙后来对这些经历津津乐道。得奖时，还说起他如何被俘，如何吃苦。这种事，我不喜欢讲，这是家里讲讲的事。这类苦，中国人吃得多了。

西蒙不急于成功，写了四十多年，几乎每部小说都很成功。他怎么活呢？庄子是要饭的，陶渊明借米，西蒙到底是法国人，他种葡萄，养写作。这样一来，我倒也替他放心了——陶潜要是不种菊花，种葡萄，多好！

第一期作品：《作弊者》(*Le Tricheur*)，《钢丝绳》(*La Corde raide*)，《居利韦尔》(*Gulliver*)，《春之祭》(*Le Sacre du printemps*)，《风》(*Le vent*)，《草》(*L'Herbe*)。在新小说作品遭冷遇时写成这几篇，因此西蒙不受人欢迎，作品也未离开传统，小做尝试。他性格孤僻寡言，默默无言种葡萄，没人知道他。

第二期作品：《弗兰德公路》(*La Route des Flandres*)，《豪华旅馆》(*Le Palace*)，《历史》(*Histoire*)。这时，新小说已经走红，他得以在文坛上立了脚。评家认为他"用善于观察的目光在写"。他的确有自成一家的写法。

第三期作品：又写《导体》(*Les Corps conducteurs*)，《三联画》(*Triptyque*)，《经一事，长一智》(*Leçon de choses*)，《农事诗》(*Les Géorgiques*)，《蓓蕾妮斯的秀发》(*La Chevelure de Bérénice*)。以上都是晚近时期的作品。目前西蒙还活着。

佩服！创作力旺盛。这种小说，读起来吃力，写起来也吃力。据说评家可以从他的小说中分析出许多严密的结构。

我想问：为什么要这么严密呢？

他喜欢画画，所以书中求油画般的色彩效果，用回忆、感知、想象、幻觉等等，放在同时性、多面性的描绘之中，也可以说是文字的绘画。他有时太过分追求绘画效果，但我还是喜欢他，因为他诚恳。

爱音乐，作品也往往表达音乐性的效果。

1954年，西蒙大病。病愈，写成《春之祭》，文学上有大突破。许多大家都是这样。病后，风格出来了。我不是要大家生病，病了，别急，先治好。其实就是吃苦，吃过后，天才会大不一样。

要让个性统摄自己的作品。梵高太明显了，全是他的个性。八大山人，一看就是他。平常要下功夫——让个性统摄作品。

我探索了四十多年，写了近千万字，大部分毁了。自毁。一直这样过来，以为自己会写的。可是直到1983年，才知道以前的东西没有找到个性，好像替别人在写。

找到自己（个性）。什么样的自己（个性）？

找到了——很窝囊的个性。中国的作家、画家，你说他们没个性么？有的，很快就找到的，但那是什么个性？

话分两头：个性是重要的，还要看是什么个性。所以要把"什么样的自己"放在第一项，之后才进入第二项——找到自己。每个伟大的人物都是同自己抗争的。荷马、弥尔顿，瞎了眼，写诗。博尔赫斯瞎了，说：我得救了。贝多芬，那是上帝叫他聋。

不能听我这样讲，越听越泄气——"我没什么才能，天性也不够，反正我完了"——不是这样的。命运、菩萨，都不要相信。要抗争。

命运保佑强者，西谚是：天助自助者。

多数人——我指的是文艺界阿狗阿猫、阿三阿四——一上来，个性就暴露无遗，不去弄修养。把自己的五脏六腑拿出来，放在稿纸上，签个名，就是作品。

要修炼个性。命，可以是大盗，杀人。结果，可以修道，成佛，看你修不修。

西蒙的小说《风》，采用的一个新方法是反中心人物。书中人物无个性，受盲目的力量摆布。这观点早有了，存在主义讲过了。存在主义之前，也有人早讲过了。

这种调调，现在看，陈旧了。"世界荒谬"，我以为不用去说它。人物无个性，也写不出的——无所作为，也是一种作为。这些命题，他们还没写累，我已经累了。西方炒了一百年了，还没有累，不腻吗？我管我飞，希望碰到中途岛，歇歇，看看遇到什么路人。伊卡洛斯飞向太阳，跌下来，我有俳句：

"我在中途岛，遇到了白发苍苍的伊卡洛斯。"

《弗兰德公路》，最有代表性。纯熟运用绘画效果，使小说构成回忆和感觉的建筑物。

你们以为西蒙这种方法好不好？我以为绘画、文学两码事。文学一路看下去，是时间的过程。古人"一目十行"，是比喻。音乐因为有和声，占了大便宜。文学不能有和声，吃亏了。文学只能是一条线进行，即便字字珠玑，还是一条线，不像音乐可以同时进行。

绘画，是个平面，壁画再长，时间感还是有限，看到后面，前面早忘掉了。用文字暗示色彩，可以。但色彩是明视的，面对面的，所以我的办法是隐去画家，显示绘画性。

文学，千万不要模仿音乐。他们把诗模仿音乐，不好的。

"春眠不觉晓，处处闻啼鸟。夜来风雨声，花落知多少。"如果音乐的韵脚也这么来，像什么？

诗歌诗歌，一直误解到现在。诗是诗，歌是歌。

我的诗只能读，不准朗诵的。诗有微妙的默契，读时，自有韵律流动，一朗诵，全没了。

我现在不太听音乐。我读乐谱，读时，可以品味到那种韵味。

（停下来，哼肖邦一曲的开头两句）

强调文学的绘画性，是自设罗网。在实体上，不要让文学有绘画的外在效果。我写的东西始终要告诉大家：这是文学，不是音乐，不是绘画——我的文学，是步步为营，绝不设防，布满陷阱，通行无阻。

下棋、击剑，都是这样。你走棋，出剑，要知道他下一子、下一剑是什么，你下一子，下一步，已经迎上去，再下一步也埋伏好了，等待反攻。

兵法的态度，击剑的技巧。

诗中有画，画中有诗，我听来是在挖苦人，骂人。我是诗画两栖动物，难免被骂——我先骂在前头。

西蒙，我还是喜欢。他严肃，诚恳，福克纳之后，他是最具现代性的。

让大家看死命做作的东西，看腻，再看脱略自然的作品，是一种救赎。（座中有学生问：什么叫做"脱略"？木心：潇洒，在重要关头放得开，在乎到了不在乎）让他们去弄吧。他们把文学置之死地而后快，我把文学置之死地而后生。

艺术，弄到现在要人命，天生难懂。十八世纪用脑和胃写文字，很实际；十九世纪用心和肾脏写（爱情）；二十世纪用眼睛和手写。我们呢，要用灵魂和皮肤来写。

我是落后在本世纪前面。

再谈西蒙。他把绘画方法放在文学中，不是我说的，是他自己公开讲的。他的小说《三联画》，讲明了用绘画的三联画手法。他自己说：构成作品统一性的，是绘画性质的统一性。

他大概很得意。我总觉得有点自扰。

"三位一体"，是宗教提出来的。自然中好像没有这回事。西蒙想做画家，做不成，在文学中解解绘画的情结，我觉得是分外事。我有做不成音乐家的情结，那就让这情结去好了，不必放在文学中解。

又，他在文学中只讲印象，不谈主见，又太做作了。作家、读者，都很累——陀思妥耶夫斯基的深度，自自然然呈现出来，莫扎特大把大把挥霍他的才能——我愿意和读者分享快乐。西蒙的小说，如果你们偶然得到，不妨细细看。看某一段，看懂了，就可以放下。要看全书，太累了。

我常把艺术比作酒，从葡萄摘下来，发酵……这过程非常惨淡、黑暗，一旦酿好，明艳爽口，饮之陶醉。

现代艺术非要在你喝酒时把酿酒的事统统告诉你，拉你到酒窖过程中一边看一边喝——何必呢？

米歇尔·比托尔（Michel Butor, 1926— ）。法国人。巴黎大学学哲学。后做中学老师。再后来在埃及、英国、美国等地任教。1957年发表《变》（La Modification），得雷诺多文学奖，从此专门写作。评家认为他是个"思想活跃、学问渊博、抱负远大的作家"。大学时对超现实主义和现象学发生兴趣，后来认为这两者可以在小说中结合。第一部《米兰巷》（Passage de Milan），把诗和哲学结合，其影响来自前辈马拉美、乔伊斯、卡夫卡，还有绘画的抽象派（好像脱不了这些来路）。

说说影响——一个艺术家，要有受影响的必要。莫扎特和海顿，明明影响了贝多芬。到了贝多芬的《第三交响乐》，自己的风格来了。

我呢，像个乞丐的碗，什么都要。盛来的东西，吃光，再去讨。文学的大户人家，我都去讨过——遭遇很奇怪：我在大户人家讨到的都是最好的东西。

而且我这个乞丐是付钱的。我要评论赞赏他们的。我吃过尼采家的地粮，一辈子讲不完尼采的高贵，我吃过耶稣手里的天粮，也一辈子赞叹耶稣的智慧圣灵。你们听我讲课，快四年了，受到我影响的人，有。有的人怕被人说受木心影响，那就小下去了。我是这样想：你认为受一个人的影响是不好的，那么你已经受了影响——坏的影响。

最好多受影响。

你受老子的影响，不会变成第二个老子。多受历史上先辈的影响，你会成熟。

课讲完了，以后大家来往就少了，可能就没有来往了。见了面，也言不及文学。美国快餐广告："早上好，再见！"（美国俳句）。我讲的不是文学史，是一部怪诞小说，预计两百多万字。现在我不敢去动它。这是后话。

比托尔最早的作品，是《米兰巷》。《变》是成名作，意思大略：一个人去罗马，在火车上，周五，早上——用第二人称视角。用"你"，算是一法。不过你用新法，你一定要小心啊——他想着跟妻子分居，把情人弄到巴黎来。但一路劳顿，夹缠各种回忆、念头，最后到了罗马，想穿了，不找情人了，回巴黎，写作。

他们写的生活是这样。在一个有限的经历中，把它弄成万花筒。据说写得很精致复杂。他们的生活经历有限，完全靠技巧。他们只看到几颗心：妻子的心，情人的心，孩子的心。

总的评价：新小说派，第一特征是反巴尔扎克，认为传统小说靠虚构故事，安排情节，设计曲折，有计划安排人物的命运，都是愚弄读者。

对不对呢？我觉得倒也对的。看看中国古代小说，好有好报，恶有恶报，大团圆……是这样的。旧小说长此以往，小说是完了。

巴尔扎克给他们绑起来批斗——我觉得巴尔扎克同志比他们伟大、光荣、正确——巴尔扎克是老同志啊！

新小说派是怎样写的呢？分三点：一，注重写物件、环境。二，迷宫式的结构。三，采绘画效果。

自古以来，小说的中心是人，一向认为文学是人学。新小说派认为小说应该重视物，认为所谓现代人是处在物的包围中。人、世界，是看不透的，只能看到物的表面。

我觉得又对又不对。传统小说，有时是太主观，移情移物，小说主角心情一坏，天气也坏——是不可取。可是新小说派要把人赶出小说，那么请问：你的读者是人是物？

"左倾"幼稚病。

比托尔说：小说不仅是空间的迷宫，也是时间的迷宫。总之，不是要读者懂，是要读者不懂。

他们是有两把刷子：一是重复。重复意象（如《窥视者》中，种种物体都是"8"字形，又如《橡皮》中，主人公买橡皮，丢了，又买橡皮）。这种办法是很聪明的，结成一个煞有介事的大效果，我称它是"假伏笔"，比真伏笔还有效果。真伏笔要交代的，他们不交代，硬来。以后我也要用，软来——我们都可以用用看，用得它精彩。

我要重复到每一次都让你欲仙欲死。

一是时空交叉，而且是封闭式的，事情发生在车厢内，一个岛上，等等，逃也没处可逃。他们毕竟是法国人，精心策划，严密布置。

除了这两把刷子，比托尔还有所谓立体对称型结构。此外，还有克洛德的拼贴绘画法，格里耶的小说套小说，纹章工艺法等。

对我们有什么意义？有什么用处？

时间表：新小说走运是五十年代，1948、1954、1957，是以上诸家（萨洛特、西蒙、比托尔）小说发表成名时——那时，中国在做什么？西方古典作品留下来，现代作品也留下来。可是我们那些工农兵作品在哪里？真是一场噩梦——那时，法国新小说派真可谓代表世界潮流。

实际一点说，我们知道现代文学的新方法，新成果，新方向，我们可以用——好用，你就用；不好用，你就创造新东西。项羽说：彼可取而代之！我们说：彼可取而用之！

他们的方法，不失为新方法。

意识流，你不用，排斥，你傻啦！你家电灯我不用，我还是用煤油灯——那你去用，熏死你！

浅显一点说，看名画原作和看画册，两码事。

要广泛吸收。我的作品中，间接地，处处吸收现代文学。你们要去直接地学。上课，我告诉大家饭在哪里，牛肉在哪里，你们自己去拿。

只有懂古典，才能懂浪漫，这是浪漫派的本分。只有懂浪漫，才能懂各种现代潮流，这是现代派的本分。只有懂得现代派，才能向前走。

现代派小说，说古典派小说愚弄了读者，不久的将来，也有人会批评现代派小说愚弄了读者。我从旁看，一笑了之。天道好还。我不想愚弄读者。

有人说我是个老派文人，士大夫气，不懂现代的。大家听我讲古典，讲现代，将来要帮我争口气。

至于"学贯中西，博古通今"的说法，我向来讨厌。"学贯中西"，是两只脚的图书馆。"博古通今"，是走江湖的草药郎中。

最近写了两俳句，送给大家：

"傻得可爱，毕竟是傻。"

"智慧可怕，毕竟是智慧。"

你们初学艺术，是虚荣带向光荣。

原样派、荒诞剧、垮掉的一代

一九九三年十月十日
在李斌家

世界本来是庸人制造的世界。新小说派,失落的一代,迷茫的一代,说穿了,是"智者的自忧",夸大了世界的荒谬。世界上是健康的人多,还是病人多?在他们的作品里,全是病房,病人。

但我觉得荒诞派这些作家,矫揉做作。我在一首诗中说,现代的智者,都是自己要假装自杀,要世界作陪葬。这些批评家、观者都是假装要殉葬,作者呢,假装要自杀——都没有死。

这就构成现代艺术的景观,他们在舞台上把世界写得一片黑暗,他们自己生活得很好——这里有欺骗性。

他们对既成的文明深恶痛绝,新的文明又没有,广义上的没有家教,胡乱反抗。我和李梦熊当时谈过这一代,其实不是"垮",是"颓废",是十九世纪的颓废的再颓废——当时资讯有限,来美国才知道是怎么回事,而且早过了。

一生中,这是最后一次做教员,这四年的训练,也许白费了:为我自己,是想训练口才。第一次讲完,气也透不过来,现在七八小时也能讲——以后回大陆见人,可以当众说话。但这个念头现在打消了——艺术家应该在家里。

法国新小说派，就算讲过了。今天讲"原样派"（Tel Quel）。近代现代，派别多了，连日本也有很多。一个派，几种讲法。"原样派"，其实是新新小说派，是从新小说派发展延续下来的，在法国是很有影响的一派。

　　菲利浦·索莱尔（Philippe Sollers，1936— ）。1960年和一些二十多岁的作家创刊《原样》（*Tel Quel*）杂志。他说：文学要获得的世界，是一个原封不动的世界。他们反对改变世界的一切企图。

　　振振有词。都有一个说法。

　　从前是创作在前，理论在后。现在是理论在前，创作在后。这是商业社会的反映——先做广告。我也是从愚蠢到学乖了一点——是可以为出书，先说一说。

　　原样派出丛书，有专论。

　　文学艺术家是个体的。所谓个体，就是自在；所谓艺术，就是自为。团体，总是二流。

　　伟大的宝塔，旁边没有别的宝塔。没有妻子朋友陪伴。一群宝塔，是对塔的误解。斯宾诺莎，达·芬奇，亚里士多德，一个人代表一个时代。也有一群人，成就文学艺术上的时代的星座——请注意用词：我不用"流派"。星星是发光的，每一个艺术家已经是星了，同样能光辉灿烂，照亮时代。

　　我也希望星座出现在当代中国。

　　整体地看，现在的中国有起色——不是希望，是起色。

当然，起色也就是希望。怎么说呢？当代中国，显示了活力，活力就是才气。道德、是非观、聪明、才气，过去都被压制了，抹杀了。这十几年，大为放松。"人"的概念在逐渐复苏。从各方面看，出现各种异人。各行各业，异人在醒过来。才气有的，多是歪才——毕竟是才。

过去全部戒严，全部管制，全部不行。

歪才，导向正才，就好了，但这需要一个大的势力，需要有集团。靠宗教，靠政治，都不能拯救人性，倒是只有文学和艺术。

可以详细讲。现在只是插话。总之，你要去做，要有经济背景、政治背景，当然，也要言论自由。要有十来个人，出去讲，整个中国为这十来个人着迷。

等于是大众的辩护律师，把这个时代讲出来。

有这样一群星座，可以吸引一大批歪才，导过来，变成正才——现在只能做实心宝塔。

有没有星座形成的可能？现在没有——找不到人。

"我劝天公重抖擞，不拘一格降人才。"

龚自珍，总算一个有心人。

"我劝天公重抖擞，独具一格降正才。"

我这么说。

说这些什么意思？我要反问：宗教为什么流行几千年？哲学为什么吸引人一生苦苦思想？科学为什么被人群起研究？因

为人认为有进天堂的可能（信仰宗教），认为有得到真理的可能（研究哲学），认为有认识世界的可能（从事科学）——进天堂了吗？得到真理了吗？认识世界了吗？

没有，还在进行中。因此，世界很热闹，很有希望。

张良帮刘邦打了天下，走了。这是艺术家。黄石公教他，可能这是最后一招。"政治的险恶，是当你离开党派时，没有不说你背叛的。"纪德说。

索性讲纪德。他的名言："担当人性中最大的可能。"

我看到这句话，心惊肉跳。我记住这句话时，十七八岁，一辈子受用不尽。《地粮》中，纪德忽然说："担当人性中最大的可能，这是一个好公式，我来推荐给你。"五十年来，我的体会：人性中最大的可能，是艺术。

宗教、哲学、科学，可能，而"不能"。艺术，总是看到"可能"，接下来是"能"，真的能。写下来：

宗教、哲学、科学，可能而不能。

艺术，可能，能。

看看种种可能，想想自己的"可能"，就这样过了春夏秋冬，一个闲不住的闲人。

"原样派"还有让·蒂博多（Jean Thibaudeau）、让－比埃尔·法耶（Jean-Pierre Faye）等等。他们怀疑一切既有的文学形式和美学主张（这就是虚无主义。我同时也很羡慕他们真有几

992

个人，志趣相投，观点相同，行动一致——我们讲这个文学课，背后多少人在诽谤）。他们的文学观点是什么？四方面（我这样归纳）：

一，文学不仅反映、剖析现实，更要深入生活本质，表现世界原来的面貌。

二，反传统，要把诗和小说结合起来。

三，以文字代替文学，文学是封闭时代的产物，现在要称为"文字课"。

四，把人物从文学中取消。

现代艺术一味否定传统。没出息。如果你是强者，为什么要否定传统？越新，越脆弱。总要反前面的东西，毁掉。真的强者，自己往前走。

已经存在的艺术，我认为已是地球的一部分。地球有什么好反的？

法国有她轻薄浮华的一面。所以，巴黎不能成为文化中心。纽约呢，现在也没落了。那么，文化中心在哪里——为什么要有中心？没有文化，哪里来中心？

（休息）上楼看李斌肖像画室。木心说：大家现在画画是为了吃饭，应该怎样呢？应该是吃饭为了艺术。可是现在弄艺术全是为了吃饭。你不喜欢的人，要去画他，画得要他喜欢——我总算脱出了这个苦差事。

第七十八讲　原样派、荒诞剧、垮掉的一代
993

讲另一个项目：荒诞派。主要是戏剧：《等待戈多》（*Waiting For Godot*）。

1950 年 5 月 11 日，巴黎"梦游人剧院"上演尤涅斯库（Eugène Ionesco）的《秃头歌女》（*La Cantatrice Chauve*）。怎么回事呢？没有故事情节，没有戏剧冲突，没有逻辑推理，没有人物关系，只有两对夫妇对白。观者只有三个人，看得莫名其妙。

到 1953 年，贝克特（Samuel Beckett, 1906—1989）出《等待戈多》（*En attendant Godot*），写法和尤涅斯库差不多，在塞纳河左岸"巴比伦剧院"上演，轰动剧坛。之后，阿达莫夫（Arthur Adamov），谢奈（Jean Genet），也打破传统，写出别具一格、惊世骇俗的剧本，轰动一时（所谓惊，惊的是媚俗的世，吓的是愚蠢的俗）。对这种形形色色的事，可以不认同，但不能闭目塞听。

荒诞派的思想来源，是存在主义者加缪在四十年代说过的一段话：

> 一个能够用理性作解释的世界，不管有什么欠缺、毛病，仍然是人们熟悉的世界。但在一个忽然失去光明和幻想的宇宙中，人感到自己是一个局外人，没有家乡，

没有回忆，像个无望回归的流浪汉。这种处境，就形成了荒诞的感觉。

蛮讲出了一点道理。有知识的人，知道加缪在讲什么。这段话，荒诞派戏剧家特别受到引诱。

你要解释这个世界，要下苦功。要记住这些话，记不确，原意要记住。这道理，是物理学家、科学家发现的——许多物理学家下了结论，科学家找不到证据，研究不下去了，有人为此自杀。人类在科学上碰了壁，回不去了。

海德格尔他们，研究过科学，后来走到神学去。乡愿。上帝没有了，也想回去，我说这是乡愿。

我们处于这样的境地：科学可以解释的世界，不存在；而新的世界，科学解释不了。

这些事，我们今天可以畅谈。我在散文中只能点点滴滴谈，不建立体系，不掉进陷阱，不去上这个当。

这种常识，要具备。

荒诞派主要几个作家，都很有修养才华。贝克特，给乔伊斯做过助手，是乔伊斯的同乡，研究过笛卡尔哲学。我要说明：荒诞派作家，本身不荒诞的。对照中国那些作家，已经不得了了。

但我觉得荒诞派这些作家，矫揉做作。我在一首诗中说，现代的智者，都是自己要假装自杀，要世界作陪葬。这些批评家、观者，都是假装要殉葬，作者呢，假装要自杀——都没有死。

这就构成现代艺术的景观，他们在舞台上把世界写得一片黑暗，他们自己生活得很好——这里有欺骗性。

宇宙无所谓荒谬。人在里面，觉得荒谬。

科学家，以身殉道，是真正的绝望。文学家的绝望，是假绝望。有人讽刺过叔本华，说他写悲观哲学，自己活得很好。

不必去揭穿荒诞，只要把荒诞弄得好受一点。比如，十字路口容易发生车祸，要设置红绿灯。安全呢，还是不安全，但总比乱开车好——就是这个意思。

荒诞派的意思，就是红绿灯是没用的。可他们自己不走十字路。

世界本来是庸人制造的世界。新小说派，失落的一代，迷茫的一代，说穿了，是"智者的自忧"，夸大了世界的荒谬。世界上是健康的人多，还是病人多？在他们的作品里，全是病房，病人。

西方，尤其法国人，至今迷信"新"。这是没有强力可以扭转的。

会看腻的。会烦的。

如果我没有说中：艺术越来越荒谬。把铁塔倒过来，把卢浮宫浇上汽油慢慢烧，那么，我也赞成。我有俳句：

"世界末日从巴黎开始。"

我常常想起莫扎特。他的意思，是人生嘛苦，艺术嘛甜。

他们呢，人生苦，艺术更苦。给你一杯苦水，要你喝，还问你苦不苦。你说苦，他高兴。

自然是徒劳的，生命是虚空的，物质存在是骗局——凡政治、文化，都是骗局；因为都是人的意志制造的。都不要入这种骗局。

人，都要一个单位。那些西方的大人物，也总有个单位——段数高的，是骗子骗骗子。遇到两个骗子，最容易上当，上了当，他们再分肥。两只老虎斗，羊上去，先吃羊。

画商、批评家、画家，都是骗局。

这是一个骗子骗骗子的时代，嫖客嫖嫖客的时代。文艺女神早就飞走了。

我是不是言过其实呢？没有，实际上还要厉害。"文革"前我想去做和尚，庙已关了。我要不进政治的骗局，只能去宗教的骗局。美国好，没人管你。

要一点清醒，要一点才能，要一点钱。有这些，过三十年，五十年，容易的。五十年以后呢，不是你的世界了，你别着急。

（休息）谈到时装，我以为就是上当的意思。青年人都上这个当，上得好苦。领导时装的都是恶魔，不是天使。用最好的时装显示身材，还是时装概念，不是人体概念。

所以要有点头脑，有点才能，有点钱，可以不去上那些当，自己来穿。所谓过了时的时装，是迂腐。当时就迂腐了——骗局永远成功的，永远老一套，因为上当的是新一代。

讲了快五年了，讲些什么？讲怎样做人才有味道。外面传：以为讲文学可以对画画有好处，那不是骗人吗？还能上四年？

文学是人学。人嘛，看看别人是怎样做人的，怎样做人最有味道。我不承认什么文学家、画家。我的内行，是吃喝玩乐。我的序就说我是个玩家。

你们都是苦行主义者，大半辈子浪费了。丹青的伙食，太《浮生六记》了。

接着讲"垮掉的一代"。

"文革"的时候，你们都知道，要写交代。写好写不好，决定你的"性质"。写到自己伤心的事，要发疯的。我苦中作乐，用写交代的纸作曲。

上次讲过，一流的艺术家，叫他做件事，他做成艺术品。

是文学害了我，成了"反革命"。还是文学救了我，使我每天乐不可支。你们读我的书，要分享我的快乐。同样一架钢琴，弹得好的人，快乐，弹得不好，不快乐。喝酒，喝了，还要说得出来——中国的酒，是战略家的酒，西洋人的酒，脱不了儿女情长。

我懂得这酒，我快乐。懂得就是快乐，快乐就是占有，占有就是升华。

一个美女，嫁给丑八怪，那个丑八怪没有占有美女。

我的课快要到终点站了。以上云云，都是告别的话。

"垮掉的一代"，发生在五十年代。二战后出现这一代，名称国际通用。在英国被称为"愤怒的一代"，德国叫做"返回家园的一代"，日本叫"太阳族"——叫"垮掉的一代"，是在美国。

中国、苏联，都用唯物史观、阶级分析，批判"垮掉的一代"，所以在国内看到的资料是公式化的，归结为西方的反动性引起小资产阶级失业青年的抗议，等等。

依我看，其实是大战的后遗症，是人性崩溃的普遍现象。是外向的社会性的流氓行为、内向的自我性的流氓行为的并发症，既破坏社会，又残害自己。

主要是文学青年。他们对既成的文明深恶痛绝，新的文明又没有，广义上的没有家教，胡乱反抗。我和李梦熊当时谈过这一代，其实不是"垮"，是"颓废"，是十九世纪的颓废的再颓废——当时资讯有限，来美国才知道是怎么回事，而且早过了。

是这样：美国是发源地。一些青年组织"垮掉公社"、"垮掉村"。群居生活，上街游行，焚烧原子弹模型，向民众演讲，朗诵诗，蔚然成风。他们群居，可是没有纲领、目标，一盘散沙。他们要自由——吸毒、群交的自由，不洗澡，不穿衣（当众脱裤子，诗人诵诗到一半，脱裤子），不讲卫生。你讲他，他就骂你卫道士。

旧金山是垮掉一代的发源地，后蔓延到纽约、丹佛……在法国，巴黎是他们的中心，群居在圣日耳曼区。纽约的一伙，就在格林威治村。据说喜欢穿旧军服，黑色高领，听爵士，吸毒，喝水不分杯，杂交。敌视一切神圣的事物。

分冷型和热型。冷型，留大胡子，言简意赅，坐在小酒吧，啤酒，喝一点点，旁边一个女孩，黑衣裙，一声不响。热型，火一样的，双目炯炯，言语滔滔，从这家到那家酒吧，同各色人交往，脾气暴躁。这种事，要知道（孔子说，交友交三种：友直、友谅、友多闻。又分益友、损友）。1955 年，"六画廊"诗朗诵会，正式形成垮掉的一代。之前有很长的酝酿期。垮掉分子，今天在曼哈顿下城还能看到。

好，我们不是在上文学课吗？这一代是意识形态的代表，文学上也有他们的人。下次讲他们的文学成就，今天讲社会现象。因为今年年底决定讲完，我开始做结束工作。留下的讲题还很多，计有——

黑色幽默、魔幻现实主义、结构现实主义、九八年一代、二七年一代、黑山派、自白派、具体派、动物心理现实主义、恐怖现实主义、阿克梅派、迷惘的一代、愤怒的青年、微暗派、南方文学派、新批评派、结构主义、现代派电影、无边的现实主义、新感觉派、无赖派、战后派和后期战后派、新兴艺术派、荒原派、内向派、幻想戏作派、新新闻主义。

我决定选讲"黑色幽默"、"魔幻现实主义"。如果还有时间，现代电影中的"新浪潮"、"先锋派"和其他派，扼要讲讲，就到了讲课终点了。

一生中，这是最后一次做教员，这四年的训练，也许白费了：为我自己，是想训练口才。第一次讲完，气也透不过来，现在七八小时也能讲——以后回大陆见人，可以当众说话。但这个念头现在打消了——艺术家应该在家里。

契诃夫有篇小说：两个朋友，一个什么都有，就是没钱，一个什么都没有，但有钱。后者要前者关在房间十年，可以给一笔钱。实行了，期满，后者认输，进屋一看，人没了，留个条子：我什么都得到了，什么也不要了。

我不演讲，也是这个意思。

电视上看到群众听演讲，很厌恶。一时血气上来：不要了。

结束讲课时，办一办。不是功德圆满，是善始善终的意思。

本课笔记内页："跑道上一位胖老头喘着气跑过。木心：咕咾肉。"

垮掉的一代再谈

一九九三年十月二十四日

（在殷梅家）

到初稿完成，开心了，烧点好菜慰劳自己，然后慢慢改，其乐无穷。初稿写成，像小鸟捉在手里，慢慢捋顺毛。小鸟胸脯是热的，像烟斗。

我十四岁开始正式写作，弄个笔记本，什么都写，不停地写——一写写到五十多岁，都算准备期。"文革"抄家抄走的，幸亏都是我准备期的。

小时候关在家里，天天祷告——不知向上帝还是释迦——放我出去吧，流浪，打工，打仗，都可以。冰心到过美国，高尔基到处流浪，鲁迅去过日本，可是我在家里……一路经历到"文革"，我对上帝说：够了！

这股气要用在艺术上，不可败泄在生活上、人际关系上——不要在乎苍蝇、跳蚤、蟑螂，不必义愤填膺。一天到晚谈苍蝇、跳蚤、蟑螂，谈多了，会像卡夫卡的《变形记》那样，自己也变成苍蝇——这就是我所谓的"初步成功"。肥鸡在烤箱里转呀转，油光光的，天鹅和老鹰在云天飞呀飞。

这是个很有深意的大命题：现代主义再新，再发狂，他们都有一个老单位——现实主义。

下课。出大楼。木心说楼里气闷，走走，再下地铁。大家陪着木心走到72街连接中央公园入口处。渐走入，公园游人如织。秋晴，夕阳。众人心情大好。

（课前闲谈）听金高讲起王济达最近回中国，到达的日子，才想起正是当年离开中国的同一天——世界上谁最忙？命运之神最忙，要安排那么多人的命运，像电脑一样。

上次讲的内容，是把"垮掉的一代"作为战后青年思潮、社会现象来对待。今天讲垮掉一代的艺术作品。创作倾向：反对美国资产阶级道德规范，反对商业社会的市侩作风，反对既成的个性模式（另外，反美国政府对外发动战争，对内麦卡锡主义）。

按理说，这三项反得很对，很好。

取材下层人民生活，描写他们悲惨的一面，强调反抗精神，也表现被扭曲的心灵。同时，他们主张要思考，要回想，要去摸、尝、用、调查、试验每一样东西。描写的对象，都是他们熟悉的。

局部、细节看，很有说服力。看来他们是介于现代主义和批判现实主义之间。

一个东西，不能看他们说些什么，要看他们做得怎样。不要搞错，以为他们是浪漫主义。一句话，他们追求的不是理想，而是追求生物学上的人的解放——我喜欢吸毒，我吸毒；我喜欢滥交，就滥交。

他们要取消艺术与艺术之间的界限——不是与传统的界限。比如，小说加上诗，电影加上诗，民间的种种也要加进去，等等。

年青人的不管天高地厚。血气之勇。不管天高地厚。

作为社会思潮看看，倒也罢了，就看出不出代表作家。据说有一千多种诗派？！像"文革"中的造反派、战斗队，多不胜数。

谈谈他们艺术上的手法，或者叫作风吧。扼要说，采取"自白式"，可称为即兴、随意。他们自己把这一套说得很玄，我看他们用的是原始的野蛮的一气呵成的写法。这个东西，是要有一股气，一股力，才能一气贯成，不顾文法错误，思想混乱，但求石破天惊。

不容易的。乱七八糟的思想，乱七八糟的感情，要靠一股冲动，吐出来。有没有来源呢，你们看看惠特曼就是。惠特曼开了一个头（兰波开了个头，法国诗坛大变）。

他们暗中说，或者明讲：他们的祖师爷是惠特曼。

但惠特曼是清醒的。他们不清醒。在生活、艺术上，他们是双重的短命。世界上的事物，常常是一个东西，但有正邪两种可能。曹雪芹说过这意思。

惠特曼是正的，"垮掉的一代"是邪的。

反道德规范、反市侩作风、反既成模式，都对的。可是他们成为这个社会文明中腐烂的一伙。

我有一个新的论点：

现代艺术中，好多好多是含有尼采的酒神精神的，但严重异化了酒神精神。你看滚石乐队，黑人跳舞，扭动，歌星疯狂表演，等等，我都很喜欢。你懂的话，边看，边知道哪些是酒神精神，哪些是酒瓶精神、酒鬼精神。

你看迈克尔·杰克逊跳起来，有些动作非常酒神精神，可是弄弄又去摸下身，下流起来。

尼采来看，我会问他："这个是不是有点酒神精神？"

他会点点头。

我又说："但不是你的酒神精神的那个意思吧？"

他也会点点头。

说明什么呢？说明人类不配有酒神精神。人类就是酒鬼。不配，不能——你看到这点，你又看到现代艺术中有酒神精神，那么，你有可能做出划时代的作品。

其中有个人，有出息的。哥大（哥伦比亚大学）读到一半逃出来，全国打工旅行。到四十七岁，写了十来部小说，最后回到现实主义。

看来，现实主义是现代主义的最后出路。

（休息）最近大概老了。特别怕艺术，什么也不想碰。天天最好是抹抹桌子，收拾收拾。台湾那边稿约到了，坐下来，可是写些什么呢？什么都不想写——这个心态也要写下来。

艺术家逃艺术，是世界性的。达·芬奇最要逃。《蒙娜丽莎》画了四年，其实逃了四年。

哪里要画四年？逃呀。

北京话，使北京人日子好过而不好过。上海话，使上海人永远不能博大精深。北京话是头头是道，可是凭这种话，日子就能过得好吗？上海人，是语言快过思想。

有天夜里有人狂敲门，一开，四个警察，两部警车。问我："是你报警吗？"我说："No."他们立刻说："晚安。"走了。

一走，我立刻觉得纽约真爽气！在中国，有的烦了。

再想下去，可以写小说：里边在谋杀，警察敲门，开门，说 No，警察走，里面继续在谋杀。

关于垮掉的一代，再讲细致一点，实在一点。

政治上、军事上，可以有所谓"不以成败论英雄"。历史上有的是悲剧的英雄——恺撒、项羽、拿破仑、诸葛亮、文天祥、李广，都以失败告终——甚至商业上也可"不以成败论英雄"。而文学上艺术上，必以成败论英雄。

要明白艺术与艺术家的关系，是如此严峻、残酷。我喜欢这严峻、残酷——因为公平。

什么样的人，什么样的艺术，什么样的艺术，出自什么样的人。李林甫、秦桧，都懂艺术，李林甫的诗、书、文，都极好。可是到底没有价值的。

成名、成功，两回事。

垮掉的一代，我喜欢一个，就是刚才提到的杰克·凯鲁亚克（Jack Kerouac）。1922年生在麻省，1969年死。十八部小说，还有诗，创作力吓人。逃离艺术，逃到后来是还是坐下来写。到初稿完成，开心了，烧点好菜慰劳自己，然后慢慢改，其乐无穷。初稿写成，像小鸟捉在手里，慢慢捋顺毛。小鸟胸脯是热的，像烟斗。他的天性很有趣，十八岁入哥大，好动，不久离开纽约，开始流浪，比高尔基还强健。他步行，搭便车（边说边学搭车的手势）。美国这点真有意思，真好。一路打工，身边一个钱不带，打短工，打到墨西哥。这样流浪，还觉得太平凡，到二战开始，就干各种杂工，直到1950年。

这很好。大智若愚。这是大智若盗。我喜欢这类性格。如果我现在十八九岁，强壮有力，该多好。书要读的，文学书根本不用人教。文章呢？自己改改好了。然后去做各种的工，走各种的国，混到四十岁，积了钱，隐居写作。

大学，美术院，研究院，向来反感，坐在那里什么也写不出来。我有俳句：

"艺术学院里坐着精工细作的大老粗。"

家禽出在大学。虎豹出在山野。

这种流浪，机会，在中国完全不行。他生在美国，占了便宜。第一部小说《乡镇和城市》（*The Town and the City*），1950年出，没有反响。1957年，出第二部长篇《在路上》（*On the Road*），震动美国，波及西方各国，公认是垮掉一代之王。之前，垮掉一代只有诗；之后，文学、电影，纷纷跟上。

小说一定要有生活体验。我小时候写作，环境、天气，都写好了，咖啡也泡好了，主角开口了——完了，不知道写什么对话呀。

文学家应该生龙活虎！

第三部《地下室的居民》（*The Subterraneans*），1958 年出，讲他在旧金山的一批朋友，写时一气呵成，确实较前面讲得浑然天成。把他自己也写进去，拿自己做广告。

代表作还是《在路上》，大陆有译本，二十多万字。1950年是他的准备期，1958 年是高峰期。

附带讲，通常都有这规律：画家，艺术家，都有准备期，准备期越长，高峰期越高。准备期有两种：一是不动手，光是"生活"，一是动手，动手的准备期。

我属于后者。我十四岁开始正式写作，弄个笔记本，什么都写，不停地写——一写写到五十多岁，都算准备期。"文革"抄家抄走的，幸亏都是我准备期的。

高尔基、杰克·伦敦，是前一类。他们会感受，我重形上。他们云游四海，我固守在家。他们是堂吉诃德，我是哈姆雷特。其实哈姆雷特要是再活一次，也会逃出丹麦，世界各国打工游历，大大地生活一番。

打工，其实是为了接触人，看人。洗五十年盘子，不识人，什么也没用，只识盘子——这叫做知人之明，知己之明。

知人，知己，缺一不可。

我在工艺美术系，阅人多矣，都是上海地区来自五湖四海的人。可是小时候关在家里，天天祷告——不知向上帝还是释迦——放我出去吧，流浪，打工，打仗，都可以。冰心到过美国，高尔基嘛到处流浪，鲁迅去过日本，可是我在家里……一路经历到"文革"，我对上帝说：

够了！

年轻时去杭州，看到监狱，心想和我有甚关系。结果长大了，一进二进三进，谁想得到？我有句："生命的悲哀是衰老、死亡，在这之前，谁也别看不起谁。"

就是这意思。谁都不知道会有什么经历。

（休息）我对世界的处理，是射人先射马，擒贼先擒王。

这种作家只有美国会出产。我刚飞临美国，旧金山，看下去——这个国家好年轻！后来在曼哈顿俯瞰大楼群，那么阳刚。像小伙子，粗鲁，无知，但是阳刚。这里的狗、鸽子、松鼠，都容光焕发。

欧洲适宜怀旧，消闲，享乐，沉思，颓废。住要住在美国。美国之美，在野不在朝，在整体不在细节，在利用不在钟情。

再举例，听说有个华侨回上海，飞机上喝了一杯啤酒，觉得有股苏州河味道。此人神经过敏一点，细想，也对的，是这样。去年朋友带中国食品给我吃，好吃，对的，大解乡愁。可是后来再吃美国食品，虽然洋味、不称心，但有它的好处：干净。这是生活水准，不是生活作风。面粉，糖，水，蛋，酒，饮料，都干净。

再回到垮掉的一代。

我们想，如果二战后凯鲁亚克做生意，可能倒也发了。如果他没有品质、才华，没有经历，他就是一介平民。他选择了精神上的发财。精神发财，可以构成快乐，是真正属于你的。物质财富，不快乐，还添烦恼，而且说不定哪天是不属于你的。

是呀，塞尚画的画，到头来忽然说不是他的。

他从大战后，以他的生命力积蓄大量精神财富，这是他的资本。创作小说发了精神的大财，1958 年到 1960 年——这里，美国精神又来了——他利用名气转化为财富：1960 年一年内发表五部作品。不是瞎写的，确实是作品。这是美国人的脾气，不留后劲，不留后路。

从旁看，我也觉得有趣，动人。田纳西·威廉斯（Tennessee Williams，1911—1983），还有这位。我都当他们邻家男孩。喜欢他们，但不相干。

中国人是好戏在后头。姜太公到八十岁才走上政治舞台，西方哪有这事？中国向来是玩压轴戏，这些，可以补美国的不足。

诸位要有后劲。后劲就是后路。

怎么说呢？就是孟子的话："我善养吾浩然之气。"这股气要用在艺术上，不可败泄在生活上、人际关系上——不要在乎苍蝇、跳蚤、蟑螂，不必义愤填膺。一天到晚谈苍蝇、跳蚤、蟑螂，谈多了，会像卡夫卡的《变形记》那样，自己也变成苍蝇——这就是我所谓的"初步成功"。肥鸡在烤箱里转呀转，油光光的，天鹅和老鹰在云天飞呀飞。

人留在纽约，思想、艺术、品性，还是要保持中国智慧。美国人不懂得升华这个词。这本来是物理的事，一个东西到了一定的温度、状态、数量——变了。固体变液体，水分变气体，等等。

田纳西他们，本来可以升华的。他们想不到。最多是想到反扑。凯鲁亚克，据说还讲禅宗。他比别人强，晚年回到现实主义，回到马克·吐温的传统，但力不从心了，晚年很苦闷。1968 年还出版书，下一年死了。死后发表遗作《皮克》(Pik)，一本蛮好的书，回到现实主义大传统。

这是个很有深意的大命题：现代主义再新，再发狂，他们都有一个老单位——现实主义。

我的意思，是和自然相通。自然不懂艺术的，也没有什么主义流派。我不崇拜自然，不佩服，不反对，只是和自然有共性。共性在哪里？有机性。

宇宙是无机性的。今天早上想到，我们说的大自然，其实是小自然。花木草虫，不是宇宙性的，是地球性的。

我喜欢和自然相处，把它当做一个舞台，一起演戏。芬奇、歌德，对自然的崇拜真可笑。

凯鲁亚克是我所喜爱的一个作家。他不做家禽，要做野鸟、野兽。他写成十八本小说，有种。晚年回到现实主义，有心肠，有头脑。

下课。出大楼（是次讲课在曼哈顿西 72 街殷梅家客厅）。木心说楼里气闷，走走，再下地铁。大家陪着木心走到 72 街连接中央公园入口处。渐走入，公园游人如织。秋晴，夕阳。众人心情大好。木心抽烟。

公园四处有溜旱冰的青年人。过来一辆公园出租的供三人前后骑坐的自行车，三女孩在车上一个挨一个同时脚踩踏板，幸福地骑过去。李全武立即问木心：这怎么说法？

木心应声：

"在天愿做比翼鸟，在地愿结连理枝。"

一位俊美的黑人青年跑步经过，筋肉强健。大家止步叹赏，全武又问木心如何说法：

"暴徒的一身肌肉是无辜的。"

随即说起古语："世人皆曰可杀，我独怜其才。"木心笑：

"世人皆曰杀，我独怜其肉。"

继续走，景色渐佳。木心：

"我们是太'脱离生活'了。这样是对的：有点自然，有点人，人在自然里，自然里有人——人是荤的，自然是素的，蛮好。"

有妇人牵一对肥巴儿狗走来，全武又讨木心说话：

"四六骈体文。"

渐进中央公园中心的音乐广场。我指树丛中的贝多芬铜像。木心举头望：

"哦，贝多芬在这里。人来人往，谁都忘了他。"

我们中有人说："贝多芬应该是请来的移民。"

木心："贝多芬铜像上的铜绿不等于是绿卡的绿。"

音乐广场上许多快乐溜冰的青年人。木心：

"这一个下午，他们彻底无政府主义。"

停下来，赞美，羡慕地看了一会儿：

"还是凄凉的。他们回了家，也就是洗洗澡，吃饭，睡觉。"

不远处有一摇滚乐队在演奏，吵闹。全武说："硬要贝多芬听这个，幸亏他聋了。"木心：

"要这样说：贝多芬聋了。他早有准备。"

广场外以一位肥胖的中年人赤膊倚着自行车，看青年溜冰。全武又讨话了。木心：

"剩余价值。"

跑道上一位胖老头喘着气跑过。木心：

"咕咾肉。"

走入最长的一段林荫道。落叶缤纷，部分已被游人踩成木屑状。木心批评道旁雕像，但在莎士比亚像前略停留，说还可以。近57街公园出口，远望第五大道，华灯初上。木心：

"我当年望着这些灯火，心想：我总算出来了。"

公园口竖起南美雕刻家的变形男女裸像。巨大。我们都批评。木心：

"俏皮话，说得皮而不俏，就是这样子。"

大家一起下了地铁。车厢中四望疲惫下班的乘客，木心：

"和公园里的人比，这里是另一群人。"

金高提议，以后每下课都应该出来散步，大家今天很快乐，因为久未来公园散步，又因为事先并未预备散步。木心：

"纪德说，不要安排快乐。纪德到底比后来那些阿拉贡之流好多了。"

十年前，1983 年，木心写《明天不散步了》。我提醒。木心笑说：

"今天是散步的扩大化。"

到皇后区 74 街地铁中转站。我们送木心到公车 Q33 号站。他要我们都回去，别送他。

本课笔记内页："他们的身体，也真是好到毒不死。"

第八十讲

垮掉的一代续谈

一九九三年十一月七日

当时旧金山垮掉分子都出现在无名破旧的酒吧,反对现实,朗诵诗,或在空地,站木箱上演讲,听众都是垮掉分子。这情形,每个时代都有。少年都有少年的烦恼。只要:一,政府不干涉,二,有领导人物,这种事就能干得起来。中国的"五四"、"一二·九"、"四五"……都是少年的烦恼。

秘诀:凡是别人用坏的方法,你可以用好。我都是用这方法,我常看坏书、坏作品。

我当年参军时那个政治指导员,军装那么旧,洗得那么干净,绑腿紧,红光满面,有点白发。演讲好精彩,合情合理。我同他谈贝多芬,罗曼·罗兰,他说:你知道吗?罗曼·罗兰最喜欢听中国的"孟姜女"。我当场傻掉。

我很喜欢听摇滚乐,有些写得非常好——这种悲怆,是现代的悲怆,古代人不懂的。

我们才爱国呢!到现在,我还常有伤时忧国之痛,可是比鲁迅沉闷:他还能讽刺。

把凯鲁亚克讲完。他的成名小说《在路上》(*On the Road*)，有中译本。写几个垮掉分子横越美国的几次长途旅行。作者亲自经历过来，写得很真实。这是他胜人之处：寻求生活的真实。

凯鲁亚克写的不仅是个人经历，也是他们同伙、同代人的经历。他们都吸毒，瘾大到每天要按时注射，吃饭也把毒品当菜。他们的身体，也真是好到毒不死（我的经验，亲戚有人戒鸦片后，身体特别好，长寿。你看有些疯子，别的病都不生，风里雨里淋，不感冒，身体健康，永远健康）。

写性交，乱交。

人道主义，伤感，忧郁，议论，诗，交叉在一起写，很动人。背景的背景，是个深沉的悲观主义哲学。

以后我也要这样写。

美国青年人看了，当然很感动（任何一个好方法，都是个陷阱。弄得不好，马上乱七八糟。昆德拉在小说里发议论，有时就弄得很不好。艺术的路是走在剃刀边缘，弄不好出血。稍微一个字弄错，俗了，弄对，雅了。我们天天在剃刀边缘走来走去）。

现在，在街上，还能看到垮掉一代的"遗腹子"，背着包，到处旅行。他们在自由的环境中，滥用自由。要说他们是革命，探索，谈不上。想颠覆，想破坏，可贵的是反对中产阶级社会价值观。但是吸毒，乱交，是用恶来反对另外一种恶。我看是含不了多少恶意的愚蠢。到头来是吸毒，堕落，潦倒街头。

在中国时我对他们好奇，想了解他们。后来住在哥大一带，见到了。给我吸大麻，我没感觉，开 Party，不开灯，一屋子人，人啊，狗啊，在一起。也不做饭，室内乱得一塌糊涂——他们想垮掉传统社会，自己先垮掉。

老资格的垮掉一代，正好和我年龄一样大。

歌德说，少年维特不是一时现象，是每个时代的现象。他没有看到另一个现象：苏联，中国，几十年内，硬是把少年维特压了下去，没有人敢烦恼。

这里的青年，被催眠，制服，丧失自我。西方，无论如何有自我——假如两种青年加起来，以非常好的思想方法教育，世界是有希望的。

另一面看，所谓人，青年，是很贱的。只有在极权压迫中，乖乖制服。可是一自由，你看看现在，男盗女娼，什么都来了。

人既是可教的，又是贱的。

先是高压，压服，然后慢慢慢慢放松，露出好意来。向来是残暴的人得势，可要是残暴的目的是仁爱，就好了。要挽救，是建立强有力的法治，但一建立，怕又被人利用。

自由、平等、博爱，是被误解的。一辆车，有马达、车体、轮子，可是平等一来，人人都想做轮子，那怎么行？

中国大陆走后门，塞红包，非常可怕。后门都能通，前门就关了。红包一塞，不通的通了，能通的反而不通了，这多可怕。开刀，都铺了路，给了红包，可是管麻药的那个人忘了给红包，一上手术台，痛死。

（休息）最近有俳句："故乡最无情。"

中国法治，建立不起来。回想1949年以来，总体上讲，当初纪律是严明的，老百姓还信得过，还像样。可是，现在和过去比，还过甚。性质上讲，是自败，腐烂，作为社会风气，更严重。新的政党上台，用的就是这些人。

"局长啊，别人都是吃马屁，只有你不吃马屁！"

"对，你说得对！"局长也吃进马屁了。

当时部队进城，表面廉洁，里头的花样后来慢慢才知道。我当年参军时那个政治指导员，军装那么旧，洗得那么干净，绑腿紧，红光满面，有点白发。演讲好精彩，合情合理。我同他谈贝多芬、罗曼·罗兰，他说：你知道吗，罗曼·罗兰最喜欢听中国的孟姜女。我当场傻掉。

很快暴露：他把一个女兵枪杀，说是特务。可是那女的不死，活过来，说她已怀孕——是他。

说这些的用意：西方垮掉的一代，可悲。我们不能垮。一代称不上，但可以是垮不掉的个体。我们的优势，是可以享受四大自由。回去，就掉入红包的天罗地网。

在这儿，不论各位是为了吃饭艺术，还是为了艺术吃饭，但有饭吃，可以谈艺术。

讲艾伦·金斯堡（Allen Ginsberg，1926—1997）。垮掉一代的领袖人物。1955年旧金山"垮掉"公社创始人。他是诗人，出生于新泽西犹太人家庭，母亲从苏俄来，后加入美共，父亲是英语教师，也是一位诗人。

由此想到，血统越远越好。这不是个生理问题，我关心的是个哲学问题：为什么近亲血统不好？法国贵族近亲通婚，后来就衰亡了。佛教，在印度不行，到中国兴旺了。基督教，到欧洲光大。鲁迅、茅盾、徐悲鸿，都知道从小乡镇游到大都市去。

金斯堡1948年哥大毕业。之后做过搬运工、演员，五十年代中期在旧金山，默默无闻，属于"热型"的垮掉分子。当时旧金山垮掉分子都出现在无名破旧的酒吧，反对现实，朗诵诗，或在空地，站木箱上演讲，听众都是垮掉分子。

这情形，每个时代都有。少年都有少年的烦恼。只要：一，政府不干涉，二，有领导人物，这种事就能干得起来。中国的"五四"、"一二·九"、"四五"……都是少年的烦恼。

只有思想、艺术，能让一个人获得巨大的力量。我参加游行后回到寓所，看到纸笔，我想，老朋友，我是爱你的。凭文学，思想，哲学，我可以有发言权，存在权，发怒，发笑，发种种脾气的权。

也因此，那次游行是有意义的，不傻，很有美感。若干年后，大家各有成就，来看看当时的照片。想想。

回到金斯堡。他有一首诗《亚美利加》：

亚美利加，我把一切都给了你，我一无所有

亚美利加，我在 1956 年 1 月 17 日，身上仅有两块
两毛七分

我受不了我自己的脑袋

亚美利加，咱们什么时候结束人类的战争

去拿你的原子弹吓唬你自己吧

我可感到不舒服，别来打搅我

当时读者很幼稚呀。连这种诗也写不出来。比起惠特曼，差远了。据说他朗诵起来，非常好听。美国年轻人听了，说这是新鲜空气。我看是罐头新鲜空气。

他的代表作：《嚎叫》（*Howl*）。在旧金山朗诵，一片叫好，诗集一出，不胫而走，西方评论说，艾略特《荒原》后，就是《嚎叫》。详细讲《嚎叫》，说来话长，我不想"嚎叫"。我认为，他把青年人的恶性败德归罪于美国政府，而且以更恶的恶行，更败的败德，来对抗。这是一种痞子心态（流氓是有组织的，痞子是流散的）。坐而思，起而行，他们是不思、不行，赖在地上不动。要反政府，可以组党，参政，可他们根本受不了，真的闹革命，他们哪里受得了？他们指控资本主义，是虚

伪的，只是为自己的堕落寻找借口。

诗，是高贵。中国的酒、茶，很近于诗的本质。好酒、好茶，都有特质、品性，好酒不能掺一点点水，好茶不能有一点点油渍。这品性，就是上帝的意思。

诗人，一点点恶败，就完了，俗了，一句好诗也写不出来。我有俳句：

"缪斯，是不管现代诗的。"

可喜的是，诗真是有神的。一俗，诗神就什么也不给你。

诗神脾气极坏，极大。

威廉·巴勒斯（William S. Burroughs，1914—1997）。他是另一种典型。生于密苏里名门世家。十八岁进哈佛，攻文学和人类学。二次大战，报名参加海军被拒，退学，吸毒。世家子弟，身心浪荡，漫游各大州大市，再到欧洲、非洲、拉美。他也喜欢干活，做过农民、侍者、侦探，见多识广。第一部长篇小说：《嗜毒者》（*Junkie: Confessions of an Unredeemed Drug Addict*），副标题"一个不可救药的瘾君子的自白"（我也要用副标题，可以一软一硬，一硬一软）。拿自己做模特，写自己吸毒的经验。

巴勒斯、金斯堡他们有个共同的写作方法，叫"个人新闻体"。广泛采用，展览自己私生活，有暴露狂。

这"体"，用得好，非常好，过去作家用，是假借人家，

隔一层用的，曹雪芹，是假借贾宝玉。现在呢，是自己暴露。（现代艺术家中亦有此倾向）

秘诀：凡是别人用坏的方法，你可以用好。我都是用这方法，我常看坏书、坏作品。

他们吸毒，有个讲法：恨这社会，恨这世界，吸毒是逃避。说起来很好听，可是逃避的方法多啦。吸毒是个生理上的感觉，一上瘾，像个魔鬼。

我很喜欢听摇滚乐，有些写得非常好——这种悲怆，是现代的悲怆，古代人不懂的。

巴勒斯吸毒，连海洛因也不过瘾，到巴西、秘鲁去找药性更凶的，后来到非洲丹吉尔用吗啡。1957 年开始进医院戒毒。他的书，还是赞美吸毒，称"麻醉革命"，说吸毒是为了还原真正的人的本质。

对这种论点，最简单的办法是：由他去吧。他要革命，好，他要还原，好——后来就没有了。

不过巴勒斯是有灵性的。他想继承艾略特、乔伊斯，结果把他们异化了。许多人，天生非常聪明，可是天生的聪明不用，便要自作聪明。

而且这些人都长得很像，不胖不瘦，不长不短，伶牙俐齿，凡事一听即解——容易上当。

讲一个不太一样的。加里·斯奈德（Gary Snyder,

1930—　）。生于旧金山，学过东方语言学、人类学等。曾到京都寺院修行，还做过各种工人，守林员、伐木工等——西方文学团体有个特点：每个团派里，各有个性，这很有深意。中国团派里，没有个性，只有一窝蜂，团派成员的脸张张不同，可是文章千篇一律。

这是人格健全与否的问题。

西方人是本色，自然。毫无个性，是中国人的大病。我们的国民性和鲁迅那时比，至少坏十倍，如果讽刺当代，要十来个鲁迅。

我有俳句："移民，是翻了脸的爱国主义。"

我们都是翻了脸的爱国者。我们才爱国呢！到现在，我还常有伤时忧国之痛，可是比鲁迅沉闷：他还能讽刺。

垮掉一代是吃饱了叫饿，睡足了失眠。现在的苏联、东欧、中国，完全模仿西方那一套。过去几十年苦白吃了。要拿出新的办法。

元气没有了。砸王府井吉祥戏院等等，是新的洪水猛兽。

明年回大陆，今年想大陆。现在是政令一元化被商品一元化交替。想用政令一元化来控制商品一元化，这是美梦。将来，就算商品一元化取代了政治一元化，还是没有文化艺术的份。

美国，总统是管家，老板是资本家；总统是佣人，资本家是主人。古代，是宗教极权，君主极权。资本家，不要误解成一个人，是资本在决定种种。

斯奈德的个人风格，倒也新鲜：赞美自然、爱情、艺术、劳动。他在大学中接触到中国、日本的诗歌，以中国诗歌做借鉴。他说，诗像石头，可以叠起来，把思想叠在里面，形成一个防波堤——蛮有感觉。

垮掉一代，只有斯奈德没有垮掉，是东方神秘主义救了他。这很重要：东方人真该有点西方的东西，西方人真该有点东方的东西。可以救人的。

早晨起来，洗个澡，喝杯咖啡，多好。

我们来到美国，听到嬉皮士，这现象已过去了，名字还有。到底什么是嬉皮士？和垮掉一代什么关系？

嬉皮士，从英文 hippie 来（或者 hippy），就是"垮掉一代"的青年，自称为"鄙德派"（Beats）。喜欢赶时髦。四十年代爱赶时髦的美国青年对法国存在主义羡慕死了，后来就自称美国存在主义。苏联人造卫星 Sputnik 上天，他们又自称 beatnik。

学年青人，花样总是多。学法国，学俄国。嬉皮士不是指文学流派（文学流派，即"垮掉的一代"），而是指一群人。他们还有党，党名"VSP"，吸大麻，寿命不长。还有一个禅真派（ZEN）。另有一路叫做"禅真嬉皮斯特"（Zen Hipster）。

常识：佛到中国和老庄结合，才大行其道，佛道两家当时通婚，不分的。

"垮掉的一代"自称是"宗教的一代"，他们对佛教和老庄哲学佩服得七窍生烟，其实是好奇，哪里懂得佛和老庄？凯鲁亚克常在家里穿件中国长袍，坐在床上参禅——真叫野狐禅——同时，借借神秘色彩，吸引群众。

五十年代旧金山有家中国饭馆，嬉皮士都爱去吃饭，因为其中有一火锅叫做"禅真火锅"。

最后一句话，诸位懂了这么多，要有所作为。

本课笔记内页"作为文学史，还得求甚解"，"梦
中情人，还是不如真的情人，我要见那个真情人。"

黑色幽默

一九九三年十一月二十一日

人变怪了，是人性，一上来就怪，不稀奇。我来写，会死守一个人的平凡。他怪了，我不会开心，我觉得他还是平凡。一个年轻时代老跟我谈尼采的老朋友，晚年对我说：我嘛，也算文艺十七级干部呀！尼采成了文艺十七级干部？！怪吗？因为他平凡。

我在梦中总是窝囊的。(在黑板上写"窝囊"，一边写一边说："这窝囊二字，很窝囊。")

爱情，是性为基点，化出种种非性的幻想和神话——归结还是性。都说性征是性器，其实第一性器是脸。真不好意思，人类每天顶着性征走来走去。毛发、皮肤等等，都是性征。可见造物主用意之淫。

我少年时跟一个女孩子通信，因为写写文章，爱慕，通了三年多，后来一见面，从此不来往了。三年柏拉图。一见，一塌糊涂。勉强地吃饭，散步，勉强地有个月亮照着。

我的形上生活，是极其形下的。一个人要从远处回，从高处下，从深处出。我总归承认自己智商低。他不好，我不恨，他好，不嫉妒，高兴也来不及，去听莫扎特、贝多芬。爱情是中间段。你嫉妒什么？左面是欲望，右面是思维。我把爱情抽去后，欲望不可能了，就往思维那边发展——我用荷尔蒙写作。

多少可爱的人去杀了多少可爱的人。战争，最好发生在电影上。只有马不知道是假的，翻在地上，其他兵都知道在拍戏。

今天讲"黑色幽默"。在大陆时听到过，不求甚解。作为文学史，还得求甚解。严格讲，是流派，不是学派。在美国作用很大，现在还有余波，许多人还在用。起于六十年代，很快成为世界性流派。

流派的名，许多都是偶然提出来的，如印象派，等等。最早提出了黑色幽默的，是法国的未来主义者布勒东（Andre Breton）。后来，美国文坛就出现黑色幽默的作品。弗里德曼（Bruce Jay Friedman）说，这些作品都有个特征，即黑色幽默。

不是作家自己提出的，是别人这么说，他们就认了。

这批人对现实失望、绝望，对未来幻灭、恐惧。他们认为人的自由、尊严、价值，都失去了。他们以沉重的心情把现实的恶夸大，写出来。以黑色的心态，用文字幽默，是悲愤痛苦的幽默。

鲁迅的幽默有类似倾向，但鲁迅不能称为绝望者。他有红的成分，黑多红少，鲁迅是紫色幽默。

有一幅漫画，一个人口吐浓酒，流下眼泪，酒代表黑色，泪代表幽默。

代表作：海勒的《第二十二条军规》，冯内古特的《五号屠场》。艺术特征：传统文学的幽默，我们熟悉的。比如狄更斯、马克·吐温，有幽默成分，不断出现俏皮有趣的话，作用是轻松、解颐（颐，人的脸颊，本来不动，一动，"解颐"，笑了）。我们都有常识，西方艺术分悲剧、喜剧，很明显，也可

色幽默是喜剧？悲剧？它把悲喜剧的分

得不好，油滑。

的作品，就是恶形恶状的油滑，不舒

，我的不满足、不满意，是流于油滑。

畸形的人物，前面说到的两部小说的主角，

一个胆小如鼠。

的"军规"——写人性。写一般的正常的人，把

度开掘，不找什么典型。就写那些毫无典型性的小

，一个是一个，不混淆。我写过一百个短篇的小说集《凡仑街十五号》，烧毁了，但至少我练习过，写二三百个普通人。

写疯子、变态者，不写好汉。都误解了，以为正常人的心理深度已经发掘完了，以为古典完了，都不耐烦。

完了？没有完。

人变怪了，是人性，一上来就怪，不稀奇。我来写，会死守一个人的平凡。他怪了，我不会开心，我觉得他还是平凡。一个年轻时代老跟我谈尼采的老朋友，晚年对我说：我嘛，也算文艺十七级干部呀！

尼采成了文艺十七级干部？！怪吗？因为他平凡。

西方人生活也很平凡。相对来说，中国人的心理，许多胡同、许多弄堂，中国作家还没去走呢。

写长篇小说，要守住——写普通人，写小人物。战略上讲，

第八十一讲　黑色幽默

1031

写小人物比写怪人高一筹。他们找到怪人来写，以为……
他们写畸零人、怪人，我写正常人、普通人。英雄、……
情，我不写。

大家忘掉了，不要了。我来捡，什么都能捡到。

总之，他们打破古典悲剧、喜剧界限，专写反常病态……
物。还有特征吗？有，专写颠颠倒倒、不可思议的故事情节……
活人同死人住在一起，和飞碟飞到太空，等等。还有人拼贴报……
纸，取消情节。

特点：讽刺美国社会。不过，讽刺得很低级。

这样一讲，把黑色幽默讲得股市大跌，现在回升一下，一
句话：存在主义那里来的。

最早是克尔凯郭尔，他是以希腊哲学和基督教的启示，形
成他的存在主义思想，可称为基督教的有神论的存在主义。萨
特，是无神论的存在主义。因此想到，存在主义近世的影响之
大，有鉴于此。

我对存在主义谈不上爱，没有缘分。上来就不很瞧得起。
我敬重康德，闷头闷脑思想。萨特他们，想到一点，就哇哇叫。
哇哇叫的思想家，我受不了。

尼采、叔本华、弗洛伊德，也影响黑色幽默。近代，弄来
弄去脱不开这几个思想家——思想家在那里想，影响整个世界。

都说荷马，却没几个人读过《奥德赛》。写性心理，也不
一定读过弗洛伊德。

约瑟夫·海勒（Joseph Heller，1923—1999）。生于纽约布鲁克林区犹太家庭。1941年珍珠港事件后，在美国空军任中尉，实际上是个轰炸手。大战后，进纽约大学。1949年，在哥伦比亚大学得硕士学位，又到牛津修英国文学。1950年，在《时代》和《展望》杂志工作。小说《第二十二条军规》（*Catch-22*），描写二战时期驻扎在地中海小岛上美国空军中队的故事，人物很多。主角尤索林（Yossarian）在基地目击种种丑恶现象，为了捞钱可以出卖祖国，杀害同伴。政府宣传都是谎言。尤索林胆小，不敢反抗，怕死，被人称胆小鬼。军规规定，疯子可以不执行飞行任务。尤索林自称是疯子，不想空战。军规要他写报告，写出报告，即表示并不疯。有规定二十五次飞行后，可以回国（中国从前有"六法全书"，我翻过，似乎这条可以驳倒那条），尤索林于是钻第二十二条军规的空子。到他飞满二十五次，军规改了，增到三十二次，飞满三十二次，又增到四十次。

结果他到瑞士。

书中写到不少坏蛋、内奸，脑子里没有正义、祖国，只有钱。

都是作者亲自经历过来的，写得很真实。他的命意，是美国都在二十二条军规中控制着。二战双方，内部都很黑暗。

苏联作家后来也写了军队中的黑暗面。

没有军中生活的作家，和我们小时候一样天真，相信所谓正义之师。写黑暗面，写人性，我以为是作家的天职——索尔仁尼琴，我还是尊敬他。他的世界观、艺术观，简单了些，但他的控诉文学是伟大的道义。

我在上海时，有厂里的小伙子推荐《第二十二条军规》给我看，告诉我说，还有意识流小说，王蒙不得了，写意识流小说——回想起来很有趣。他们认为我是"古典作家"，时常考我，教导我，把当时那点可怜的文学讯息告诉我，什么存在主义呀，意识流呀，还有所谓"推理小说"。

我安静地听，表示很惊讶。我处世的方法：有些场合，装不懂。现在回去可不这样了——告诉他们：老子长大了，头发也白了，要听听我的。可是那些小伙子现在心思在别的地方，对文学没兴趣了。他们不知道，那时的青春期，是他们一生中的黄金段落呀。

现在，我来纪念他们的青春。

（休息）谈到写实绘画的困境：一个是要拿来谋生，一个是技巧实在比不上古人。那些静物画，技巧要什么有什么。你耍杂技，抛五把刀子，一把刀子掉下来，你不能说："I am sorry."

我在杭州时临拉斐尔，开始信心十足，两个礼拜后认输——弄不过他，差远了。

我们只好找另外一条路。你说是取巧也可以，你说是谋生也可以。毕加索，那是他的写实技巧足够抵得上，他放弃，不要了。

用别的办法谋生，画画玩玩，那是最好。

《军规》无疑是本好书。好在哪里？既是超现实主义，又是现实主义，很饱满。缺点呢，黑色幽默的通病——为了讽刺，把事物夸大扭曲到离谱，流于荒诞，深度失去了。这深度，我的意思是事理、含意、人性的深度。

艺术不可以全然荒诞的。荒诞解构了真实性，缺乏真实感——尤其是小说——艺术就没有味道了。人很可怜，人的思想发展到一个高度，就知道绝对真实是没有的，不可能的。但这样子活着就没意思了，于是人执着于相对的真实，活下去，使生活稍微有点意思。

怎么说呢？比喻：人生如梦，不真实。但人生比梦真实一些，所以人生还值得活下去。梦中情人，还是不如真情人，我要见那个真情人。

我爱的是人生，不是梦。

人请你吃饭，一个约会地点在中国街某饭店，一个地点在梦中，你到哪里？我在梦中总是窝囊的。（在黑板上写"**窝囊**"，一边写一边说："这窝囊二字，很窝囊。"）

不要放弃真实。这点仅有的真实没有了，就什么也没有了。

智慧，道德，战战兢兢活在这一点点真实中，我们靠这点仅有的真实活下去。

荒诞派要毁掉这仅有的真实。

对真实的这些议论，是大题小做。怎么大题小做呢？有两种做法：整个现代艺术、现代哲学，都是在毁掉相对的真实。其次，人类精神在毁掉相对真实后，无以为生。

假如有个魔法师可以让你每天做美梦，可是你的生活照旧很平凡——你一定选择生活。

宗教把绝对的生活归于神。古代人信神，就活得心安理得，觉得有了绝对真实，相信人死了就是回到上帝那里去——所以古代的生活很好哎！

后来，是哲学、科学，拆了宗教的台，哲学成了控告宗教的原告，科学在旁边做证人。艺术，做了无神论的最高榜样，不仅否认神，还取代了神，不仅取消了神的诺言，还自己创造诺言，立即在现世兑现。

一切有宗教信仰的哲学家，不是哲学家，是神学家。只有无信仰的、无神论的思想家的著作，才是哲学。

神的存在一否定，绝对真实就动摇。泛神论就是民主化，是神权的平民化，绝对真实，就是极权。

希腊、印度是有神论，叔本华、尼采是无神论。存在主义的过程中，克尔凯郭尔是有神论，萨特是无神论。

上帝一死，人的道德依据、心理依据，统统死了。十九世纪，上帝死，二十世纪，人死，这就是二十世纪的景观，也可说是最后的景观。

人类开始胡作非为。

你们是画家，不太关心哲学。我好思想，总要东张西望：哲学正在被肢解。现代绘画，也是把绘画的因素一点一点毁掉。

各路文学，都在反传统，反托尔斯泰，反巴尔扎克。大规模自杀。原因是什么？有没有建设性意见？

一，没有真理。

二，相对真实。

需要相对真实，要尊重相对真实——我写作，一直是这个意思。但我不肯明说。在菜场买菜，前面一位老太太篮子里掉了一棵菜。我和李梦熊相顾笑笑。我说，别笑，我不会下流到去捡这颗菜。

我不是先知的料，我很自私。耶稣太瞧得起人类。我看见十字架就逃——但我把前面说的意思，放在作品里。我不会弄"集装哲学"，我做的是"散装哲理"。

人类奇贱。吓唬他，压服他，人类才会听话。

三，任何事物有个限度，可以称之为机械强度、物理强度。木柱、铁柱，超过承重量，就断。人性的强度，从十九世纪到二十世纪一百年，顶不住了。

释迦、耶稣做不到的事，你会去做吗？

你们会问：那么你靠什么活呢？很简单，我安于相对真实。

有神论、无神论，是玩玩的。从前爱过一个人，知道忠实是不可能的。一个人不可能只吃苹果，不吃别的果子——否则也不知道苹果的滋味——忠实是不可能的。忠实是乏味。

客观不干扰你，主观上，两个人相爱，好了吗？不，两个人都老了——这就是真实。

我面对这真实，怎么取得相对真实？从前，我爱过她，她也爱过我，心理有感应，肉体有欢乐，这就是了，这就好了。这就是相对真实。

情人化仇人，容易。情人化朋友，很难。

假如回去找老朋友，我会去。但不会找从前的情人——情人是完成了的。完了。朋友是 unfinished——就算感情在，肉体老了，青春残了。青春肉体不再，爱情就不知还是什么。

忙碌劳苦，信主义不成，信钱；信钱不成，信下一代。买这个，买那个，是占有欲。我有了这，我有了那，以为那是绝对真实。

空的。佛教就靠这个道理把人类说服。

一般人相信他们的种种绝对真实，谈不上宗教、哲学、艺术的高度。只要这点真实一死，就没有了。

要相信相对真实。夫妻的意思，就是凭道义、义务，共同生活，是守约，不能去要求爱情。爱情，是青春、美貌、神秘。夫妻呢，是有福同享、有难同当。

爱情，是性为基点，化出种种非性的幻想和神话——归结还是性。都说性征是性器，其实第一性器是脸。真不好意思，人类每天顶着性征走来走去。

毛发、皮肤等等，都是性征。可见造物主用意之淫。

爱情好在是性的起点，把什么美德啊，智慧啊，激发起来。真的爱，到关键时刻会牺牲自己。

性，不会这样的。性只顾自己。

纪德的小说《田园交响曲》中，牧师给死人料理丧事，发现有受冻的小女孩，乃死者遗孤。救起来，长大，美丽。牧师不爱妻，爱这女孩，女孩也爱他。但女孩目盲，开刀目明后，女孩转爱牧师的儿子。

不怪人家。人，天生是这样的。

我少年时跟一个女孩子通信，因为写写文章，爱慕，通了三年多，后来一见面，从此不来往了。三年柏拉图。一见，一塌糊涂。勉强地吃饭，散步，勉强地有个月亮照着。

爱，好好地结束，还有相对真实，如果恶恶地结束，回忆都不愿意回忆。

（笑起来）我有俳句："中国有人家里不养鸡，不养狗，一遇到事，鸡飞狗跳。"

结论：追求绝对真实的人，不能享受相对真实。意思是说，他什么都享受不到。斯大林昏倒后，没有人进来救他。

我的形上生活，是极其形下的。一个人要从远处回，从高处下，从深处出。我总归承认自己智商低。他不好，我不恨，他好，不嫉妒，高兴也来不及，去听莫扎特、贝多芬。

爱情是中间段。你嫉妒什么？左面是欲望，右面是思维。我把爱情抽去后，欲望不可能了，就往思维那边发展——我用荷尔蒙写作。

从生物观点看，性欲的爱，其实是要传种。

冯内古特（Kurt Vonnegut，1922—2007），写《五号屠场》（*Slaughterhouse-Five*），写德国德累斯顿炸毁的情形。二战时他被德军俘虏，眼见德累斯顿夷为平地。1967 年，他重游德累斯顿，感慨丛生，两年内写成这部小说。

美国反战观念是直接提出的，苏联反战观念是曲折迂回提出。中国作家从未提出"反战"这个主题，不知道在干什么。冯内古特站在和平主义立场，他说："任何情况下我们都不该打仗。"我同意，但人性要打仗。战争，是少数人要打，不是多数人要打。书中有个美国上校说："我以为战争是我们上了年纪的人打的，结果发现刚刮了胡子的少年在战场，吃了一惊！"

多少可爱的人去杀了多少可爱的人。

战争最好发生在电影上。只有马不知道是假的，翻在地上，其他兵都知道在拍戏。

书中先写城市的美，然后写轰炸。一炸，什么有机物都烧起来。炸死十三万人（该烧死的人都没烧死）。

我想到（平常没想到）只有文学家能站出来说话。毕加索画《格尔尼卡》，不像战争的。音乐，不能作一曲骂战争，哲学家是隔着军靴搔痒，科学家被迫做帮凶。

文学家是伟大的！

战争还会来的。人类还会制造奇巧的、杀伤力更大的武器，造了，就会用。自然规律，是要把地球变成一个自然冷却的死球。在这之前，人类自己会把这个球毁掉。我写：

"悲观主义是不得不悲观的意思，此外没有别的意思。"

我想过，列宁为什么那么痛恨悲观主义。好像有些人是宇宙的大老板，宇宙的存在好像是为了实现某种主义。我们这些惊弓之鸟鹏飞海外，现在想想那个时候，无不渗透那种恐惧。

黑色幽默作家不少，各有专长。这个流派好像也是命中注定，真的有几个人约好了似的追求一个风格。命运。几个人凑在一起，是个超乎个人的命运——黑色幽默和批判现实主义比比，怎么样？

后者在十九世纪，叫做写实主义、自然主义，或现实主义。"批判现实主义"这个词，是苏联人正式提出来的。"社会主义现实主义"充满教条，只有天赋很高的人，譬如昆德拉，不受社会主义现实主义影响，我称他兄弟。

不能摆脱这种教条影响的人，再叫再跳，还是弱者。

黑色幽默，面对的东西很有限。但他们要针对的是人类、人性、人文的生死存亡问题。可是他们插科打诨，像个原告在法庭上手舞足蹈，又跳又笑，弄得被告也嬉皮笑脸——法庭最后就说：算了吧。

油滑是无力的。我的意思是，狂欢节上可以扮小丑，法庭上不行。在作品中，要保持法官的尊严，这是最高的也是最低的要求。

我用幽默，当它是辣椒放在菜里，调调味，意思还是要你吃菜。

下次讲魔幻现实主义。

第八十二讲
魔幻现实主义（一）

一九九三年十二月五日

魔幻现实主义占的优势，不是魔幻，是现实主义。魔幻，奇妙，不是不知道。我还是喜欢平凡，平凡中的奇妙，那才奇妙。

这样的作家，很入世，很男性。参加战争，做记者，头脑灵敏，消息快。按理说，这种生涯可以杀死一个天才，尤其可以杀死一个诗人。可是天才埋没不了的。怎么忙，怎么弄，埋没不了的。

魔幻现实主义总体上的生命力，强过象征主义、超现实主义，比它们厚重。只是我觉得不够舒服——魔幻呢，太魔幻，现实呢，不够现实。太自觉，太兴奋。

对中国文化有多少根底，这是广义的家教。在武术上，是童子功（结婚以前，都叫童子功）。没有，后来补，也应该补，要有良师指导，读不懂，要硬读，总之快点补，下功夫。一扇门要开，手里要有一万把钥匙，一把一把试过来，来不及的，良师告诉你，一用，就开了。

中国的公园，许多人在那里弄气功，抱住树，晃头——那是怕死，没有别的意思。穷凶极恶地怕死。他们心里在想：一个呢，这样可以不死，一个呢，这样不花本钱。

开课前闲聊。木心：有二十多种蔬菜在美国不易吃到了。水芹、莴笋、荠菜、苦菜、茭白……新新鲜鲜地颓废着。天然地人工。

西方，没有人懂中国。

魔幻现实主义一度沸沸扬扬，闹得很凶。在中国先是耳闻，后来有译本，再后来，有人学了，学得非驴非马。

先讲讲人类世界文化现象的大观。我在这儿不能论证这个大题目，而是说，每个地区民族都有他们的文化的全盛期。没来的，会来，来了之后，就消失——过去了，不会再来了。

这就叫文化形态学。有一阵我对文化形态学很有兴趣，后来想到，拿一个理论去说一切？意大利文艺复兴，不是指意大利有过"文化"，又再"复兴"。

缩小范围，有的民族，文化全盛期过后，还有小范围的复兴，总不如全盛期规模大，不成其为一个大时代，往往是异数的，几个天才的事，不是群体的（像唐朝那样）。

放宽看，中国文化全盛期、黄金期，是初唐到南宋，很惊奇，个个好，都有一套，拿几句出来，可以抵好多人。

认识这些有什么好处？——学林问我：听古典音乐有什么好处？——我们在现代，碰到的绝不是黄金期，只能做做异数，还有作为。各造各的宝塔。不怕孤独，不怕单干，这是非黄金期的艺术家的特征。

中国人多，照比例，天才一定该出现——这概率论，在文化艺术上不通的。不是人多就必有天才。蚂蚁再多，不会出个钢琴家。

例子来了——魔幻现实主义是拉丁美洲的文化全盛期。之前，拉丁美洲没有过。

玛雅文化，我也喜欢的，那是宗教的，限于墨西哥一带。我注意过：希腊是向前看的，玛雅是反过来向后看的。那种文化，要杀人。我不想看，没去，已经失望了。那种文化是一种此路不通的文化。

希腊文化：此路大通。

简单讲，魔幻现实主义是幻想和现实、西方现代文学和本土民间神话传说的结合。作者的思想是民族主义和人道主义，题材是暴露庄园主和穷人，方法是用意识流和心理时间交叉，来表现人物内心世界，一贯手段，是象征、暗示、夸张、梦呓。这条路子不错的，是条生路。它有本土的本钱，又有世界上前卫的文学方法，开发起来，很有意思的。

而且出了天才。所谓文化全盛期，就是天才纷纷降生的时代，拉丁美洲那时不少天才，有得了诺贝尔奖的，不得奖的也非常好，也该得奖的。名单：

马尔克斯（Gabriel Garcia Marquez）

阿斯图里亚斯（Miguel Angel Asturias）

博尔赫斯（Jorge Luis Borges）

科塔萨尔（Julio Cortazar）

聂鲁达（Pablo Neruda）

多诺索（Jose Donoso）

略萨（Mario Vargas Llosa）

鲁尔福（Juan Rulfo）

马尔克斯是哥伦比亚人，阿斯图里亚斯是危地马拉人（危险的地方马拉起来），博尔赫斯是阿根廷人，聂鲁达、多诺索是智利人，略萨是秘鲁人。

人性里不是有个共通的东西吗？我一直觉得有。再古、再偏僻的地方的书，我都看得懂。散文——几百万字——我要写这个东西。要到世界各地游览，不可能，我只能在书斋里工作。很早，快四十年前，我就想写一本书，书名是《巴比伦语言学》。怎么写呢？一直在想。最近想出来了：写三千俳句（已经写成两千），这些俳句，就是这本大散文的蓝本。把三千俳句扩展开。俳句，还像蟋蟀草，一撩拨，蟋蟀咬了，我就可以写开来。

谢谢上帝给我这个启示。

以上几位是一流的，可见二流三流还有好多。从名字上讲，**魔幻现实主义**出在德国，弗朗茨·罗（Franz Roh）在研究后期表现派绘画时，用"**魔幻现实主义**"这个词（总名是《魔幻现实主义·后期表现主义·当前欧洲绘画的若干问题》，*Nach Expressionismus: Magischer Realismus: Probleme der neuesten europäischen Malerei*）。

鲁尔福的长篇问世后，以崭新的形式、深刻的思想，震动世界。这是五十年代。六十年代，马尔克斯的《百年孤独》引起更大的震动。从此，魔幻现实主义越来越壮大，政治倾向也越来越明显。

加夫列尔·加西亚·马尔克斯（Gabriel Garcia Marquez），1927 年出生于哥伦比亚一个依山傍海的小镇。父为医生。小时候跟外公外婆听了许多民间传说（很正常。现在的小孩哪有外公外婆讲故事——小时候，一点雨露阳光很重要啊），马尔克斯因为这影响，爱好文学。在大学是攻法律的，期间自由党与保守党斗争很激烈，造成社会动乱。他停学，从事新闻工作，同时自己写作。1954 年，做了报馆驻欧洲的特派记者。1959 年，任古巴拉丁通讯社美洲驻波哥大的记者。1960 年，任该通讯社驻联合国记者。1961 年，迁居墨西哥，从事新闻和文学创作。

为什么特意讲一讲？这样的作家，很入世，很男性。参加战争，做记者，头脑灵敏，消息快。按理说，这种生涯可以杀死一个天才，尤其可以杀死一个诗人。可是天才埋没不了的。怎么忙，怎么弄，埋没不了的。

1955 年第一部长篇小说《落叶》(La hojarasca)，写一小镇上某一家族的命运。六十年代，又写了这家历史的几部小说。他和福克纳一样，老写一个家族（看来只能写一个家族，逃不了的，宿命的。只有一个家呀，别的故事，在别人家里）。1967 年，出《百年孤独》，一举成名。他学识渊博，修养深厚，既熟悉拉丁美洲文化、历史、传说，又研究欧洲文学传统，认真研究过艾略特、乔伊斯，对阿拉伯文学也感兴趣。

听来，平平，我看，大有深意——这样的经历、教养，中国作家有几个？巴金出去留学，怎么样？中国许多作家现炒现卖，平时只读同代人的作品，中国古典文学大致限于《三国》、《水浒》、《红楼》、《金瓶梅》，顶多加上《儒林外史》、《官场现形记》之类。欧洲文学按名气找了看，领领市面，不看到实质。对西方现代文学，好样不学，学坏样。这点正常的学养没有，谈什么才华抱负？

对中国文化有多少根底，这是广义的家教。在武术上，是童子功（结婚以前，都叫童子功）。没有，后来补，也应该补，要有良师指导，读不懂，要硬读，总之快点补，下功夫。一扇门要开，手里要有一万把钥匙，一把一把试过来，来不及的，良师告诉你，一用，就开了。

对欧洲文化，我以为是这样：第一，宅心要正。你们放眼去看，中国人到欧洲去，第一是宅心不正，都想去顺手牵羊、顺手牵牛，到了那儿，不感动，也不爱，更谈不上理解，抱着虚名实利去的，盗也谈不上，只是贼。他们不爱欧洲，欧洲也不爱他们。对新潮的文化，学点口头禅。

《百年孤独》，那么厚一本书，要去看太麻烦。讲一讲，有点意思。写马孔多地方一个布恩蒂亚家族七代人的遭遇，这种雄心，很可贵。任何家族，七代下来，总有花样（我曾听有个老太太说，她三十几年不出门，没有穿过套鞋，没有打过伞。我说，这写下来，好极了，这么平凡的生活，怎么过来的？只要有技术，诚恳，都能写出来）。书中的世代更替，很有景观，末了由于乱伦，婴孩长尾巴，唯一一个后代，给红蚂蚁咬死了。

这个故事结构不错的，是悲观主义，这就不简单。这个主题，容易大，后来成为阿根廷近代的缩影。关于《百年孤独》的评论，大致是：情节是荒诞的，象征是巧妙的，夸大是有强度的，描写是真实的。

（丹青插话：去年有人送我《百年孤独》，怎么也看不下去。木心：这本书，讲讲可以，去读，太阔热。我吃过墨西哥菜，太多了，吃不下）

魔幻现实主义占的优势，不是魔幻，是现实主义。魔幻，奇妙，不是不知道。我还是喜欢平凡，平凡中的奇妙，那才奇妙。他的中短篇，我也佩服。他写奇妙怪诞的事，不带歧异，当做真的一样去写，这是厉害的，生命力强大。

魔幻现实主义总体上的生命力，强过象征主义、超现实主义，比它们厚重。只是我觉得不够舒服——魔幻呢，太魔幻，现实呢，不够现实。

太自觉，太兴奋。

标举一种"主义"，当然是自觉的。完全自觉，就不免做作。莫扎特，既自觉又不自觉，从来没有"莫扎特主义"。最高的艺术，自己不会成主义，别人拿他当成主义，也主义不起来。我对各种各样的主义，好比窗户开着，瞧瞧邻家男孩。好看么，看看，不好看，看看云。单身汉，单在艺术上。

散课。大家又谈起上次公园的散步。木心：

中国的公园，许多人在那里弄气功，抱住树，晃头——那是怕死，没有别的意思。穷凶极恶地怕死（说着，学抱树晃头的动作）。他们心里在想：一个呢，这样可以不死，一个呢，这样不花本钱。

中国人，我们太懂了。到外国的公园，看到他们跑步、跳，真健康，真好。（说着，又学打太极拳的动作）这是在同死神耍阴谋。一个好好的人，一打拳，难看。

魔幻现实主义（二）

一九九三年十二月十九日

在上海时，他们要我设计一架钢琴，设计完了，说，怎么没有民族风格——钢琴就是钢琴，为什么要有民族风格？

你再丰富的传统、知识、技巧，不经过现代艺术洗礼，你走不到哪里去。我是暗暗走这条路。不然，写起来还不是"五四"时期的老调调？画画的道理也一样。如果到今天还在"外师造化，中得心源"，哪里能行？在座各位，洗礼都洗了，洗得不够，不透。深度加深，密度加密，广度推广。

说这些，因为拉美作家少有西欧文化的秉承，多为自己的传说神话，但他们聪明啊，他们用西欧的传统。中国呢，有自己的传统，却不会用。我读博尔赫斯，底牌读出来了——他也是尼采那里出来的。

松鼠的尾巴，简直天才。艺术家没有天才，等于松鼠没有尾巴。有个松鼠天天到我窗前，给它吃的。有一天没有给，那松鼠看我的眼神，完全是老朋友的眼神。

食品的松脆也很奇妙——各种味觉和舌头有关，松脆和牙有关。长期不咬松脆，人有气无力。我的文句，有时追求松脆的效果。

魔幻现实主义不多讲了，我要大刀阔斧讲讲其他流派。下一课是最后一课——我们走了五年的"文学远征"。

今天接下去讲米格尔·安赫尔·阿斯图里亚斯（Miguel Angel Asturias，1899—1974）。生在危地马拉，父为法官，母为小学教师。从小热衷伸张正义，反对暴政，幼年教育是革命性的。学过法律、人类学，研究印第安古文化。

落后地区，不开化地区，一个杰出的人物，都要从精深的学历做起。可是强大的民族，法国、意大利，一个有才华的人不必什么学历，就成功。达·芬奇、米开朗琪罗、贝多芬、莫扎特，你去想想，一定出生在意大利、奥地利等——南美的成功的作家，个个都很有一套学历，这是一个事实，不是一个规律。

阿斯图里亚斯在危国新政府办杂志，写小说，参加世界和平运动。新政府垮台后，避居阿根廷。他曾来中国，参加过鲁迅逝世二十周年活动。后回国，任职外交部。1974年，死于马德里——堂堂正正，没有什么乌七八糟的事。

最有名的小说是：《总统先生》（El Señor Presidente），《玉米人》（Hombres de maíz），和被称作"三部曲"的《旋风》、《绿衣主教》、《死者的眼睛》。此外还有诗集《贺拉斯主题习作》，短篇小说集《危地马拉的周末》（Leyendas de Guatemala），小说《珠光宝气的人》、《混血女人》、《丽达·萨尔的镜子》、《马拉德龙》、《多洛雷斯的星期五》等等。

他是魔幻现实主义的先驱者，把拉美文学和西欧文学结合起来。获诺贝尔奖。

对全世界来说，还是以欧洲为中心，你偏不走西欧的路，自己去找一个——不可能，不行。日本不怕西化。好像皮鞋，你不肯穿，一定要找另外一种鞋，何必呢？在上海时，他们要我设计一架钢琴，设计完了，说，怎么没有民族风格——钢琴就是钢琴，为什么要有民族风格？

他们确实懂得拉美文化，又懂西欧文化。

文学范畴，中国没有走这条路。你不理会欧洲，等于在蜡烛下研究电灯，不如直接装上电灯。反之，完全投向欧洲，不要自己，总归强不过西洋人。你可以染金发，发根长出来，还是黑的。

忘本，就是失去了资本，这是常情、常道、常规。现在开文学研讨会，每个作家要他写一首五言、七律，完了。

拉丁美洲作家，很正常地活动着。我们没有。

要写本民族、本国，写得绰绰有余，然后向上越轨，写世界。可是向下越轨，就卖本民族民俗，满足外人的偷窥欲。你看西方，没有人标榜民族性，标榜地方色彩。他们有的是个性、风格，那才是好样的，有种。毕加索从来不画西班牙美女或者家乡风光，然后拿到巴黎去打天下。

讲讲《总统先生》。一个反动军官因粗暴行凶，被一个粗人打死。"总统先生"来审判，把这事安到政敌身上，杀死了一个大学者。可是敌人中还有一位将军，难以加害，他就利用亲信使计，让将军逃，一逃，就可安罪名，趁机加害。将军到底是将军，一逃，就起义对抗了。可是将军的女儿逃不及，被捕，抄家，痛苦生病。总统的亲信爱上了她，跟她结婚，总统把这婚事登了启事，气死了将军。总统又使亲信去美国，中途逮捕，告诉他将军女儿做了总统的情妇，亲信万念俱灰，死在牢房。其实，那女儿到处找丈夫，最后带着孩子移居乡下。

有点雨果，有点巴尔扎克，有血性，有生命力。现代文学有个总观念——我极重视这个总观念——你要走向未来，你得走过现代艺术的洗礼。你再丰富的传统、知识、技巧，不经过现代艺术洗礼，你走不到哪里去。

我是暗暗走这条路。不然，写起来还不是"五四"时期的老调调？画画的道理也一样。如果到今天还在"外师造化，中得心源"，哪里能行？在座各位，洗礼都洗了，洗得不够，不透。深度加深，密度加密，广度推广。

知其一，不知其二——以为"一"拿到了吗？不，"一"也没拿到。你不能举一反三，"一"也不行。

大人虎变，小人革面，君子豹变。

洗礼的工作还在后面，还没完成。大家眼界是开了，鉴别力是强了，现在要看个人作品了。连古典艺术的洗礼也包括，洗礼面要广，临摹有好处。水来了，水淋到身上了。

说这些，因为拉美作家少有西欧文化的秉承，多为自己的传说神话，但他们聪明啊，他们用西欧的传统。中国呢，有自已的传统，却不会用。

我读博尔赫斯，底牌读出来了——他也是尼采那里出来的。

下个小结论：大家务必多方面接受现代艺术洗礼。上溯到古典、浪漫的洗礼，不要学我这样的大而化之。我的思辨时期已经过去了——我爱艺术，已经爱过了，应该艺术来爱我。她不爱，只好由她去——其实是还在思辨。大家正在爱艺术的时期，好有好报，恶有恶报，有一天，艺术会爱你的。

博尔赫斯（Jorge Luis Borges，1899—1986）。阿根廷著名作家。1899年生——比我大二十八岁，应该称他文学前辈，感觉上他是我文学表哥——从小热爱文学，这非常对。说起来也怪，没有考虑的，就喜欢，谁也没有告诉你：你要去爱艺术。都是不假思索。仔细想想，这很怪。现在我想通了：这是命，命里注定的。中国叫做命有文昌。命无文昌的人，出身书香之家，也等于文盲。

博尔赫斯的父亲是医生，家境大概不错。一战时全家搬到瑞士，后来入英国剑桥大学。1921年回本国，在图书馆任职。曾获阿根廷国家文学奖、西班牙塞万提斯奖，多次提名诺贝尔奖，未得，后来说是有政治原因。

最重要的是，他受叔本华、尼采影响。他崇敬欧洲文化，以欧洲文化为光荣。他也深受欧洲现代文学影响。他的散文、语气、着眼点，我都引为同调。

（休息）木心：松鼠的尾巴，简直天才。艺术家没有天才，等于松鼠没有尾巴。有个松鼠天天到我窗前，给它吃的。有一天没有给，那松鼠看我的眼神，完全是老朋友的眼神。

聊到春末提前穿夏装的人。木心：

我有俳句："提前穿夏装的人，都不坏的"——要这样去切入。那种人，敏感，爱美，先穿了，其实和好人坏人没关系。但这种感觉要写出来，得找切入点。食品的松脆也很奇妙——各种味觉和舌头有关，松脆和牙有关。长期不咬松脆，人有气无力。我的文句，有时追求松脆的效果。

分吃烤面包，木心说好吃。最后剩一片，大家留给木心。他接受时笑说：人生还是要做教师好。

博尔赫斯有小说《交叉小径的花园》（*El jardín de senderos que se bifurcan*）、《阿莱芙》（*The Aleph*）、《死亡与罗盘》（*La muerte y la brújula*），情节奇幻。我更喜欢他的散文，短篇小说看起来也比较舒服。

他的散文与我比较同调，诗呢，对不起，我比他好。他是小说家写诗，我是诗人写诗。这不是骄傲，不是，是豪迈。比如帕瓦罗蒂，音量过人，你说他是骄傲？蚂蚁说大象骄傲，那意思是说要缩小到像蚂蚁，才算谦虚？

魔幻现实主义不多讲了，我要大刀阔斧讲讲其他流派。下一课是最后一课——我们走了五年的"文学远征"。

"结构现实主义",七十年代流行南美。特点：

一，鲜明的立体感，有视觉、听觉，多角度的镜头感，独白，双线平行对话法，配合型对话法，话题的均衡法，这些，都是参考电影手法。

二，结构零件说。通俗解释，是学毕加索的立体派，破坏对象，解体，由作家重组。

三，主张文学介入社会，要以社会集团为对象。

四，意识流手法。

"九八年一代"，是西班牙一派（指的是 1898 年美国、西班牙争夺殖民地，西班牙丢失波多黎各和古巴，从此一蹶不振。此前西班牙也和英国一样，号称"日不落帝国"）。可是西班牙有识之士提出全盘西欧化，发展经济，普及教育，等于他们的改革开放。

特点：

一，重新认识世界，重新爱这个世界，介入这个世界。

二，追溯西班牙历史，不是官方显史，而是民间潜史。

三，爱护、歌颂西班牙的山川风物。

四，受尼采、叔本华、易卜生、托尔斯泰、爱伦·坡影响，奉塞万提斯为楷模。

以上主张，中国艺术家做不到。开放以来，中国人也读了尼采、弗洛伊德，可是只当赶时髦，西装穿了一阵……（中国人下流到我肃然起敬——将来回去，慈悲为怀）

"九八一代"作者很多，不一一讲，只讲阿左林（José Martínez Ruiz，1873—1967），他是我少年时代最要好的西班牙朋友，我的散文风调受他影响的。他出生于西班牙律师家庭，童年不幸福，整天躲在阁楼上读书。学法律，却到报上投稿。两个主题，一是回忆童年，一是对祖国的爱恋。他写过评论、戏剧，最好的是散文、随笔，滋养过我的少年，是马德里来的老朋友——人生不可没有文学，文学不可没有朋友，朋友不可没老朋友——老朋友，不用多啰嗦，我说是"私人典故"。他用词精锐，音韵和谐，风格朴实，语言优雅——你们读到他的散文，会觉得与我的相似——李广田译过他的《西窗集》（内有阿左林小集），商务印书馆出版，很雅致，灰绿封面，其中有阿左林的照片。

现实生活中人来人往，找不到好朋友，书本中有。后来我学会用真的感情对待他们，一个人，与生俱来的情总要用完了再走。生活中用不到，就用在精神观念上。

情，有各种情。最近发现，我还有慈爱，就把慈爱用在动物花草上。晚年是这样凄凉，可是贝多芬家不开 Party。

艺术家，晚年应该孤单冷清，有了艺术，就可以了。宁静致远，淡泊明志，这是古代人讲讲的，他们还是想升官。我真的喜欢宁静，淡泊，古人不会玩，我淡泊，但我会玩。

说开去，为什么我厌恶名利？因为不好玩。莫扎特贪玩，写诗，我可以跟他玩玩。不能徒贫贱，也不能苟富贵。富贵，累得很呀。但也不能徒然弄得很穷。小孩子爱玩，玩到哭为止，不弄到哭，不肯停的。我哭过很多回了，"文革"把作品抄走，我哭了。"文革"过去，我又玩了。

阿左林讲过了。五年文学远征，这是乐趣，你知道了：要谁，不要谁。下面换换口味，讲讲俄国文学：

"阿克梅派"，音译，出于希腊文"最高级"，因此也被译成"高峰派"。说起这一派，"文革"前我和李梦熊的许多话题都是阿克梅派——其中成员很多，今天只讲阿赫玛托娃（Anna Akhmatova，1889—1966）。"文革"前我们一夜一夜谈她的作品，来美国后在电视里看见她，她的葬礼，是一身希腊白衣——"普希金是俄国文学的太阳，阿赫玛托娃是俄国文学的月亮。"她是评家、散文家、诗人，一生坎坷，但晚年好。我有句："人生重晚晴。"她死于1966年，斯大林已经过去了，所以她的葬礼才有这等场面。日丹诺夫（Andrei Zhdanov）曾在大会上骂她"修女加荡妇"，太不像话！斗得她好苦。她非常坚强、沉着，据理力争，活到七十七岁。

早期诗集《黄昏》、《念珠》，在青年中轰动一时。她的诗非常柔情，真诚。她也聪明，转向古典，研究普希金，译中国的屈原，译李商隐的《无题》诗。四十年代卫国战争，她却写了许多爱国诗，战后有了正面名望，她又退回来，远离当时的重大主题，写自己的生活。

她一步一步都很聪明。可是1946年还是受辱，被开除出作家协会。她不甘沉沦，写诗，越写越大，写到死。她的诗富于性情，适合年轻人读。我不喜欢多情的诗，但她的才情一流，名字也起得好。原名是安娜·安德烈耶夫娜·戈连科，可是她改成阿赫玛托娃，构成印象。

她真是好样的。她写抒情叙事诗，《没有主人公的叙事诗》成于1962年，获意大利国际诗歌奖，1965年得牛津名誉博士。晚年她得到公平。电视上看她，光彩动人，有点胖了，但大贵族相，很庄重，死后慢慢没入黑暗（由演员扮演）。

说到底，还是贵族出身有骨气，顶得住。小市民一得势，如狼如虎，一倒霉，猫狗不如。

"文革"中，我第一信念是不死。平常日子我会想自杀，"文革"一来，决不死，回家把自己养得好好的。我尊重阿赫玛托娃，强者尊重强者。现在看，她完全对，完全胜利。她与苏维埃对立，她又写爱国诗，是完全本色——这就是我说的公平。我们还没有得到公平，正在等待公平，但我们已经得到了初步的公平。

一个温柔细腻的女人，战胜了粗暴残酷的势力。

古米廖夫（Nikolay Gumilev, 1886—1921）。才貌双全的文

学家，诗、小说、翻译、散文，样样出色当行。他，就是阿赫玛托娃的前夫，因在十月革命中反政府，被枪毙。直到1986年，他诞辰一百周年，在苏联才被纪念。这种迟来的公平是不公平的。

胡风、萧军，平反后拿不出东西来。宠他，迫害他，平反他，还是拿不出东西来。他们是文化工厂里的工人，给老板炒鱿鱼。他们说自己是文艺工作者，对的——文艺工作者。

中国现在不少文人，说到底，是儒家。儒家，三个月不做官，急死了。给官家请去喝喝酒也过瘾。

好了，今天讲完了。

木心，摄于 1994 年文学课结束后的"结业"聚会。

最后一课

一九九四年元月九日
在陈丹青家

翻原稿，发现我就此写下去，没有停顿地写完了，可见那么多年，我的思想可以没有纲目。我知道我写完了，算是把我的文学观点架构起来了。

大家还在青春期。我是到了美国才发育起来的，脸上一大堆看不到的青春美丽痘。第一见证人是丹青。他看到我怎样成长起来。在中央公园寒风凛冽中，读我的原稿。我很谦虚哩，在心里谦虚哩。

你们传我一句话，或描述我的有关情况，到传回来时，都走样了。我的说话和文学的严密性，我的生活的特异，由我传达别人的话，别人的情况，可以做到完全达意，而慢慢做到可以达人家的意，比别人更透彻。外人听了，会说自吹自擂，你们要替我作证：木心不是妖怪，是个普通的健康的老头子。

为人之道，第一念，就是明白：人是要死的。生活是什么? 生活是死前的一段过程。凭这个，凭这样一念，就产生了宗教、哲学、文化、艺术。可是宗教、哲学、文化、艺术，又是要死的。教堂、博物馆、美术馆、图书馆，煞有介事，庄严肃穆，昔在今在永在的样子——其实都是毁灭前的景观。我是怀着悲伤的眼光，看着不知悲伤的事物。

这凤凰的前身是个乌鸦，乌鸦的前身呢，是只麻雀。安徒生说得比我好。他说，他从前是个丑小鸭。他的画和用具到上海展览过，我摸过他的手提箱。在座人人都是丑小鸭，人人都会变成天鹅——也有人会丑一辈子。

这是我六十七岁时讲的课。等你们六十七岁时，可以看看。

课前看墙上《蒙娜丽莎》画片。木心：这张嘴放在那儿，不知道多少画就不算了。你去临？达·芬奇自己也临不了了。

1 点 25 分开始讲。

同学们，新年好。

今天很难得。那么冷的天，世界文学史结束在很冷的一天。讲课要结束了。

我来讲讲我是怎样讲文学史的。本来是想把本世纪各个流派全讲完，可是想想，这样讲，能托得住五年讲下来的文学史吗？

用另外一个方法讲。讲讲我这个示众的例子。从前杀头，是要示众的。这样讲，比较难。向来我在难和易的事情里，择难，从难处着手。这已经是我的第二本能了。

花了一天两夜，写了一个总结性的东西。完全离开文学史。要托住文学史，要一个够分量的结尾。

这是我六十七岁时讲的课。等你们六十七岁时，可以看看。像葡萄酒一样，阳光，雨露，慢慢成熟的。伍尔芙夫人讲："我讲的话，你们不会懂的。"那时她也快六十岁了。

年龄非常要紧的。我三四十岁，五十岁，都读过伍尔芙，六十多岁时，看懂了。看懂她对的、不对的地方。

我敢于讲，我今天讲的，你们可以在六十几岁时读。读了想：幸亏我听了木心的话。

我听我自己的话。我听的话，是别人告诉我的。比如尼采。我听他的话。不能想象没有尼采，没有从前的艺术家讲的话，不可能有我的。

幸亏我们活在二十世纪，前面有两千多年，甚至五六千年历史。

今天我的最后一课，和都德的"最后一课"，性质完全不同。法国人而不准上法文课，那是非常悲哀。我们恰恰相反，中国人，中国文化，还没有被消灭。

我对方块字爱恨交加。偏偏我写得最称心的是诗，外国人无法懂。诗，无法翻。外国人学中文，学得再好，只够读小说、散文，对诗是绝望的。中国字，只能生在中国，死在中国。再想想：能和屈原、陶渊明同存亡，就可以了，气也就平了，乖乖把"世界文学史"拉扯讲完。

现代艺术，流派，越来越多。这是个坏现象。上次讲过一个公式：直觉——概念——观念。从希腊到文艺复兴到浪漫主义，人类可以划在直觉时代。直觉的时代，很长，后来的流派，都想单独进入观念，却纷纷掉在时空交错的概念里。

所以我一气之下，把二十世纪的艺术统统归入概念的时代。将来呢，按理想主义的说法，要来的就是观念的时代。

我呢，是个翻了脸的爱国主义者，是个转了背的理想主义者。是向后看的。拿古代艺术作我的理想，非常羡慕他们凭直觉就能创造艺术。

我爱人类的壮年、青年、少年、童年时期的艺术——文化没有婴儿期的——人类文学最可爱的阶段，是他的童年期和少年期。以中国诗为例，《诗经》三百首，其中至少三十多首，是中国最好的诗。到了屈原、陶潜，仔细去看，已经有概念。屈原么香草美人，陶潜老是酒啊酒啊。

《诗经》三百篇，一点也没有概念。完全是童贞的。

李白、杜甫，更是概念得厉害。到了宋，明，清，诗词全部概念化。由此看，我的翻了脸的爱国主义，转了背的理想主义，事出无奈，但事出有因。

讲开去：一个人到世界上来，来做什么？爱最可爱的、最好听的、最好看的、最好吃的。

无奈找不到那么多可爱、好听、好吃、好看的，那么，我知道什么是好的。我在"文革"中不死，活下来，就靠这最后一念——我看过、听过、吃过、爱过了。

音乐，贝多芬、莫扎特、肖邦，等等。食物呢，是蔬菜、豆类，最好吃，哪里是熊掌燕窝。爱呢，出生入死，出死入生，几十年轰轰烈烈的罗曼史，我过来了，可以向上帝交账。"文革"中他们要枪毙我，我不怕，我没有遗憾。

都爱过了。但还要做点事。我深受艺术的教养，我无以报答艺术。这么些修养，不用，对不起艺术。少年言志，会言中的——往往坏的容易言中，好的不易说中。

以后，不可能两个星期见面，很可能两个月、两年见一面。我要讲大家一辈子有用的东西。讲了，有备无患。你们用不用，悉听尊便，我只管我讲。是哪一些呢，分分纲目：

文学是可爱的。

生活是好玩的。

艺术是要有所牺牲的。

（翻原稿，发现我就此写下去，没有停顿地写完了，可见那么多年，我的思想可以没有纲目。我知道我写完了，算是把我的文学观点架构起来了。）

先引老子的话：

"知人者智，自知者明。胜人者有力，自胜者强。知足者富，强行者有志。不失其所者久，死而不亡者寿。"

这真叫做是诗！最近又在看老子，老子是唯一的智者。看到老子，叹口气：你真是智者，是兄弟。

历来的哲学家、文学家，对人不了解。甚至对老子也不了解。蒙田，不了解人。马克思，对人无知。

自知者明。我看到牛，想：好可怜。望过去一团黑暗。

自胜者强，毛泽东能胜人，对他自己，对党，全失败。富，是要知足；百万富翁，不富，因为不知足，他们在玩数字游戏。金钱和健康一样，一个健美男子，天天躺在床上，有什么用？有钱，要会用。中国古代，有些人是会用钱的。倪云林，晚年潦倒，刚卖了房子，钱在桌上。来了个朋友，说穷，他全部给那个朋友。这才是会用钱。强盗打他，他一声不响，后来说，一出声便俗。

真是高士。

我的诗的纲领：一出声就俗。

拉远了。强行者有志。"文革"初，老舍、傅雷……决定去死。为什么？我不肯死。平常倒是想死，"文革"那么凶，我用老子对付："飘风不终朝"，"骤雨不终日"。结果呢，"文革"持续那么久。我跟老子说：老兄，你也料不到。

不失其所者久。这个"所"，是本性。

死而不亡者寿，完全是指艺术家。

"孔子未亡必霸，而必为人所霸。"

"老子治国，而生随之亡。"

这是我从前写的句子。

"治国平天下"、"窃国平天下"、"乱世治国"，那是政客的事。哲学家不能治国。那是恶人的事。这个世界引起许多哲学家关心政治，可是他们不懂政治。毛泽东、邓小平可以说：你们不懂政治。

死而不亡者寿。当然指艺术家。当时老子这么说，不知是指艺术家、指哲学家。

"文学是可爱的。"

不要讲文学是崇高伟大的。文学可爱。大家课后不要放弃文学。文学是人学。至少，每天要看书。我是烧菜、吃饭、洗澡时，都会看书。汤显祖，鸡棚牛棚里也挂着书，临时有句，就写下来。

电视尽量少看。

西方人称电视是白痴灯笼。最有教养的人，家里没有电视。最多给小孩子看看。电视屏幕越来越大，脑子越来越小。

理解事情，不可以把一个意思推向极端：我也看电视。尼采，克制不住地手淫：这样他才是尼采。

鸦片、酒，都好。不要做鸦片鬼、酒鬼。什么事，都不要大惊小怪，不要推向极端。

读书，开始是有所选择。后来，是开卷有益。开始，往往好高骛远。黄秋虹来电话说在看庄老，在看《文心雕龙》。我听了，吓坏了。一个小孩，还没长牙，咬起核桃来了。

开始读书，要浅。浅到刚开始就可以居高临下。

一上来听勃拉姆斯第一交响乐，你会淹死。一开始听《圣母颂》、《军队进行曲》，很好。我小时候听这些，后来到杭州听贝多芬的《月光奏鸣曲》，居然完全不懂。

对西方，一开始从基督教着手。要从完全看得懂的书着手。还得有选择。至少到六十岁以后，才能什么书拉起来看，因为触动你去思考，磨砺你的辨别力，成立你自己的体系性（非体系），你们现在还不到这个境界。

认真说，你们还不是读书人。不相信，你拿一本书，我来提问，怎么样？要能读后评得中肯，评得自成一家，评得听者眉飞色舞，这才是读者。

由俄罗斯为例。可以先是高尔基，然后契诃夫，然后托尔斯泰，然后陀思妥耶夫斯基。我有时会顽皮地想，你们七八个人，一天之中看书的总阅读量，还不及我一个人写作之余泛览手边书。

这样说，是为了激动你们去读书的热情。

也有一种说法：我们是画画的，画也画不好，哪有时间读书？这就对了——大家看书不够，就去画画了。

大陆的新文人画，是文盲画的文人画，看了起鸡皮疙瘩。识字不多的作家，才会喝彩。中国的文人画，都是把文学的修养隐去的。李太白的书法，非常好。苏东坡画几笔画，好极了。

我不是推销文学，是为了人生的必备的武器和良药。大家要有一把手枪，也要有一把人参——最好是手枪牌人参，人参牌手枪。

大家还在青春期。我是到了美国才发育起来的，脸上一大堆看不到的青春美丽痘。第一见证人是丹青。他看到我怎样成长起来。在中央公园寒风凛冽中，读我的原稿。

我很谦虚哩，在心里谦虚哩。

这样嘛，才能成大器——中器、小器，也要完成。五年来，好处不少的。这些好话，留到毕业典礼上讲。我给每个同学一份礼物——每个人都有缺点，克服缺点的最好的办法，是发扬优点。发扬优点，缺点全部瓦解——不是什么一步一个脚印，像条狗在雪地上走。狗还有四只脚呢，许多脚印。

五年来，我们的课遭到许多嘲笑。我知道的。一件事，有人嘲笑，有人赞赏，那就像一回事了，否则太冷清——只要有人在研究一件事，我都赞成，哪怕研究打麻将——假如连续五年研究一个题目，不谋名，不谋利，而且不是傻子，一定是值得尊重的，钦佩的。五年研究下来，可以祝大家大器晚成。

认真做事，总不该反对。嘲笑我们讲课，不是文化水准问题，是品质问题。有品质的人，不会笑骂。

文学是人学。学了三年五年，还不明人性，谈不上爱人。

文学，除了读，最好是写作。日记、笔记、通信，都是练习。但总不如写诗写文章好。因为诗文一稿二稿改，哪有把自己的日记改来改去的？鲁迅写——喝豆浆一枚，八分钱——那么当然八分钱，有什么好改的。

我这么说，是有点挖苦的。他们写这些琐事，有点"浮生六记"的味道。

日记，是写给自己的信，信呢，是写给别人的日记。

你们传我一句话，或描述我的有关情况，到传回来时，都走样了。我的说话和文学的严密性，我的生活的特异，由我传达别人的话，别人的情况，可以做到完全达意，而慢慢做到可以达人家的意，比别人更透彻。

最后一课

1071

外人听了，会说自吹自擂，你们要替我作证：木心不是妖怪，是个普通的健康的老头子。

我讲这些，有用意的。

文学背后，有两个基因：爱和恨。举一例，是我最近的俳句：

"我像寻索仇人一样地寻找我的友人。"

这可以概括我一生的行为。你们见过这样强烈的句子吗？说起来，是文字功夫，十五个字，其实不过是有爱有恨，从小有，现在有，爱到底，恨到底。

各位都有爱有恨，苦于用不上，不会用。请靠文学吧。文学会帮助你爱，帮助你恨，直到你成为一个文学家。

接着讲，"生活是好玩的"。

安德烈·纪德（André Gide）的书，我推荐给大家，很好读的。良师益友。他继承了尼采、陀思妥耶夫斯基，是个中间人。我现在还记得纪德的好处。当时我在罗曼·罗兰家里转不出来，听到窗口有人敲，是纪德，说："Come on, come on!"把我带出去了，我永远心怀感激。

纪德有书叫《地粮》（要找盛澄华的译本）。他说："人应该时时怀有一种死的恳切。"（原话记不真切了。我是惯用自以为达意的方式重述）这句话，你们能体会吗？

我可以解释，如果你们能领悟，听我的解释是否相一致。

人在平时是不想到死的，好像可以千年万年活下去。这种心理状态，就像佛家说的"贪、嗔、痴"——"嗔"，老怪人家，老是责怒；要这要那，叫"贪"；一天到晚的行为，叫"痴"。总之，老是想占有身外之物，买房，买地，买首饰，买来了，就是"我的"，自己用完还要传给儿孙。放眼去看芸芸众生，不例外地想赚钱，想购物。

学林有个亲戚，打三份工，心肺照出来，全是红的，然后就死了。心理学上，这是个工作狂，其实还是想占有。

他数钱时心里有种快乐。拼命打工赚钱，筋疲力尽到死，这不是幸福。那些亿万富翁亿万富婆，也不是幸福。一个人不能同时穿两双鞋，不能穿八件衣。

家里小时候也是万贯家产，我不喜欢，一点乐趣也没有。

推到极点，皇帝皇后总算好了吧？你去问问他，如果他们看得起你，就会诉苦。

所以为人之道，第一念，就是明白：人是要死的。

生活是什么？生活是死前的一段过程。凭这个，凭这样一念，就产生了宗教、哲学、文化、艺术。可是宗教、哲学、文化、艺术，又是要死的——太阳，将会冷却，地球在太阳系毁灭之前，就要出现冰河期，人类无法生存。可是末日看来还远，教堂、博物馆、美术馆、图书馆，煞有介事，庄严肃穆，昔在今在永在的样子——其实都是毁灭前的景观。

我是怀着悲伤的眼光，看着不知悲伤的事物。

最后一课

张爱玲这点很好。再好的书，你拿去，不执着。这一点，她有贵气。

不过你们可不要来向我借书——很奇怪。我一到哪里，一分钱不花，书就会流过来。小时候学校因为战争关门了，书全拿到我家里来。现在我的书又多起来了。各种书。

连情感，爱，也不在乎了。爱也好，不爱也好，对我好也好，不好也好，这一点，代价付过了。唯有这样，才能快乐起来，把世界当一个球，可以玩。

诸位还是想买这个球，至少买一部分，但不会玩。

莫扎特会玩。他偶尔悲伤。他的悲伤，是两个快乐之间的悲伤。论快乐的纯度，我不如莫扎特。他是十足的快乐主义。我是三七开，七分快乐，还有三分享乐主义。

奉劝诸位：除了灾难、病痛，时时刻刻要快乐。尤其是眼睛的快乐。要看到一切快乐的事物。耳朵是听不到快乐的，眼睛可以。你到乡村，风在吹，水在流，那是快乐。

你是艺术家，你就是人间的凤凰，一到哪里，人间的百鸟就会朝凤——你这凤凰在百鸟中是一声不响的。

我外婆家开地毯厂，晒开来，有一天忽然飞来一只凤凰，周围都是鸟叫。学徒看见了，回来告诉老板，老板赶过去，什么也没有。

凤凰在万物中一声不响。顶多，写几句俳句。

上次我们不知不觉走到中央公园，你们问一句，我答一句，就是百鸟朝凤。是一次彩排。我平常散步，灵感比那次还要多。

可是这凤凰的前身是个乌鸦，乌鸦的前身呢，是只麻雀。

安徒生说得比我好。他说，他从前是个丑小鸭。他的画和用具到上海展览过，我摸过他的手提箱。

在座人人都是丑小鸭，人人都会变成天鹅——也有人会丑一辈子。中伤诽谤之徒，拿了我的一根毛，插在头上也不是，插在尾巴上也不是，人家一看，是天鹅毛。

诸位将来成功了，也有羽毛会给别人拔去用的。对这种事，最好的态度，是冷贤。

所谓"冷"，就是你决绝了的朋友，别再玩了。不可以的。决绝了，不要再来往，再来往，完了，自己下去了。人就怕这种关系，好好坏坏，坏坏好好，后来炒了点豆子，又送过去（送过去，碗没有拿回来，又吵）。小市民，庸人，都是这样子。

我已经是绝交的熟练工人了。

"贤"，就是绝交后不要同人去作对，放各自的活路。他们要堕落，很好，悬崖深渊，前程万里。他们如果有良知，他们会失眠。

最好的学生，是激起老师灵感的学生。丹青是激起我灵感的朋友。

只要还有百分之零点几的良知，他就会失眠。推出山门，回来后就不像样了。他们背离的不是我，而是我所代表的东西。这是我不愿意有，但避免不了的象征性。从小就有，我不要有，就是有，没有办法。

这种现象的存在和激化，就是生活中的快乐。耶稣行了许多奇迹，我们是凡人，不会有奇迹。但有一点，被你抛弃的人，后来都堕落了。和你一起的人，多多少少有成绩，这就是生活中的快乐。

我们作为耶稣的后人，教训惨重，再不能上当了。耶稣太看得起人类。犹大，我指叫那些背叛的人为"由他"——由他去吧。

生活像什么呢？像上街去买鞋，两双同价的鞋，智者选了好看的，愚者选了难看的。生活像什么呢？傍晚上酒吧，智者选了美味的酒，愚者买了烂酒，还喝醉了。

所以，快乐来自智慧，又滋养了智慧。

今后到欧洲去旅行，一路看一路讲，我们可以看看会发生什么。

生活听起来没有奇怪，人人都在吃喝玩乐。没有享受到的生活，算不上生活。把生理物理的变化，提升为艺术的高度，这就是生活、艺术的一元论。

生活嘛，庸俗一点，艺术，很高超——没那么便宜。

三，"艺术是要有所牺牲的"。

1950年，我二十三岁，正式投到福楼拜门下。之前，读过他全部的小说，还不够自称为他的学生——被称为老师不容

1076

易，能称为学生也不容易啊——小说家的困难，是他的思想言论不能在小说里表现出来的。我同福楼拜的接触，直到读他的书信——李健吾写过《福楼拜评传》，谢谢他，他引了很多资料——才切身感受到福楼拜的教育。我对老师很虔诚，不像你们对我嘻嘻哈哈。

那年，我退还了杭州教师的聘书（当时还是聘书制），上莫干山。这是在听福楼拜的话呀，他说：

"如果你以艺术决定一生，你就不能像普通人那样生活了。"

当时我在省立杭州第一高中执教，待遇相当不错，免费住的房间很大，后门一开就是游泳池。学生爱戴我，其中的精英分子真诚热情。初解放能得到这份位置，很好的，但这就是"常人的生活"，温暖、安定、丰富，于我的艺术有害，我不要，换作凄清、孤独、单调的生活。我雇人挑了书、电唱机、画画工具，走上莫干山。那时上山没有公车的。

头几天还新鲜，后来就关起来读书写书。书桌上贴着字条，是福楼拜说的话："艺术广大已极，足以占有一个人。"

长期写下去，很多现在的观点，都是那时形成的。

修道，长期的修道。丹青在时代广场的画室，就是他的修道院，天天要去修道的。

让你的艺术教育你。

对子女的好，好在心里，不要多讲。我对朋友的好，也不讲。以后你们成熟了，我要评，只要好，我就会评。评论，要评到作者自己也不知道的好，那是作者本能地在做，评价从观念上来评。

用福楼拜这句话，意思是：我甘愿为艺术占有，没有异议。回顾这些往事，是说，艺术家一定要承当一些牺牲。你们承当过多少？你们还愿意承当多少？清不清楚还要牺牲点什么？

不值得牺牲的，那叫浪费。

宗教很明白：你要进教门，就得牺牲。吃素，不结婚，不说绮语。但宗教所要的牺牲，是杀死生命，很愚蠢。可是杀而不死，修道院弄出许多事来。

福楼拜不结婚。他对情人说：你爱我，我的构成只有几项观念。你爱那些观念吗？

艺术家的牺牲，完全自愿。

当我指出这个愿望，你点头，那么，我明打明指出：哪些事你不应该做——这事是虚荣，那事是失节——你们听了，要受不了的。可就是这些事，使人不甘离开常人的生活。

可能你会说："您老别含糊，尽管说，咱们能改过的改，不能改的慢慢合计。"不，我不会明说的。

古代，人不知道自己在做什么，人类到了现代，一切错误，全是明知故犯。现代人的聪明，是一个个都没有"一时糊涂"的状态，倒是有"虽千万人我往矣"的犯罪勇气。现代人中，恐怕只有白痴、神经病患者，可能质朴厚道的。正常人多数是精灵古怪，监守自盗。

这就是现代人。我们生在现代，太难归真返璞了。

　　来美国十一年半，我眼睁睁看了许多人跌下去——就是不肯牺牲世俗的虚荣心，和生活的实利心。既虚荣入骨，又实利成癖，算盘打得太精：高雅、低俗两不误，艺术、人生双丰收。我叫好，叫的是喝倒彩。

　　生活里没有这样便宜。

　　年青时在上海，新得了一位朋友，品貌智力都很好。某日谈到上海人无聊，半点小事就引一堆路人围观。正说着，对面马路霎时聚集十多人议论什么事，那朋友急步过去看究竟，我就冷在路边，等，这真叫孤独，又不好意思就此走掉，呆等了好久，他才兴尽而归。现在还是这样，我老被人扔在路边——这条路，叫做艺术之路——我老了，实在比较好的朋友，可以等等，等他从彼岸兴奋归来。普通朋友呢，不等了，走了。骂我不讲义气，独自溜了？这种顾虑似乎不必要。新的情况是，跑去看热闹的人，就此消失在热闹中，不回来了，所以大大减少了等的必要。

　　也许你要问：为什么艺术家一定要有所牺牲呢？

　　这一问者，大抵不太愿意牺牲，因为还没弄清艺术是怎么回事，怕白白牺牲——我可以彻底地说：艺术本来也只是一个梦，不过比权势的梦、财富的梦、情欲的梦，更美一些，更持久一些，艺术，是个最好的梦。

　　我们有共享的心理诉求。你画完一张得意的画，第一个念头就是给谁看。人一定是这样的。权势、财富，只有炫耀，不能共享，一共享，就对立了，一半财富权力给了你了。情欲呢，是两个人的事，不能有第三者。比下来，艺术是可以共享的。天性优美，才华高超，可以放在政治上、商业上、爱情上，但都会失败，失算，过气——放在艺术上最好。

为了使你们成为艺术家，有这么多的好处，你可以牺牲一点吗？

既然分得清雅俗，就要嫉俗如仇，爱雅如命。我中秋节买月饼，回家就把月饼盒扔掉。这么俗的设计，不能放在家里。

决绝的不再来往，不要同不三不四的人厮混，听了几年课，这点鉴别力要有。跑过家门的松鼠，长得好看，我喂它吃，难看，去去去。

虚荣有什么不好？就是没有光荣的份。两个"荣"，你要哪一个？要克制虚荣心，算不算牺牲？你试试看。

如果你真能被艺术占有，你哪有时间心思去和别人鬼混，否则生活就不好玩了。因为你还在艺术的边缘，甚至边外，艺术没有占有你，你也没有占有艺术。所以你的生活不会很快乐，甚至很烦恼。怎么办呢？

好办，再回到前面讲的，人活着，时时要有死的恳切，死了，这一切又为何呢？那么，我活着，就知道该如何了。

所以时时刻刻要有死的恳切，是指这个意思。

1994 年，我愿大家都有好的转变。课完了，我们将要分别，即使再见面，要隔了一层了，校友见面，客客气气。过去这一段，今后得不到了，想来心有戚戚。

怎么把这个气氛延续下去？有个想法：将来成立一个文学研究会，远话近说，先酝酿。文艺复兴，从个体户到集体户，要有个形式。这是新年的新希望。目的，要入世，做点事——也是一种牺牲，绑出去，示众。

后 记

陈丹青

二十三年前，1989年元月，木心先生在纽约为我们开讲世界文学史。初起的设想，一年讲完，结果整整讲了五年。后期某课，木心笑说：这是一场"文学的远征"。

　　十八年前，1994年元月9日，木心讲毕最后一课。那天是在我的寓所，散课后，他穿上黑大衣，戴上黑礼帽，我们送他下楼。步出客厅的一瞬，他回过头来，定睛看了看十几分钟前据案讲课的橡木桌。此后，直到木心逝世，他再没出席过一次演讲。

　　那桌子跟我回了北京，此刻我就在桌面上写这篇后记。

　　另有一块小黑板，专供木心课间书写各国作家的名姓、生卒年、生僻字，还有各国的诗文，随写随擦，五年间辗转不同的听课人家中。今年夏初，我照例回纽约侍奉母亲，7月，母亲逝世。丧事过后的一天，清理母亲床边的衣柜——但凡至亲亡故而面对满目遗物的人，明白那是怎样的心情——在昏暗壁角，我意外看见了那块小小的黑板。

　　听课五年，我所累积的笔记共有五本，多年来随我几度迁居，藏在不同寓所的书柜里，偶或看见，心想总要静下心再读一遍，倏忽近二十年过去了，竟从未复读。唯一读见的老友，是阿城，1991年，我曾借他当时写就的三本笔录。

　　木心开讲后，则每次摊一册大号笔记本，密密麻麻写满字，是他备课的讲义。但我不记得他低头频频看讲义，只目灼灼看着众人，徐缓地讲，忽而笑了，说出滑稽的话来。当初宣布开

1084

课，他兴冲冲地说，讲义、笔记，将来都要出版。但我深知他哈姆雷特式的性格：日后几次恳求他出版这份讲义，他总轻蔑地说，那不是他的作品，不高兴出。前几年领了出版社主编去到乌镇，重提此事，木心仍是不允。

先生的意思，我不违逆。但我确信我这份笔记自有价值：除了讲课内容，木心率尔离题的大量妙语、趣谈，我都忠实记录：百分之百的精确，不敢保证，但只要木心在讲话，我就记，有一回甚至记下了散课后众人跟他在公园散步的谈话。

去年岁阑，逾百位年轻读者从各地赶来，永别木心。在乌镇昭明书院的追思会上，大家恳请我公开这份笔录，我当即应承了——当年讲课时，木心常说将来怎样，回国后又怎样，那天瞧着满屋子陌生青年的脸，戚戚然而眼巴巴，我忽然想：此刻不就是先生时时瞩望的将来吗？

今年春，诸事忙过，我从柜子里取出五本笔记，摞在床头边，深宵临睡，一页一页读下去，发呆、出神、失声大笑，自己哭起来：我看见死去的木心躺在灵床上，又分明看见二十多年前大家围着木心，听他讲课……我们真有过漫漫五年的纽约聚会么？瞧着满纸木心讲的话，是我的笔记，也像是他的遗物。

电子版录入的工作，细致而庞大。速记潦草，年轻编辑无法辨读，我就自己做。或在纽约寓所的厨房，或在北京东城的画室，朝夕录入，为期逾半年。当年手记无法测知字数，待录毕八十五讲，点击核查，逾四十万字。为纪念木心逝世一周年，近日忙于编校、排版、配图、弄封面，12月必须进厂付印了：眼前的电子版不再是那叠经年封存的笔记，而是木心读者期待的书稿——"九泉之下"这类话，我从不相信的，而人的自欺，不过如此。喂，木心，恕我不能经你过目而首肯了，记得你当年的长篇大论吗？年底将要变成厚厚的书。

******

现在可以交代这场"文学远征"的缘起和过程了。

1982年秋，我在纽约认识了木心，第二年即与他密集过往，剧谈痛聊：文学课里的许多意思，他那时就频频说起。我原本无学，直听得不知如何是好。我不愿独享着这份奇缘，未久，便陆续带着我所认识的艺术家，走去见木心——八十年代，纽约地面的大陆同行极有限，各人的茫然寂寞，自不待说——当然，很快，众皆惊异，不知如何是好了。

自1983到1989年，也是木心恢复写作、持续出书的时期。大家与他相熟后，手里都有木心的书。逢年过节，或借个什么由头，我们通宵达旦听他聊，或三五人，或七八人，窗外晨光熹微，座中有昏沉睡去的，有勉力强撑的，唯年事最高的木心，精神矍铄。

木心在大陆时，与体制内晚生几无来往，稍事交接后，他曾惊讶地说："原来你们什么都不知道啊！"这样子，过了几

1086

这张照片摄于1987年左右的一次聚谈中。木心坐在地上（右一），身后即召集大家上课的李全武。两年后，世界文学课正式开始。

后记

1087

年，终于有章学林、李全武二位，纠缠木心，请他正式开课讲文艺，勿使珍贵的识见虚掷了。此外，众人另有心意：那些年木心尚未售画，生活全赖稿费，大家是想借了听课而交付若干费用，或使老人约略多点收益。"这样子算什么呢？"木心在电话里对我说，但他终于同意，并认真准备起来。

劝请最力而全程操办的热心人，是李全武。他和木心长期协调讲课事项，转达师生间的种种信息，改期、复课、每课转往谁家，悉数由他逐一通知，持续听课或临时听课者的交费，也是他负责收取，转至木心，五年间，我们都称他"校长"。

事情的详细，不很记得了。总之，1989年元月15日，众人假四川画家高小华家聚会，算是课程的启动。那天满室哗然，很久才静下来。木心，浅色西装，笑盈盈坐在靠墙的沙发，那年他六十二岁，鬓发尚未斑白，显得很年青——讲课的方式商定如下：地点，每位听课人轮流提供自家客厅；时间，寒暑期各人忙，春秋上课；课时，每次讲四小时，每课间隔两周，若因事告假者达三五人，即延后、改期，一二人缺席，照常上课。

开课后，渐渐发现或一专题，一下午讲不完。单是圣经就去两个月，共讲四课。上古中古文学史讲毕，已逾一年，越近现代，则内容越多。原计划讲到十九世纪收束，应我们叫唤，木心遂添讲二十世纪流派纷繁的文学，其中，仅存在主义便讲了五课。

那些年，众生多少是在异国谋饭的生熟尴尬中，不免分身于杂事，课程改期，不在少数，既经延宕，则跨寒暑而就春秋，忽忽经年，此即"文学远征"至于跋涉五年之久的缘故吧。到了最后一两年，这奇怪的小团体已然彼此混得太熟，每次相聚有如小小的派对，不免多了课外的闲聊，我的所记，则仍是木心的讲课。

******

以下追踪记忆，由年龄顺序排列，大致是全程到课、长期听课的学员名单：

金高（油画家）、王济达（雕塑家），五十年代年中央美院毕业，1983 年来美。

章学林（版画家），六十年代浙江美院毕业，1980 年来美。

薄茵萍、丁雅容，来自台湾的女画家，1977 年来美。

陈丹青、黄素宁（国画家），1980 年中央美院毕业，1982 年来美。

曹立伟（油画家）、李菁，1982 年中央美院毕业，1986 年来美。

李全武（油画家），1984 年中央美院毕业，1985 年来美。

殷梅（舞者、编舞家），来美年份不详。

黄秋虹，广东女画家，1980 年来美。

陈捷明，广东画家，1980 年来美。

李和，不详。

其中，殷梅由全武介绍而来，黄秋虹、陈捷明，由别人介绍木心认识。五年间，因呼朋唤友而听过几课、不复再来，或中后期听说而加入的人，也颇不少。我所熟悉的是上海画家李斌，南京画家刘丹、钱大经、薛建新，北京人薛蛮子、胡小平夫妇。两位木心的旧识：上海画家夏葆元（"文革"前与木心同一单位）、上海留学生胡澄华（其父是木心的老友），也来听过课，久暂不一。人数最多的一次是讲唐诗，也在我的寓所，来三十多人，椅子不够，不记得终于是怎样安排落座的。

这是一份奇怪的组合：听课人几乎全是画家，没有迹象表明有谁听过文学史，或职志于文学，课中说及的各国作家与作品，十之六七，我们都不知道——木心完全不在乎这些。他与人初识接谈，从不问起学历和身份。奇怪，对着这些不相干的脸，他只顾兴味油然地讲，其状貌，活像谈论什么好吃透顶的菜肴。我猜他不会天真到以为众生的程度与之相当，但他似乎相信每个人果然像他一样，挚爱文学。

木心讲课没有腔调——不像是讲课，浑如聊天，而他的聊天，清晰平正，有如讲课——他语速平缓，从不高声说话，说及要紧的意思，字字用了略微加重的语气，如宣读早经写就的文句。录入笔记的这半年，本能地，我在纸页间听到他低哑苍老的嗓音。不止十次，我记得，他在某句话戛然停顿，凝着老人的表情，好几秒钟，呆呆看着我们。

这时，我知道，他动了感情，竭力克制着，等自己平息。

讲课与聊天究竟不同。自上世纪五十年代木心在上海高桥做过几年中学老师，此后数十年再没教过书——起初几堂课，谈希腊罗马、谈诗经，他可能有点生疏而过于郑重了，时或在读解故事或长句中结巴、绊住，后来他说，头几课讲完，透不过气来——两三课后，他恢复了平素聊天的闲适而松动，越讲到后来，越是收放自如。

我的笔记，初起也颇仓促，总要三四课后这才找回画速写的快捷，同其时，与木心的讲述，两皆顺畅了——好在木心说话向来要言不繁，再大的公案、史说、是非、纠葛，由他说来，三言两语，惊人地简单。

而笔录之际最令我感到兴味的瞬间，是他临场的戏谈。

木心的异能，即在随时离题：他说卡夫卡苦命、肺痨、爱焚稿，该把林黛玉介绍给卡夫卡；他说西蒙种葡萄养写作，昔年陶潜要是不就菊花而改种葡萄，那该多好！在木心那里，切题、切题、再切题，便是这些如叙家常的离题话。待我们闻声哄笑，他得意了，假装无所谓的样子——且慢，他在哄笑中又起念头，果然，再来一句，又来一句——随即收回目光，接着往下说。

如今座谈流行的录音、摄像，那时既没有器具，木心也不让做。他以为讲课便是讲课。五年期间，我们没有一张课堂的照片，也无法留存一份录音。

后记

1091

"结业"派对，是"李校长"安排在女钢琴家孙韵寓所。应木心所嘱，我们穿了正装，分别与他合影。孙韵母女联袂弹奏了莫扎特第23号钢琴协奏曲。阿城特意从洛杉矶自费赶来，扛了专业的机器，全程录像。席间，众人先后感言，说些什么，此刻全忘了，只记得黄秋虹才刚开口，泪流满面。

木心，如五年前宣布开课时那样，矜矜浅笑，像个远房老亲戚，安静地坐着，那年他六十七岁了。就我所知，那也是他与全体听课生最后一次聚会。他的发言的开头，引瓦莱里的诗。每当他借述西人的文句，我总觉得是他自己所写，脱口而出：

你终于闪耀着了么？我旅途的终点。

******

八九十年代之交，国中大学的文学史课程，早经恢复。文学专业的硕博士，不知用的什么讲义，怎样地讲，由谁讲——我们当年这样地胡闹一场，回想起来，近于荒谬的境界：没有注册，没有教室，没有课本，没有考试与证书，更没有赞助与课题费，不过是在纽约市皇后区、曼哈顿区、布鲁克林区的不同寓所中，团团坐拢来，听木心神聊。

木心也从未修过文学课。讲毕唐诗一节，他送当时在座每位学员一首七绝，将各人的名字嵌入末句，这次录入，我注意到他也给自己写了一首：

> 东来紫气已迟迟，群公有师我无师。
> 一夕绛帐风飘去，木铎含心终不知。

　　木心所参考的郑振铎《文学大纲》，最早出版于上世纪二十年代，想必是少年木心的启蒙读物之一。前年得到这两册大书的新版，全书体例与部分资料，大致为木心所借取，我翻了几页，读不下去。"可怜啊，你们读书太少。"暮年木心又一次喃喃对我说。那时他已耳背，我大叫："都听你讲过了呀！"他一愣，怔怔地看我。

　　听课五年，固然免除了我的蒙昧，但我从此愚妄而惰怠。说来造孽：木心所标举的伟大作品：古希腊，圣经，先秦诸子，莎士比亚，尼采，拜伦，纪德……二十多年过去，我一行也不曾拜读。年来字字录入这份笔记，我不再将之看做"世界文学史"，诚如木心所说，这是他自己的"文学回忆录"，是一部"荒诞小说"。眼下全书付印在即，想了很久，以我难以挽回的荒率，无能给予评价。实在说，这是我能评价的书吗？

　　如今我也接近木心开课时的岁数，当年愚昧，尚于讲课中的若干信息，惘然不察，现在或可写出来，就教于方家，也提醒年轻的读者——

　　上世纪三十年代末，抗战初期，十三四岁的木心躲在乌镇，几乎读遍当时所能到手的书，其中，不但有希腊罗马的史诗、神话，近代以来的欧陆经典，还包括印度、波斯、阿拉伯、日本的文学。郑本《文学大纲》所列举的庞大作者群，当年不可能全有汉译本，木心也不可能全都读过，他诚实地说，哪位只是听说，哪本没有读过，但他多次感慨："那时的翻译家做了好多事情哩。"最近承深圳的南兆旭、高小龙二位提供数百册私藏民国旧书，供我选择配图，虽难测知其中哪些曾是木心昔年的读本，但他的阅读记忆，正是一部民国出版史的私人旁证。

讲述圣经时，木心念及早岁与他频繁通信的十五岁湖州女孩，使我们知道早在四十年代的浙江小城，竟有如此真挚而程度甚深的少年信徒，小小年纪，彼此辩说新旧约的文学性。提到《易经》，他说夏夜乘凉时教他背诵《易经》口诀的人，是她母亲，抗战逃难中，这位母亲还曾给儿子讲述杜甫的诗，这在今日的乡镇，岂可思议。他忆及家中仆佣对《七侠五义》之类的热衷，尤令我神旺，他的叔兄长辈居然日日去听说书，此也勾连了我的幼年记忆：五六十年代，沪上弄堂间尚且隐着简陋的说书场所……这一切，今已荡然无存，而木心的记忆，正是一份民国青年的阅读史。

这份阅读史，在世界范围也翻了过去。木心的生与长，适在同期步入印刷时代与新文化运动的民国，他这代人对文学的热忱与虔敬，相当十五至十九世纪的欧洲人，电子传媒时代的芸芸晚生，恐怕不易理解这样一种文学阅读的赤子之情了。

以上，是木心生涯的上半时，下半时呢？

自1949年到"文革"结束，近三十年，欧美文学的译介几乎中止，其间，值木心盛年，惟以早岁的阅读与文学相濡以沫（他因此对五十年代专事俄罗斯文学的推介，甚表好意）。讲课中一再提及的音乐家李梦熊先生，也是此等活宝：他俩听说乔伊斯与卡夫卡，但"文革"前夕的大陆，哪里读得到。而早在三四十年代，他们就知悉欧洲出现意识流、意象主义、存在主义等等新潮，之后，对铁幕外的文学景观该是怎样的渴念。浩劫后期，战后文学如"黑色幽默"与"垮掉的一代"，曾有内部译本（如《第二十二条军规》），他们当然不会放过，总之，就我所知，五六十年代，各都市，尤其京沪，尚有完全在学院与作协系统之外，嗜书如命、精赏文学的书生。而木心出国前大量私下写作的自我想象、自我期许，竟是遥不可及的西方现代主义。

"文革"初，木心早期作品被抄没。"文革"后，大陆的地下文学与先锋诗，陆续见光，渐渐组入共和国文学史话。现在，这本书揭示了更为隐蔽的角落：整整六十多年目所能及的文学档案中——不论官方还是在野——仍有逍遥漏网的人。

漫长，彻底，与世隔绝，大陆时期的木心没有任何举动试图见光。到纽约后，带着不知餍足的文学的贪婪，他在恢复写作的同时，靠台湾版译本找回被阻隔的现代文学图景，与他早年的阅读相衔接。久居纽约的港台文人对他与世界文学的不隔，咸表惊异，他们无法想象木心与李梦熊在封锁年代的文学苦谈——"出来了，我才真正成熟"，木心如是说——私下，我完全不是可以和他对话的人，他几次叹息，说，你们的学问谈吐哪里及得上当年李梦熊。但木心要说话，要以他所能把握的文学世界，映证自己的成熟，不得已，乃将我们这群人权且当做可以聆听的学生。

多少民国书籍与读者，湮灭了。木心的一生，密集伴随愈演愈烈的文化断层。他不肯断，而居然不曾断，这就是本书潜藏的背景：在累累断层之间、之外、之后，木心始终将自己尽可能置于世界性的文学景观，倘若不是出走，这顽强而持久的挣扎，几几乎濒于徒劳。

******

一个在八十年代出道的文学家，能否设想木心的历程？一个研修文史专科的学者，又会如何看待这份文本？木心不肯放过文学，劫难也不曾放过他，但我不知道他怎样实践了尼采的那句话：

在自己的身上，克服这个时代。

固然，尼采另有所指，尼采也不可能知道这句话在二十世纪的中国语境——在这大语境中，木心怎样营造并守护他个人的语境？去年秋，木心昏迷的前两个月，贝聿铭的弟子去到乌镇，与他商议如何设计他的美术馆。木心笑说：

> 贝先生一生的各个阶段，都是对的；我一生的各个
> 阶段，全是错的。

这不是反讽，而是实话，因为实话，有甚于反讽——讲课中，他说及这样的细节：五十年代末，国庆十周年夜，他躲在家偷学意识流写作（时年三十二岁）；六十年代"文革"前夕，他与李梦熊彻夜谈论叶慈、艾略特、斯宾格勒、普鲁斯特、阿赫玛托娃；七十年代他被单独囚禁时，偷偷书写文学手稿，我亲眼看过，惊怵不已：正反面全都写满，字迹小如米粒；八十年代末，木心年逾花甲，生存焦虑远甚于流落异国的壮年人，可他讲了五年文学课——我们交付的那点可怜的学费啊——九十年代，他承诺了自己青年时代的妄想，满心狂喜，写成《诗经演》三百多首；新世纪，每回走去看他，他总引我到小阳台桌边，给我看那些毫无用处的新写的诗。

在与笔记再度相处的半年，我时时涌起当初即曾抱有的羞惭和惊异，不，不止于此，是一种令我畏惧到至于轻微厌烦的心情：这个死不悔改的人。他挚爱文学到了罪孽的地步，一如他罪孽般与世隔绝。这本书，布满他始终不渝的名姓，而他如

数家珍的文学圣家族，完全不知道怎样持久地影响了这个人。

中国文学史、西洋文学史，魏晋或唐宋文学、伊丽莎白或路易王朝文学，各有专家。其他国家所修的世界文学史又是怎样讲法呢？当年郑振铎编撰《文学大纲》，想必也多所参照了外国的写本。迄今，我没有读过一本文学史，除了听木心闲聊。若非年轻读者的恳求，这五册笔记不知几时才会翻出来：其实，每次瞧见这叠本子，我都会想：总有一天，我要让许多人读到。

或曰：这份笔记是否准确记录了木心的讲说？悉听尊便。或曰：木心的史说是否有错？我愿高声说：我不知道，我不在乎！或曰：木心的观点是否独断而狂妄？呜呼！这就是我葆有这份笔录的无上骄傲——我分明看着他说，他爱先秦典籍，只为诸子的文学才华；他以为今日所有伪君子身上，仍然活着孔丘；他想对他爱敬的尼采说：从哲学跑出来吧；他激赏拜伦、雪莱、海涅，却说他们其实不太会作诗；他说托尔斯泰可惜"头脑不行"，但讲到托翁坟头不设十字架，不设墓碑，忽而语音低弱了，颤声说："伟大！"而谈及萨特的葬礼，木心脸色一正，引尼采的话：唯有戏子才能唤起群众巨大的兴奋。

我真想知道，有谁，这样地，评说文学家。我因此很想知道，其他国家，谁曾如此这般，讲过文学史——我多么盼望各国文学家都来听听木心如何说起他们。他们不知道，这个人，不断不断与他们对话、商量、发出诘问、处处辩难，又一再一再，赞美他们，以一个中国老人的狡黠而体恤，洞悉他们的隐衷，或者，说他们的坏话。真的，这本书，不是世界文学史，而是，那么多那么多文学家，渐次围拢，照亮了那个照亮他们的人。

****

讲课完结后，1994 年早春，木心回到远别十二年的大陆，前后四十天，期间，独自潜回乌镇，那年他离开故乡将近五十年了。回纽约后，又两年，他搬离距我家较近的寓所，由黄秋虹安排迁往皇后区一处宽敞的公寓，在那里住了十年。到了七十九岁那年，2006 年 9 月，我陪他回国，扶他坐上机场的轮椅，走向海关。黄秋虹，泣不成声，和年逾花甲的章学林跟在后面：自我 2000 年回国后，就剩他俩就近照看木心。

同年春，听课生中年龄最大的金高女士，逝世了。其他学员早经星散，很少联络了。之后，每年春秋我回纽约侍母，走在街上，念及木心经已归国。去年木心死，我瞧着当年众人出没的街区，心情有异——今夏侍奉母亲，黄昏散步，我曾几次走到木心旧寓前，站一站。门前的那棵树，今已亭亭如盖，通往门首的小阶梯砖垛，放满陌生租客的盆栽。这寓所的完整地址是：

25–24A, 82 Street Jackson Heights, NY 11372.

后记

（中译：纽约市，杰克逊高地，八十二街，邮编11372）

木心讲课时，还给众生留下这里的电话：718-526-1357。

如今不能上前叩门了。木心在时，书桌周围满是花草，卧室的小小书柜旁竖一枚乐谱架，架上摊着旧版的苏东坡字帖——在我见过的文人中，木心存书最少最少——自1990到1996年，文学课讲义、蓄谋已久的《诗经演》，都在这里写成。凡添写几首诗经体新作，他会约我去北方大道南侧一张长椅上见面，摊开我根本看不懂的诗稿，风寒街阔，喜滋滋问我：味道如何？

讲课中，他两次提到与他相熟的街头松鼠，还有寓所北墙密匝匝的爬墙虎："它们没有眼睛哎！爬过去，爬过去！"每与我说起，木心啧啧称奇。忽一日，房主未经告知，全部拔去了，他如临大事，走来找我，狠狠瞪大眼睛：

"那是强暴啊！丹青，我当天就想搬走！"

木心绝少诉说自己的生活。五年讲课间，难得地，他说出早岁直到晚年的零星经历，包括押送与囚禁的片刻。他说，和朋友讲课，可以说说"私房话"。本书编排时，我特意在每讲之前排几行摘录，并非意在所谓"关键词"，而多取木心谈及自己的略略数语，俾使读者走近他：经已出版的木心著作，刻意隐退作者，我相信，这本书呈现了另一个木心。

有次上课，大家等着木心，太阳好极了。他进门就说，一

1100

路走来，觉得什么都可原谅，但不知原谅什么。那天回家后，他写成下面这首"原谅"诗，题曰《杰克逊高地》：

五月将尽

连日强光普照

一路一路树荫

呆滞到傍晚

红胸鸟在电线上啼鸣

天色舒齐地暗下来

那是慢慢地，很慢

绿叶蔟间的白屋

夕阳射亮玻璃

草坪湿透，还在洒

蓝紫鸢尾花一味梦幻

都相约暗下，暗下

清晰 和蔼 委婉

不知原谅什么

诚觉世事尽可原谅

选这首诗，因为木心、金高、全武、立伟、我，均曾是杰克逊高地的居民，当年辗转各家的上课地点，多半散在那片区域：二十年前，木心这样地走着，看着，"一路一路树荫"，其时正在前来讲课的途中；下课了，他走回家，"天色舒齐地暗下来"。木心的所有诗文，只字不提这件事，纽约市、杰克逊高地，也从不知道一小群中国人曾在这里听讲世界文学课。如今木心死了，母亲死了，金高死了，此后我不会每年去到那里——"不知原谅什么，诚觉世事尽可原谅"。现在，惟愿先生原谅我擅自公开了听课笔记，做成这本大书。

2012 年 11 月 10 日写在北京

1991—1996 年，木心旧寓。右侧的墙面，
当年全是爬墙虎。

图书在版编目 (CIP) 数据

文学回忆录（全 2 册）/ 木心讲述；陈丹青笔录．
— 桂林：广西师范大学出版社，2013.1（2016.6 重印）
ISBN 978-7-5495-3081-6

Ⅰ.①文… Ⅱ.①木… ②陈… Ⅲ.①世界文学 – 文学史
Ⅳ.① I109

中国版本图书馆 CIP 数据核字 (2012) 第 292248 号

广西师范大学出版社出版发行

桂林市中华路 22 号　邮政编码：541001
网址：www.bbtpress.com

出　版　人：张艺兵
责任编辑：曹凌志　罗丹妮　雷韵　吴晓斌
装帧设计：陆智昌
制　　作：杨　雷　马志方
全国新华书店经销
发行热线：010-64284815
山东鸿君杰文化发展有限公司

开本：787mm×1092mm　1/32
印张：35　字数：500 千字　图片：86 幅
2013 年 1 月第 1 版　2016 年 6 月第 10 次印刷
定价：98.00 元（上、下册）

如发现印装质量问题，影响阅读，请与印刷厂联系调换。